I coralli

Published by Arrangement with the Italian Literary Agency
www.einaudi.it

ISBN 978-88-06-24313-5

Diego De Silva

I valori che contano
(avrei preferito non scoprirli)

I valori che contano
(avrei preferito non scoprirli)

a Maria

Questa è un'opera di fantasia. Nomi, personaggi, luoghi ed episodi sono frutto d'immaginazione. Tranne il gatto Alfonso, detto Alfonso Gatto.

Non si preoccupi, farà una vita abbastanza normale.

QUALSIASI MEDICO

C'è un'età felice, tra la giovinezza e la vecchiaia, in cui un uomo può permettersi di non prendere la propria vita come un fatto personale.

CARLO FRUTTERO

Santuario Malinconico

Uno dice: «Accogli». E va be', figuriamoci. Solidarietà, prima di tutto. Empatia e umanità. Non scherziamo. Apri all'estraneo che bussa alla tua porta in cerca d'aiuto, non stare lí a domandarti chi è, cosa ha fatto, da chi fugge. Non badare all'età, al colore della pelle e neanche a quello delle mutande, specie se ha addosso solo quelle. Intanto, salvalo. Anzi, salvala. Esci da quel guscio piccoloborghese che ti separa dal mondo reale dove la gente vera lotta per vivere. Liberati dalla paura di perdere i tuoi meschini privilegi. Di comprometterti. Per una volta, fa' qualcosa di giusto, accidenti. Trascura l'eventualità di poterti rendere complice di un reato, o di beccarti un'accusa di sequestro di persona e magari anche di stupro, se poi viene fuori che la ragazza che hai nascosto in casa non ha ancora diciott'anni.

Tra un po' vi dico cosa penso di questo bel discorsetto. Per ora, stiamo al dialogo appena cominciato fra me e il carabiniere trafelato che un attimo fa ha suonato alla mia porta.

– Per caso ha visto una ragazza in mutande, con i capelli corti e il seno pronunciato, diciamo una terza?

Rientrando a casa, prima ancora della macchina dei carabinieri messa di traverso davanti al portone, avevo notato un'ambulanza sul marciapiede di fronte. Aveva il lampeggiante acceso ma la sirena spenta, il che mi ha fatto subito pensare a un'operazione congiunta (non chiedetemi perché, non ne ho la piú pallida idea).

– Prego? – rispondo, aspettandomi che il servitore dello Stato realizzi l'effetto surreale della sua domanda e ricominci daccapo, magari scusandosi e spiegandomi di cosa parla; invece quello insiste:

– È al corrente che due piani sopra di lei, segnatamente al quarto, c'è una casa d'appuntamenti?

La gazzella (o pantera, non saprei: le forze dell'ordine non distinguono fra bovidi e felini quando si tratta di soprannominare le macchine), la gazzella o pantera, dicevo, aveva gli sportelli anteriori aperti e dalla parte del guidatore, fuori dell'auto, c'era un altro carabiniere con l'aria sfastidiata che se lo guardavi ti guardava come a dire: «Che hai da fissarmi con quella faccia, non hai mai visto una gazzella o pantera (adesso non mi ricordo neanch'io, non è che c'è scritto sulla fiancata) parcheggiata storta davanti a un condominio?»

– Segnatamente no, – rispondo, mentre dai piani superiori arriva un tipico scalpiccio da retata, con porte che sbattono, squittii di protesta, schermaglie penose di: «Io la denuncio», «Lei per favore rientri in casa, non c'è niente da vedere» (la frase che attira di piú i curiosi in assoluto), «Non mi toccare, stronzo» (vecchio classico del cinema americano: secondo me la dicono a prescindere), «Sono un medico» (bellissima), «Ma cosa fate, questo è un bed & breakfast», «È la prima volta che vengo in un posto simile, lo giuro» ecc.

Malgrado la compresenza dell'ambulanza e della pantera o che dir si voglia davanti al portone, neanche per un attimo avevo pensato che fossero venuti a prendere qualcuno nel mio palazzo (le cose che succedono nelle nostre immediate vicinanze ci lasciano sempre increduli, specie quando nella vita ci succede poco), tantomeno che avessero fatto irruzione in una casa di tolleranza (perché poi si dica «casa di tolleranza» non l'ho mai capito).

– Ah, davvero? – fa lui accompagnandosi con il ghigno che potrebbe usare con un frequentatore abituale di bordelli arrestato una dozzina di volte nell'ultimo semestre. La smorfia gli scopre una finestrella di denti nell'angolo destro della bocca, dettaglio che fa scattare un'immediata somiglianza con qualcuno che avrò visto decine di volte ma al momento non ricordo chi sia.

– Ha ragione, come faccio a non saperlo. C'è una targa cosí, davanti al portone.

Stringe gli occhi, scrutando nella memoria (niente niente l'avesse vista davvero, quella targa).

– C'è anche scritto, – continuo, incasellando blocchetti immaginari di parole nel rigo virtuale della frase che traccio per aria usando l'indice e il pollice a mo' di misurino: – «Casa d'appuntamenti, quarto piano: si riceve su appuntamento». Il che mi pare anche logico.

Ci pensa sopra, lo giuro.

– Non faccia lo spiritoso, – mi bacchetta, mentre dai piani superiori sentiamo distintamente: «Sono i miei amici che mi hanno organizzato l'addio al celibato, mica ne sapevo niente».

– Stia a sentire, – mi irrito. – Si presenta alla mia porta facendomi una specie di terzo grado su bordelli condominiali e ragazze in mutande. Fin qui mi pare d'essere stato molto paziente, specie se teniamo conto del fatto che non ero tenuto ad aprirle. La chiudiamo qui o vuole che prenda altre iniziative?

Alza le sopracciglia. Che sembrano baffi tanto sono folte, tra l'altro.

– Per esempio quali?

Bella domanda.

Sto elaborando una risposta abbastanza vaga da risultare giuridicamente plausibile, quando l'occhio dell'improbabile detective cade sulla targhetta affissa alla mia porta.

– Aah, un avvocato! – esclama come avesse capito una barzelletta in ritardo. – Adesso sí che ho paura.

Accuso un lieve annebbiamento della vista.

– Okay, mi ha davvero rotto.

Di nuovo quel ghigno. Aldo Maccione, ecco a chi somiglia!

– Potrei accusarla di oltraggio per questa frase, lo sa?

– Perché non di vilipendio alla divisa, già che si trova?

Ci pensa su. Ancora.

– Devo riconoscere che lei è simpatico.

– Ricambio. Anche perché lei sembra il gemello di Aldo Maccione.

– Di chi?

– Aldo Maccione. Non lo conosce?

– No.

– *Sono fotogenico* con Renato Pozzetto? *Perdiamoci di vista* di Verdone? Avanti, è impossibile che non lo ricordi, un caratterista strepitoso. Faceva sempre l'impresario trucido, con il ghigno del truffatore e la mano continuamente sulla patta.

– Ah.

– Ma davvero non gliel'ha fatto mai notare nessuno?

– E no.

– Non ci credo. Siete identici, glielo giuro. Guardi *Due cuori, una cappella.* Lí è un ex carcerato che si accorda con la moglie, interpretata dall'incantevole Agostina Belli, che rimorchia Pozzetto al cimitero per fregargli dei gioielli che ha ricevuto in ered...

– Grazie, ho capito. Cercherò senz'altro di recuperarli.

In quel momento ai nostri piedi si materializza Alfonso Gatto, il gatto del cortile che ha fatto della mia casa la sua dépendance, che ci guarda dal basso uno alla volta.

– E tu di che t'impicci? – gli dico. – Lo vedi che sto parlando con il signore?

Lui inclina l'orecchio sinistro (fa sempre cosí quando gli parlo), poi alza la testa verso Aldo Maccione e lo guarda in un modo cosí inequivocabilmente disgustato che quasi mi mette in imbarazzo.

– Su, torna nelle tue stanze –. Faccio per scostarlo con il collo del piede. Che lui prontamente scavalca, per riaccomodarsi sulle chiappe. Questa sfacciataggine dei gatti nel disubbidire mi dà un fastidio, ma un fastidio.

Aldo Maccione sorride.

– Ma lei si chiama davvero Malinconico?

Mi trattengo un attimo a leggere la mia targa, prima di rispondere.

– Macché, è un soprannome. In questo palazzo si usa cosí. Infatti al primo e al secondo piano abitano Aniello 'o Pittore, geometra ma sprayer a tempo perso, e Umberto Melotengoperbellezza, noto gigolò attualmente in sabbatico. E poi ci sono io, che m'intristisco per niente.

– Ah, – pausa. – Ah, ah, – ride stiracchiato.

Secondo me non ha capito.

Alfonso Gatto sbadiglia e si allontana con un'andatura da mignotta d'alto bordo. Deve aver sbagliato piano.

– Ora, se non le dispiace.

Ho quasi chiuso la porta, con buona pace del gatto e di Maccione.

– Scusi, avvocato.

Ritiro la porta verso di me, sbuffando. Ma chi crede di essere questo qua, il tenente Colombo, che torna alla carica con un'altra domanda a dialogo concluso?

– Eeh, – dico.

– È suo, quello?

Intende il gambaletto rosa fucsia in bella mostra sul mio zerbino.

Resto senza parole per qualche istante.

– Vuole che lo misuri per vedere se mi va?

Pausa da telefilm. Sherlock Maccione mi guarda come se la mia faccia fosse lí lí per tradirmi.

– Abbiamo finito?

– Direi di sí. Anzi, la ringrazio della collaborazione.

– Le pare.

– Ma secondo lei che ci fa quel gambaletto davanti a casa sua?

– Cenerentola l'avrà perso fuggendo.

– Giusto.

Almeno questa l'ha capita subito.

Riaccompagno la porta. Metti mai che sia finita qui.

– Certo, – aggiunge il Peter Falk di Fuorigrotta mentre chiudo il sipario, – sarebbe un bel problema se chi ha perso quel gambaletto non avesse ancora compiuto diciott'anni.

– Questa farò finta di non averla sentita, – ribatto.

E finalmente gli chiudo la porta in faccia.

Favoreggiamento di necessità

Cosa penso di quel bel discorsetto? Adesso ve lo dico, cosa ne penso. Anzi, facciamo che vi racconto l'incontro sulle scale con la fuggitiva in mutande, cosí provate a mettervi nei miei panni e ve la date da soli, la risposta.

Intanto, non è esatto che l'abbia trovata davanti a casa. Per essere precisi mi è arrivata alle spalle, mentre aprivo la porta.

– Devi aiutarmi, – ha detto, ansimando.

È stato allora che, voltandomi, ho capito che era nuda.

Una ventina d'anni, sí e no. Magra, rossa, lentigginosa. Una Pippi Calzelunghe lievemente attempata, col taglio nazi al posto delle trecce. Tremava, credo dalla paura. Si copriva il seno con le braccia incrociate e i pugni chiusi, e calpestava il pavimento alternando i passetti con le dita contratte. La mimica di un pudore incontaminato che mi ha stretto al torace come un'angina.

– Per favore, fammi entrare. Non ti darò problemi, te lo prometto.

Ho guardato verso l'alto, realizzando la situazione. Non avessi visto la macchina dei carabinieri davanti al portone, avrei potuto pensare che stesse fuggendo da un maniaco o da un amante sorpreso dalla moglie, ma quel dettaglio parlava chiaro: ero capitato nel bel mezzo di un'irruzione in un appartamento, come dire, allegro, ubicato giustappunto nel mio palazzo.

– Quanti anni hai, – ho chiesto.

– Quarantuno. Ma che domanda è? Sono scappata da quel chiattone che m'insegue per farmi fare l'interrogatorio da te? E non mi guardare.

– Ti stavo guardando in faccia, chiariamo.

Dai piani superiori qualcuno scendeva le scale di corsa, anche con una certa difficoltà, si sarebbe detto. La mole di Aldo Maccione, con cui avrei dibattuto di lí a poco, avrebbe confermato la mia impressione.

– Che vuoi fare, lasciarmi fuori? Restare al sicuro nella tua bella casetta mentre io me la vedo con la legge? Come ti guarderai allo specchio, domani mattina? Li conosco quelli come te, cosa credi, l'ho capito subito che eri uno di quegli stronzi perbenisti che non vogliono sporcarsi le ma…

– 'fanculo. Entra.

Il 'fanculo, come credo si capisca, non era rivolto a lei ma alla pratica impossibilità di rifiutare il ruolo di complice. Insomma, voi cosa avreste fatto al mio posto? Vi sareste barricati in casa facendovi gli affari vostri? Non credo. Anche se non vi conosco. Non che io sia uno che si fida degli altri per principio. È che l'etica, secondo me, ha a che fare con le circostanze, piú che coi bei discorsi. Prendete la solidarietà. La solidarietà devono tirartela dalle mani, perché tu capisca cosa significa. Ed è giusto che sia cosí, perché a chiacchiere tutti possono essere solidali con gli altri, ma è quando sei nella merda che diventi solidale con qualcuno o scegli di farti i fatti tuoi. Insomma: è facile accogliere quando non costa niente. Quando si tratta di compiere una buona azione che dal di fuori chiunque riconoscerebbe come tale. Ma prova ad accogliere rinunciando alla discriminante della bontà. Rispondi alla chiamata quando le tue buone intenzioni non si vedono, e anzi possono essere equivocate. Il bravo, fallo quando hai qualcosa da perdere. Quando rischi che ti accusino di malafede. È lí che ti misuri davvero col pensiero etico: nell'attimo in cui scegli, senza avere il tempo di ponderare la decisione, se afferrare la mano di quello che precipita o dire a te stesso che non hai potuto, anche se volevi tanto.

Ecco, io sono uno che non ce la fa a dire che non ha potuto. E non perché sia una brava persona o un uomo di principio, ma perché non so vivere col rimorso. Ho un brutto rapporto con i rimorsi, io. I rimorsi e io, non ci sopportiamo proprio. Quando Pippi Calzelunghe 2.0 mi ha detto: «Come ti guarderai allo specchio, domani mattina?» (neanche fossi stato io a consigliarle di presentarsi davanti a casa mia in mutande), ho realizzato che stava facendo lo spelling dei pensieri che mi frullavano in testa (anche se poi ha cominciato subito a offendere, ma lasciamo perdere). Ed è tremendo quando qualcuno ti fa lo spelling dei pensieri, perché in pratica è come se ti costringesse a pensare sotto dettatura, per cui non puoi fare altro che ubbidire, tanto sei d'accordo, essendo proprio tu che pensi le cose che ti stanno dicendo di pensare. Una forma di plagio, insomma. Con la differenza che, trattandosi di un plagio etico (nel senso che tende a stimolare l'etica del plagiato), non mira a strumentalizzare l'altro per fini loschi, ma a metterlo alla prova nel momento della responsabilità.

E va be', l'ho fatta entrare e ho chiuso piano la porta mentre Aldo Maccione si scapicollava giú verso il mio pianerottolo come stesse cavalcando una mucca o che so io.

Alfonso Gatto, che in quel momento meditava sul due posti Klippan (benché gli abbia comprato apposta una cuccetta Lurvig, che puntualmente snobba), ha alzato la testa al rallentatore e, dopo aver squadrato Pippi dal basso verso l'alto (come se anche a lui sembrasse strano trovarsi in casa un essere umano in mutande: d'altra parte, se è vero che gli animali non conoscono il pudore, quantomeno nella forma in cui è stato insegnato a noi, sono sicuramente in grado di distinguere un corpo svestito da uno coperto, e se gliene metti uno davanti all'improvviso tendono a reagire con un imbarazzo simile al nostro), mi ha guardato in faccia manco avesse voluto chiedermi se era mia amica.

La ragazza adesso ansimava piú di prima (l'adrenalina stava aggiornando il software, probabilmente), e mordeva l'aria con le labbra.

– Ehi, va tutto bene, sta' calma, – ho detto tenendo le mani bene in vista, non sapevo neanch'io perché. – Vado a prendere qualcosa da metterti addosso. Vuoi un po' d'acqua?

Mi ha afferrato il braccio destro di scatto.

– Aspetta.

Ho guardato la mano, poi lei.

– C'è tua moglie o qualcun altro, in casa?

– No, nessuno.

«In quel caso, farti entrare sarebbe stato molto piú problematico», ho pensato; realizzando soltanto allora che la presenza (o peggio, il rientro imminente) di una convivente avrebbe ulteriormente frenato, se non represso, l'impulso solidaristico. La solidarietà è piena di controindicazioni, altro che storie. Ha bisogno di un certo numero di presupposti adeguati per esplicarsi. Basta una moglie, per mandarla a puttane.

– Dov'è la camera da letto? – ha chiesto togliendo una mano dal seno e accarezzandosi, con quella, i capelli.

– Eh?

– Lí in fondo, vero?

Come se le avessi risposto: «Ma prego, fa' come se fossi a casa tua». Era già a metà corridoio, quando l'ho raggiunta.

– Ehi, fermati un po'. Dove credi di andare?

– Nel tuo letto.

– Che cosa?

– Sta' a sentire, non devono beccarmi, hai capito? È importante. Se entrano mi faccio trovare sotto le lenzuola, cosí gli dici che sono la tua amante, li mandi via e minacci pure di denunciarli.

– Ah, ecco, questo sí che è un piano studiato nei minimi dettagli. Scordatelo.

Tanto valeva che dicessi: «Ottima idea, va' pure». S'era già infilata in camera mia.

– Anzi, – ha aggiunto riaffacciandosi nel corridoio mentre io me ne stavo lí come un coglione con Alfonso Gatto accanto che aveva abbandonato il Klippan per venire a mettere il naso nei fatti altrui, – tira fuori la camicia dai pantaloni e scompigliati un po' i capelli, cosí diventi piú credibile.

– La cami... ma dico, sei stronza?

In quel momento è suonato il campanello. La nudista è scomparsa sotto le coperte seguita a ruota da Alfonso Gatto (un campione di fedeltà, quell'altro).

Mentre mi dirigevo alla porta al ralenti, basito com'ero dalla velocità con cui Pippi 2.0 mi aveva trascinato nel suo piano diabolico, mi sono chiesto perché mai avrei dovuto permettere che i carabinieri facessero irruzione in casa mia spingendosi addirittura nella (diciamo) zona letto (il mio appartamento è di 63 m^2 calpestabili). Dovevano fermarsi sulla soglia, chiaro (perché non è che si viola il domicilio di un privato cittadino per arrestare puttane in fuga). Tanto piú che non ero tenuto ad aprire. Se Pippi voleva spacciarsi per mia amante, probabilmente stava difendendo qualcun altro, oltre a se stessa. Il suo era un eccesso di prudenza. L'aveva anche detto, che era importante che non la beccassero.

«Va bene, – ho pensato, – mi deve una spiegazione».

E sono passato a occuparmi di Aldo Maccione, come già sapete.

I wanna be a song

– Quella di Cenerentola me l'aspettavo, – commenta Pippi Calzelunghe riemergendo dalle lenzuola con Alfonso Gatto in braccio.

Ha fatto presto a farsi rimorchiare, quel leccaculo. Con me fa sempre lo schizzinoso.

– La prossima volta che scappi da un bordello ricordati di scrivermele tu, le battute, – replico.

– Ho detto che me l'aspettavo, non che non mi è piaciuta.

– Ora sí che sono sollevato.

– Sei sempre cosí permaloso?

Esibisco il gambaletto perduto stringendolo all'estremità con due dita e lo depongo sulla coperta a mo' di topo morto.

– Adesso vestiti e togli il disturbo, se non ti dispiace.

– Con cosa dovrei vestirmi, con quello?

– 'spetta.

Apro l'Hemnes a due ante, tiro fuori una felpa con cappuccio Adibas (giuro: «Adibas»), un pantalone da ginnastica in condizioni disperate, e glieli passo.

– Per le scarpe, puoi usare quelle, – dico indicandole delle finte Crocs comprate dai cinesi che solitamente uso per la doccia.

– Adibas? – fa lei maneggiando la felpa.

– Puoi uscire in topless, se disapprovi il marchio.

– Mi sono sempre chiesta chi la comprasse, questa roba pezzottata.

– Perché non torni nel tuo ufficio al quarto piano a recuperare i tuoi abiti di sartoria?

– E dài, stavo scherzando.

– Ah, a proposito.

– Cosa.

– Non mi pare il caso di stare lí a ringraziarmi. In fondo non ho fatto niente di particolare.

– Ah, ah.

– Ti conosco da venti minuti ma già ammiro la tua riconoscenza.

– Grazie.

– Per non dire della spontaneità con cui la manifesti.

– Scusami, – cambia tono mentre s'infila l'Adibas, – sono ancora un po' scossa. Sei stato gentile, davvero.

In tutto questo, Alfonso Gatto è scivolato dalle sue braccia per acciambellarsi sul cuscino, cosa che normalmente non gli permetto (infatti mi guarda soddisfatto, lo stronzo). Fra gli animali domestici, i gatti sono i piú strafottenti in assoluto, provano un piacere perverso a violare le regole. Dategli un dito e si prendono pure il pancreas.

– Naah, mi sono anche divertito, con la controfigura di Aldo Maccione.

– Uguale! – ridacchia. – Non credo abbia capito che lo stavi sfottendo.

– Conosci Aldo Maccione?

– Certo. È uno degli attori che meglio ha dipinto il tipico maschio italiano subdolo, rattuso e con le pezze al culo.

– Ssè. Mi pare un'efficace sintesi critica.

– Mi piace molto la commedia italiana di quegli anni. Era un cinema commerciale, fatto con pochi mezzi e senza pretese, ma pieno di talenti piú o meno sprecati. Prendi i film di Monnezza: alta bigiotteria. Tomas Milian era un attore strepitoso.

Mi soffermo qualche attimo a riflettere sulla sua breve analisi.

– Certo che ti esprimi bene.

Mi guarda in cagnesco.

– E questo che cazzo mi significherebbe?

– Oh, Gesú. E sarei io il permaloso.

– Ti sorprende che una puttanella abbia delle preferenze cinematografiche e parli addirittura in italiano corretto?

– Ti sbagli, da ragazzo andavo sempre da una che se la mettevi a pecorina ti recitava il *Riccardo III*.

La faccia, già rossa di suo, le s'imporpora fino a rasentare un viola situabile, cosí a occhio, tra il melanzana e il sangria. Un istante dopo esplode in una risata cosí fragorosa che il gatto zompa sul cuscino da fermo, rimane sospeso nell'aria per una frazione di secondo e riatterra sulle lenzuola in posizione d'attacco.

– Il Riccar… Ah, ah, ah!!!

Alfonso Gatto appiattisce le orecchie e la fissa come se ne avesse perso ogni stima. La convulsione dura qualche minuto, poi finalmente si placa.

– Certo che sei una bella testa di cazzo, – dice, sfigurata dalla lacrimazione abbondante.

– Hai una certa proprietà di linguaggio ma ridi in maniera decisamente sguaiata, fattelo dire.

Strappa un Kleenex economico dal portafazzoletti Bondlian in bambú che tengo sul comodino e ci si spernacchia il naso. A quel punto Alfonso Gatto abbandona la scena schifato.

– Oh Cristo, stavano per venirmi i crampi…

– Comunque, – riprendo da dov'eravamo rimasti, – è

curioso che a una ragazza della tua età piaccia il cinema d'altri tempi.

– Perché, scusa? A te, per dire, da ragazzo non piaceva Totò?

– Vero. Sarà che vi sottovalutiamo, voialtri, per via che state sempre con la faccia incollata al telefonino.

– Non piú di voialtri vecchi che ci fate il predicozzo.

– Non c'è bisogno che ricambi, non ti ho mica dato della giovane.

– Ma che spiritoso.

– E comunque vecchio lo dici a tuo nonno. Potrei essere tuo padre, al massimo.

– Magari, – borbotta a malincuore.

«Scusa?», starei per chiederle. Ma mi trattengo.

S'infila i pantaloni. In cui entrerebbe anche una sua amica, volendo.

– Posso fare una doccia?

«Pure», penso.

– Certo, – dico. – Il bagno è lí. Trovi degli asciugamani puliti nel Godmorgon.

– Eeh?

– La cassettiera sotto il lavabo.

– Come l'hai chiamata?

– Niente, lessico familiare, – rispondo.

E faccio per uscire.

– Mi chiamo Venere, – mi dice alle spalle, alzando appena appena la voce.

Mi volto.

– Piacere, Plutone.

– Ah, ah, che ridere.

– È un nome d'arte o ti hanno proprio registrata cosí?

– Se questa è una battuta, è un po' stronza.

– Scusa, non volevo alludere.

– E tu ti chiami davvero Malinconico?
– Vincenzo, anche.
– Suona bene.
– Ah, dimenticavo: dammi pure del tu, non stare a formalizzarti.
Spernacchia una risatina nasale.
– Posso chiamarti Adibas?
– Vaffanculo.
Rifaccio per andarmene.
– Oh, Vincenzo.
– Cosa.
– Voglio ringraziarti.
– Di nuovo? Non è il caso. Ti sei quasi inginocchiata, prima.
Vorrebbe ridere, ma ci tiene di piú a proseguire.
– Chiunque altro mi avrebbe lasciata fuori, lo so.
– È che non vedevo l'ora di capire cosa provava il pescatore di De André.
– Cosa?
– Conosci la canzone, no?
– Certo.
– Be', allora sai di cosa parla. Il vecchio pescatore se ne sta sulla spiaggia al tramonto, arriva un assassino in fuga. Il pescatore mica gli chiede cosa ha fatto: tira fuori il pane e il vino (una specie di comunione, in pratica) e li divide con lui. Neanche si guarda intorno, per vedere se ci sono testimoni che possono denunciarlo per complicità. Rifocilla l'assassino, lo lascia andare, e quando arrivano i gendarmi non lo tradisce. Un favoreggiamento in piena regola.
– Quindi è alla tua devozione a De André che devo la salvezza del mio culo.
– Esatto. Ringrazia lui.
– Invece ringrazio te. E sai di cosa, soprattutto?

– No.
– Che non mi hai fatto domande stronze tipo: «Perché fai questo».
– Ho una figlia della tua età e non mi sono mai divertito a educarla.
– È una ragazza fortunata.
– Ma se facesse le marchette la prenderei a calci in culo.
Ride.
– Stronzo.
– Una cosa però voglio chiedertela.
– Sentiamo.
– Capisco che non volessi essere trattenuta in questura e tutte quelle rogne lí. Ma tanta fretta di nasconderti nel mio letto, tutta quella paranoia che ti beccassero... Temevi altro o sbaglio?
Inclina appena la testa per guardarmi in obliquo. Lascia passare qualche secondo, prima di parlare.
– No. Non sbagli.
Silenzio.
– Oh, – dico.
– Eh, – dice.
– Se non ti va di rispondermi non fa niente.
– No –. Inghiotte un po' di saliva. – Voglio dirtelo, invece.

Upgrade

Quando nel curriculum hai venticinque anni di onorato coaffitto professionale in appartamenti multiufficio, abituarti a uno studio legale di sei vani con una segretaria, tre linee telefoniche, una sala riunioni e un codazzo di praticanti non è proprio semplicissimo.

Al contrario di quanto si pensa comunemente, passare dalla semi-indigenza al lusso mette a dura prova la capacità di adattamento. Nel senso che il salto di livello subito subito ti sbanda. Come se ti trasferissi da un monolocale a un attico, ma arredato da altri. E se per venticinque anni ti sei abituato a muoverti in 31 m^2, non è che se all'improvviso te ne danno 160 ti spaparanzi. Anzi, quello che farai, ma proprio d'istinto, sarà confinarti nei soliti 31, come un canarino che torna nella sua gabbietta nonostante il proprietario cattoanimalista gli abbia dato libera facoltà di svolazzo in tutta la casa, sí che dei restanti 129 non saprai cosa fartene. Per cui tenderai a muoverti come un abusivo, e dall'esterno questa cosa si vedrà.

Ma soprattutto, uno sbalzo socioeconomico cosí repentino inibisce (perché rende psicologicamente innaturale) la facoltà di delegare tutta una serie di compiti che fino al giorno prima svolgevi da solo, essendo ovvio che chi tira la carretta è molto piú indipendente di chi ha alti guadagni e fruisce di sottoposti a cui affida mansioni tipo passarti le telefonate o stare in un'aula di tribunale ad aspettare per ore la pronuncia di una sentenza. E non è facile scrollarsi quell'indipendenza di dosso. Come se la tua natura (che è la natura di un lavoratore a basso reddito) rifiutasse il privilegio di servirsi degli altri.

Ecco perché, a un anno dal mio ingresso nello studio Lacalamita, mi sento ancora un po' fuori posto nel disporre di una segretaria, occupare un ufficio senza nemmeno un mobile Ikea, scrivere ricorsi e memorie difensive in italiano forbito come un bravo ghostwriter di atti giudiziari, subappaltare i lavori piú seccanti, essere interpellato da praticanti timorosi e inesperti che mi fanno domande a cui non so rispondere, interloquire alla pari con il titolare, alias Benny (Beniamino) Lacalamita (rampollo del celebre Gennaro, già presidente del Consiglio dell'Ordine degli avvocati, da cui ha ereditato studio e portafoglio clienti), e finalmente guadagnare abbastanza da pagare l'affitto il 5 di ogni mese e passare addirittura qualche soldo ai miei figli.

Benny, va detto, è stato davvero generoso a offrirmi questa possibilità. Perché non è che io rappresentassi questo bell'acquisto professionale, per lui. Specie se si tiene conto del fatto che la causa in cui c'eravamo ritrovati (dopo esserci persi di vista per anni), e nella quale eravamo avversari, l'avevo anche persa.

Vero è che Benny detesta la professione forense e ha un pessimo rapporto con la successione ereditaria (l'essersi trovato lo studio affermato e la vita pianificata prima ancora di capire cosa gli sarebbe piaciuto farne, la considera una violenza di cui è il primo a darsi la colpa per averla permessa), per cui non bada a certi dettagli. Mi ha voluto nel suo studio essenzialmente perché gli sto simpatico, credo; non essendo interessato a implementare i suoi guadagni. Se chiudesse baracca domani, camperebbe da nababbo fino alla fine dei suoi giorni e lascerebbe il resto del patrimonio a uno sconosciuto, pur di far crepare di rabbia l'ex moglie (non è sposato ma sarebbe capace di sposarsi apposta, potrei giurarlo).

Nonostante sia tecnicamente rozzo e deontologicamente ridicolo, è un bravo avvocato (certo piú di me): spregiudicato, intuitivo, pragmatico e veloce, come quei musicisti che non sanno leggere la musica ma quando si lanciano in un assolo inventano paesaggi. Vincerebbe i mondiali di faccia da culo, se esistessero. Sa mentire in maniera spudorata, e poi ha un talento per la ritrattazione, una prontezza nell'aderire all'opinione opposta se appena intravede la convenienza dello switch, che lí per lí non sai se sputargli in faccia o metterti a ridere. E io finisco sempre per ridere, perché nelle sue performance a dignità zero riconosco lo stampo di un nichilismo comico in disuso che me lo rende tremendamente simpatico.

Benny Lacalamita è il perfetto esemplare di quella che si può fieramente definire una grandissima testa di cazzo. Una specie in via d'estinzione, per la salvaguardia della quale bisognerebbe fare qualcosa, credo. Non so quanti ce ne siano ancora in giro, di soggetti cosí. Nessuno ha piú il gusto di fare il cretino per il puro piacere di farlo. Il cretino, oggi, si prende sul serio. Mira a un tornaconto. Mentre è cosí bello fare una cosa per niente, soprattutto il cretino.

La prima volta che (senza avvisarmi) mi ha portato a sfasciare il motorino di un giudice di pace molto ma molto stronzo, non potevo credere ai miei occhi. E confesso che mi è piaciuto. Soprattutto quando ci siamo dati alla fuga, saltando al volo su un autobus perché una testimone oculare ci aveva sorpreso in flagranza d'atto vandalico.

Lavorando con lui mi capita spesso di domandarmi cos'è

che stiamo facendo, esattamente. Il che mi pare un ottimo segno, se capite quello che intendo.

E niente, arrivo allo studio alle 9,30 circa (non vado mai in ufficio cosí presto, ma stamattina ho una separazione alle 11) e lascio la Smart a Vulnus, il custode che detiene il monopolio del parcheggio abusivo del viale, ricevuto per discendenza diretta dopo lunghi anni di onorato servizio paterno.

Essendo anche lui figlio d'arte, ha un feeling particolare con Benny, che per due volte l'ha tirato fuori dalla galera, guadagnandosi la sua devozione. È stato lui a chiamarlo Vulnus, per via delle tante donne a cui racconta di aver spezzato il cuore. Vero è che, malgrado vada per i cinquanta, l'occhio un po' assonnato dell'ex sciupafemmine ce l'ha. Alto, belloccio, gentile nei movimenti e sempre curato nell'aspetto, farebbe anche la sua figura se non usasse dei profumi di merda. La clientela femminile attempata lo ama, quella giovane lo evita. Benny, non c'è nemmeno bisogno che apra bocca che Vulnus è già sull'attenti. Quanto a me, diciamo che rispetta il cane per il padrone (anche se col tempo credo di essergli diventato abbastanza simpatico, sebbene all'inizio fosse un po' geloso).

Quando mi viene incontro, avvolto in un impermeabile Zara color ghiaccio con cintura, è cosí stirato che ho paura di macchiarlo, passandogli le chiavi.

– Oggi è pioggia sporca, – commenta mentre scendo dall'auto, e poi sferra un colpo di testa all'aria per spazzolarsi la fronte con il ciuffo.

– È proprio vero, – rispondo come se avessi capito di cosa parla; quindi butto una rapida occhiata alle macchine che hanno già raggiunto la terza fila su entrambi i lati del viale chiedendomi, come ogni giorno, come accidenti faccia Vulnus a rendere sorprendentemente fluido un agglomerato di corpi metallici che a occhio umano sembrano impossibilitati a schiodarsi da dove sono, se non facendo ricorso alla rimozione forzata. Chiedete a Vulnus di restituirvi la vostra macchina, che avete a malapena riconosciuto incastonata fra due Suv, e assisterete alla sua immediata liberazione, eseguita con una sicurezza e una padronanza delle misure piú millimetriche che vi lasceranno stupefatti, oltre che testimoni dell'esistenza di altre leggi fisiche che governano il mondo.

Mi trattengo per qualche lungo secondo a interrogarmi su questo insondabile mistero; concludo che, dato l'alto livello di specializzazione richiesto da questo tipo di servizio, andrebbe istituito un albo professionale dei parcheggiatori abusivi; quindi salgo ai Lacalamita Studios.

Dalla sua postazione, Addolorata, la vecchia segretaria che Benny ha ereditato insieme allo studio (e di cui dimentico sempre il nome, per cui spesso improvviso, ricorrendo ad appellativi dolorifici equipollenti), mi vede attraverso la porta vetrata e mi apre dall'interno, risparmiandomi l'uso della chiave elettronica.

– Grazie... – dico entrando, e trattenendomi a stento dal chiamarla Dolores.

Lei coglie al volo la mia esitazione e resta con le mani sospese sulla tastiera del computer, come per prepararsi all'aberrazione onomastica del giorno.

– ... signora, – concludo, sfangandola in corner. – Oggi è pioggia sporca, eh?

Annuisce, mandandomi tacitamente a fare in culo; quindi viene alle comunicazioni d'ufficio:

– Ha chiamato l'avvocato Pennacchio per lei.

– Pennacchio?

– Due volte.

– E perché?
– Non so, non me l'ha detto.
– Strano. Abbiamo la separazione, stamattina. Magari è successo qualcosa. Speriamo di non dover rinviare.
– Se ci fosse stato qualche impedimento me lo avrebbe comunicato, penso.
– Infatti.
– Vuole che lo chiami?
– Eh?
Breve pausa, durante la quale Affranta socchiude gli occhi in modo paradossalmente sguaiato.
– Vuole che telefoni all'avvocato Pennacchio e glielo passi?
Ora. Capisco che su certi optional sono ancora un po' lento. Come vi dicevo, non sono abituato a disporre di subordinati che telefonino al mio posto. Per esempio. Ma di qui a trattarmi come un buzzurro professionalmente arretrato a cui scandire la domanda per assicurarsi che ne comprenda il contenuto, ce ne corre.
– La successione dei compiti mi era chiara, signora Avvilita.
– Addolorata.
– La successione dei compiti mi era chiara: lei chiama l'avvocato Pennacchio, lui le risponde, lei mi passa la telefonata, io gli parlo.
– Esatto.
– Visto che bel Q.I. che ho?
Mi avvio verso il mio ufficio.
– Non mi ha detto se devo chiamarlo o no, – mi urla alle spalle.
– Quando glielo chiederò se ne accorgerà, – rispondo, sparendo dalla sua vista; quindi mi arpiono il pacco con la mano destra e le dedico una scrollata vigorosa.

Ma vedi tu se un pover'uomo che va a lavorare la mattina (non) presto, deve essere tramortito dall'efficienza altrui.

Neanche Benny va pazzo per Inginocchiata, ma siccome la conosce fin da bambino non se la sente d'incentivarla ad andare in pensione (benché desideri da tempo assumere una strafiga, non tanto per l'incremento della clientela – che ci sarebbe comunque –, ma per far crepare d'invidia i colleghi, essendo notorio che un avvocato rosica piú per una segretaria gnocca che per un cliente danaroso).

Apro la porta del mio ufficio e indugio sulla soglia per ricatalogare, ancora un po' incredulo di poterne disporre: una scrivania in wengé e alluminio fatta riprodurre da Benny su imitazione di un modello di Osvaldo Borsani dei primi anni Settanta; una grande libreria in palissandro e ottone, anche quella artigianale; un due posti Le Corbusier (dove mi stravacco per leggere e riflettere) servito da un tavolino in ciliegio naturale di Frank Lloyd Wright e un altro, piú piccolo, di Philippe Starck, con piede bianco e ripiano in plexiglas rosso coprente, perfetto per poggiarci gli occhiali da lettura o una tazza. Accanto, un frigobar Smeg stile anni Cinquanta, color arancio, che rifornisco personalmente di minerale gassata, bitter bianchi e anacardi, di cui sono ghiotto. Alla scrivania mi accomodo su una Barrel (sempre di Frank Lloyd Wright), mentre i clienti dispongono di due Zig Zag di Gerrit Rietveld, una blu e una gialla, che danno un tocco pop spiritosamente audace all'ambiente. Altre due Zig Zag color ciliegio, sparse un po' a caso per la stanza, fanno da mensole per libri potendo anche, all'occorrenza, essere usate da altri ospiti (benché Benny preferisca che dal terzo cliente in poi si riceva in sala riunioni). Alle pareti, due lito di Maccari e una cornice liberty con decori a rilievo, nuda.

Buttata lí in un angolo, come scampata a un trasloco, una vecchia poltrona Thonet molto scorticata, che amo perdutamente. Quanto all'illuminazione, due Tolomeo distanti un metro e mezzo fra loro insistono sulla scrivania (dove, accanto all'iMac Pro, ho comunque una Tizio di Artemide), mentre la zona divano è servita da una piantana Arco di Castiglioni. Il pavimento è ricoperto da un parquet Listone Giordano in teak antico disegnato da Michele De Lucchi e Philippe Nigro. La porta, come tutte quelle dello studio (tranne la zona air office riservata ai praticanti), è una sottilissima Lualdi progettata da Piero Lissoni, di un colore diverso per ogni stanza (pergamena la mia, rosso Ferrari quella di Benny, grigio calce quella della sala riunioni, gesso le due toilette, su cui Benny ha fatto incidere la frase: «Fate come se foste a casa vostra»). Una libreria modulare Airport di Giorgio Cattelan fissata fra il pavimento e il soffitto (con staffe in acciaio verniciato bianco e ripiani in rovere bruciato), di soli testi giuridici d'antiquariato, corre lungo la parete sinistra del corridoio che dalla reception sbocca nell'anticamera della sala riunioni e dei nostri uffici, aprendosi a destra sull'air office dei giovani avvocati, formato da quattro postazioni in vetro extralight retrolaccato separate fra loro da pannelli di cristallo alti poco meno di un metro e mezzo.

Se pensate che abbia compilato questo minuzioso elenco di mobili oscenamente costosi per darvi a intendere d'aver svoltato, vi sbagliate. Uno, questa roba non è mia. Due, i dettagli che ho riportato li ho cercati su internet. Tre, non c'è giorno, ma proprio neanche uno, in cui entrando qui dentro non mi morda le labbra pensando al mio vecchio arredamento. Sono povero dentro, non c'è niente da fare. Ho passato troppi anni a vivere con poco, per trovare comodo il lusso. Rimpiango la mia Jonas, la mia Skruvsta, le mie Stefan, la mia gloriosa Billy, le relativamente recenti Expedit e Kallax, le Arkelstorp e i paraventi Risör con cui io ed Espedito, il mio ex coinquilino, avevamo separato gli ambienti nel (diciamo) loft in cui c'eravamo trasferiti da un paio d'anni e da cui quel coglione mi ha sfrattato dopo il mio rifiuto di pagare metà stipendio della segretaria, prima retribuita da un suo cosiddetto amico che gli aveva chiesto di assumerla finché quel deficiente ha iniziato a trombarsela, liberando in un sol colpo il cornificato dall'onere contributivo e dalla stessa amante. A volte, lo giuro, sento addirittura la mancanza di Espe, e riesco anche a perdonarlo. Non è mica colpa sua se è cretino. Prima o poi mi chiamerà (o sarò io a telefonare a lui), ci metteremo seduti davanti a una birra a parlare d'altro, poi quando usciremo in strada gli mollerò un calcio in culo e sarà come se niente fosse mai successo.

Dimenticavo: di tutti quei dettagli sui mobili (Frank Lloyd Wright, Philippe Starck ecc.), il proprietario degli stessi, cioè Benny, non sa una ceppa. Ha dato carta bianca all'architetto e lui gli ha messo in piedi la baracca da cima a fondo, dalla disposizione degli ambienti alla cornice d'argento della foto della comunione che tiene sulla scrivania (va' a capire perché).

Quando il padre ha saputo che il suo unicogenito si era sbarazzato dei mobili antichi (piazzandoli a un antiquario amico a un prezzo di favore, oltretutto), per poco non gli è preso un colpo.

– E che si aspettava? – ha risposto quando gli ho fatto sommessamente notare che non mi sembrava avesse preso un'iniziativa molto nel solco della tradizione familiare. – Voleva tramandarmi pure i mobili? Dovevo fare l'avvocato a sua immagine e somiglianza? Me l'ha dato lo studio, sí o no? Be', allora è mio. E ci faccio il cazzo che voglio, se permette. Anzi: anche se non permette.

– Non è che non avessi il diritto di fare di questo studio il tuo studio, Benny, – ho detto. – Ma se ti vendi in blocco i mobili di tuo padre senza neanche stare a tirare sul prezzo, il sospetto che tu l'abbia fatto apposta un po' viene.

– Ah, te l'ho detto del prezzo.

– E sí, eh.

– Non mi ricordavo. Mettiamola in questo modo: se avessi conservato almeno la sua scrivania, che peraltro mi ricordava il banco di un'agenzia di onoranze funebri, sarei sembrato piú rispettoso delle tradizioni familiari?

– Avanti, Benny, volevi fargli dispetto.

– Certo che sí.

– Non puoi andare avanti in questo modo. Prima o poi dovrai smettere di uccidere tuo padre.

– Quelli come lui sono duri a morire, vecchio mio.

E qui s'è fermato per poi aggiungere:

– Spero tu abbia apprezzato la pronuncia alla Clint Eastwood.

– Non credo tu abbia colto l'allusione freudiana.

– Arrivi tardi, me l'ha già fatta la mia cameriera.

Questo scambio di battute non è che c'entrasse molto, ma giusto per rendere il livello dei nostri dialoghi.

E va be', mi siedo alla scrivania, accendo il computer e approfitto dei secondi che la macchina impiega ad avviarsi per scorrere la pratica della separazione Sgherzi-Panimolle in agenda per stamattina, ma non faccio in tempo a rileggere la prima riga del ricorso che il display retina si ravviva, sparandomi in faccia i *Cacciatori nella neve* di Bruegel e deconcentrandomi dalla Sgherzi-Panimolle per istigarmi ad aprire l'e-mail e cestinare un po' di spam, polpastrellando contemporaneamente il tasto home del telefonino per autoidentificarmi e accedere alle sue molteplici funzioni, so nemmeno io perché.

Al che mi blocco. Con le funzioni cerebrali momentaneamente inceppate, rimango a guardare gli oggetti che mi circondano come se mi chiedessi perché sono lí e a cosa servono; quindi stendo le mani sulla Sgherzi-Panimolle in modalità seduta spiritica ubbidendo al bisogno in un certo senso disperato di percepire tangibilmente la realtà, e quando (neanche subito) la mente si riattiva, mi dico che dovrei piantarla di abbandonarmi a questa sindrome del multitasking in cui, sopravvalutandomi, m'illudo d'essere in grado di fare piú di una cosa per volta.

Sono ancora lí semi-intronato quando mi arriva una chiamata Skype di mia figlia, che mi risveglia del tutto.

– Ciao tesoro, – dico al suo avatar inseguendo con gli occhi lo sciame servizievole dei pixel che le ondeggia addosso mentre si muove nel display dell'app.

È seduta in poltrona in posizione indiana, il laptop in braccio, avvolta in una felpa nera I LOVE NY (è lí che ha passato la luna di miele con Heidegger, il ladro che me l'ha rubata e che chiamo cosí da quando, appena conosciuto, alla mia innocente domanda: «Cosa fai nella vita?» mi ha sintetizzato l'ontologia esistenzialista in sei minuti).

– Ammazza com'è cool il tuo studio, Vince', – risponde ruotando la testa nel quadratino di Skype.

– Infatti non è mio, come sai, – puntualizzo.

– Be', goditelo finché il tuo nuovo socio non realizza l'incauto acquisto.

– In fatto di incauti acquisti, tu...

– Sei solo geloso.

– Sputa quando parla.

– Non è vero.

– Ha la S a getto, lo sai anche tu.
– E tu quella di Stronzo, anche a bocca chiusa.
– Stai ridendo.
– Solo perché sei scemo.
– Ma dove sei? Non mi pare casa tua, quella.
– Infatti, siamo a Parigi. Hanno invitato Mattia a un convegno e restiamo qui quattro giorni. Ci hanno preso una casetta a rue Blondel. Vedessi com'è carina, ha anche il caminetto.
– Non ci credo. È riuscito a rimediare un week-end in Francia con un dottorato in filosofia?
– Tu a quanti convegni sei stato invitato, nella tua specchiata carriera forense?
Mi concentro.
– Nel 2009 ho tenuto una lezione al corso di formazione per praticanti avvocati sull'obsolescenza simbolica delle scale del palazzo di giustizia.
Si schiaffeggia la fronte, poi ride.
– Questa ce l'avevi pronta.
– Scherzi? Ho improvvisato. Sono l'Eric Clapton della puttanata.
– Va be', adesso vado. Quando torno ti porto i macarons.
– Ecco sí, magari al tè verde. Anzi, al caramello salato. Ma quando mai mi hai visto mangiare quei pasticcini da ric… aspetta un momento, hai detto rue Blondel?
– Sí, perché?
– Non è la strada delle puttane?
– E tu come fai a saperlo?
– Be', è famosa.
– Ah sí, eh?
– Che ti ridi, è famosa davvero.
Le squilla il telefonino.
– Devo andare, mi sta chiamando Mattia.

– Digli di comportarsi bene o gli spezzo le gambe.
– Devi proprio ripetermela ogni volta, questa?
Starei per ribattere, ma il suo santino digitale si dematerializza, dichiarando la fine della videoconferenza (che cosa poi c'entrino le conferenze con le videochiamate non l'ho mai capito).

Rimango qualche minuto a crogiolarmi nella depressione post-telefonica che mi prende da quando Alagia si è sposata, quello sconforto dolciastro che viene dal sapere che tua figlia se n'è andata per sempre (mentre s'è solo sposata un coglione, e per di piú ci sono alte probabilità che il matrimonio non duri, ma tu stai lí a fare il genitore dal cuore spezzato che deve elaborare il distacco, assecondando quella retorica psichica – perché, mettiamocelo in testa, anche la psiche è retorica – che piega i sentimenti verso l'autocommiserazione, che per come la vedo io è la sega del coccodrillo).

... Comunque sí, mia figlia si chiama Alagia: senza che fate quella faccia, io non c'entro, la mia ex moglie l'ha avuta da un altro con cui stava prima di conoscermi, infatti sospetto che il tipo si sia dato quando lei gli ha detto come avrebbe chiamato la bambina.

E va be', a questo punto, anche per par condicio, prendo il telefono e chiamo Alfredo.

Due squilli.

Tre.

Quattro.

Al sesto sbatto il cellulare sulla scrivania.

Io non so, davvero non mi spiego questa ostinazione dei figli maggiorenni nel non rispondere al telefono. Non dico di scattare sull'attenti appena ti appare il mio nome sul display, ma degnarti di ascoltare cos'ha da dirti un padre che non senti da giorni è una cortesia che potresti usare, almeno una volta su quattro. Ho capito che hai i tuoi impegni, l'università, la biancheria da lavare e la stanza da tenere pulita da quando sei andato a studiare fuori, ma questa latitanza protratta, questo mettere in lista d'attesa chi ha solo voglia di sentire la tua voce e di chiederti come stai, mi manda in bestia.

E poco conta che glielo faccia notare (visto che lo faccio a bassa voce e ingoiando il rospo, patologicamente incapace come sono di rimproverare i miei figli): basta che mi dica la prima che gli viene, tipo «Ero a lezione», perché la rabbia mi passi di colpo e mi affretti a ridimensionare l'accaduto, quasi mi vergognassi di mostrarmi offeso e dovessi essere io a scusarmi. Come se poi le lezioni universitarie durassero un paio di giorni: ti ho chiamato lunedí mattina e ora che mi rispondi (perché, manco a dirlo, sono stato di nuovo io a telefonare) siamo a martedí pomeriggio: non ti vergogni di liquidarmi con una scusa cosí ridicola? Inventane almeno una piú dignitosa, che so, ho dimenticato il telefono in aula e l'ho ritrovato solo oggi, pensa che culo, papà; oppure: ho soccorso una vecchia infartuata e le sono rimasto accanto in ospedale fino a stamattina, quando è spirata. Macché: «Scusa, ero a lezione»; e io: «Ah, – pausa, – va be', non preoccuparti».

Ovvia conseguenza della mia inettitudine genitoriale è che Alfredo non solo non perde l'abitudine, ma si sente autorizzato a conservarla, facendomi rodere il fegato (con il mio consenso, neanche tacito ma addirittura espresso) ogni volta. Perché non c'è volta che prenda il telefono per chiamarlo che non mi senta chiudere lo stomaco all'idea che non mi risponderà.

So che Alf mi vuole bene. Lo so. Lo so perché glielo sento nella voce. Lo so perché lo so. Non sono capace di educarlo, questo è quanto; ma sapete cosa? Non me ne vergogno. Io non voglio educare nessuno. Preferisco prenderlo o lasciarlo.

Non sono un masochista, intendiamoci. Non mi lego a chi mi maltratta, fosse pure mio figlio. Se si comporta da stronzo, voglio che ci arrivi da solo a capirlo. E si corregga da sé, se è abbastanza sensibile da farlo. E sono fiducioso che, se è stato stronzo con me, troverà il modo di dirmi che gli dispiace. E quando lo farà, a modo mio gli risponderò che non fa niente.

Perché non farà niente lo stesso, anche se non mi dirà che gli dispiace.

I titoli di coda della vita in comune

Il giorno in cui inventeranno una scala di grigi adeguata alle tonalità che assume il rancore quando si posa sul volto di un separando, noialtri che scortiamo il cliente in udienza indicheremo nei nostri atti il codice identificativo della tonalità raggiunta dall'epidermide allegando documentazione fotografica che attesti (un po' come si fa con le autopsie) l'avvenuta mutazione cromatica da imputare alla parte avversa.

Cosí, p. es., in un ricorso per separazione giudiziale potremmo scrivere: «Il Sig. Tal Dei Tali Sergio, nato a Napoli il 5.1.1966, c.f. TLDTSR66A05F839H, faccia grigio Pantone 13-5304, rappresentato e difeso, giusta mandato a margine del presente atto, dall'avv. Vincenzo Malinconico, presso il cui studio in via X elettivamente domicilia, premesso che in data Y contraeva matrimonio con...» e via redigendo, per poi aggiungere alle conclusioni una richiesta di risarcimento del grigio-rancore procurato dalla convivenza matrimoniale, da rimborsare secondo percentuali analoghe a quelle previste in materia di danno biologico.

Ipotizzo questo scenario fantagiuridico stimolato dall'indefinibile colore che tinge il viso della signora Marilena Sgherzi in (non ancora per molto) Panimolle, che tra poco piú di mezz'ora rappresenterò all'udienza di separazione giudiziale dal futuro ex marito Libero Panimolle, difeso dal collega Saverio Pennacchio, detto Savio.

Giuro che per i primi cinque o sei minuti (quando l'ho raggiunta davanti all'ingresso del tribunale, dove c'eravamo dati appuntamento) dava su quel muffa pallido che inizia a corrompere l'asiago al terzo giorno di permanenza in frigo; ma ancora piú inquietante era lo sguardo perso in un punto apparentemente preciso del vuoto, tipico di quando muori dalla voglia di fare a cazzotti con qualcuno rimasto nei paraggi dopo che ci hai litigato (perché, quando c'è mancato poco che venissi alle mani con qualcuno per strada, diventa un tuo diritto inviolabile che sparisca da lí, e di contro una provocazione intollerabile che vi resti); tanto che le ho chiesto se non avesse già incontrato suo marito e si fosse fatta trascinare in una polemica precoce.

– Magari, – ha risposto. – Alla prima parola sbagliata gli avrei tirato la borsa in faccia.

– Ah, ecco. Questo sí che mi avrebbe facilitato il lavoro, signora.

– Si vede cosí tanto che sono tesa?

«Ma quando mai. A parte il fatto che fissi l'aria come una psicopatica e un passante ti ha appena indicata a un vigile, vai alla grande», avrei voluto dirle.

– Credo di sapere come si sente, – ho buttato lí.

– È che non riesco a fare come se fosse un giorno qualsiasi. Osservare la vita che va avanti mi fa sentire... malata.

– In tribunale è sempre un giorno qualsiasi, signora.

– Che significa?

– Che qualunque dramma portiamo davanti alla legge diventa una pratica con un numero di ruolo, non so se mi spiego.

– E lei non trova che sia orribile?

– Altroché. Forse faccio l'avvocato per questo.

Dev'esserle piaciuta, perché di scatto ha spostato lo sguardo dal nulla su di me per poi annuire in segno d'intesa.

– Sa perché sono cosí nervosa? – ha detto mentre sul viso le calava una strana stanchezza, che faceva virare il verde-muffa verso il giallognolo-canottiera.

«Se proprio devi», ho pensato.

– Dal giorno in cui ho deciso di separarmi, sono sempre stata molto agguerrita con mio marito.

«Se non lo so io», abbi pazienza.

– Non vedevo l'ora che arrivasse questo momento.

«Anch'io», avrei detto volentieri.

– So che non è bello da ammettere, ma piú di una volta ho desiderato fargliela pagare.

Ogni battuta una pausa. E io lí a non poter dire una parola. Pareva una puntata di *In Treatment*, cazzo.

– Poi stamattina, venendo qui, ho sentito che la rabbia mi stava passando. Piú mi avvicinavo al tribunale, meno ce l'avevo con lui. E questo mi ha irritata.

– Guardi, questi sbalzi emotivi sono perfettamente comprens...

– C'è una frase che mi ha detto, l'ultima volta che ci siamo visti... – mi ha interrotto zompando di palo in frasca.

Le avrei dato una capata in faccia. Brava persona, eh, per carità. Ma patologicamente incapace di sostenere una conversazione. Per un attimo ho avuto un moto di solidarietà verso suo marito.

– ... che mi ha fatto succedere qualcosa.

A quel punto non sapevo neanche di chi (per non dire di cosa) stesse parlando, ma ormai avevo rinunciato a ogni velleità d'interazione.

– Non se la ricorda neanche, vero?

Ah, quindi era di me che si trattava.

Ho alzato il dito per abbozzare una timida richiesta di chiarimento, ma mi ha scavalcato di nuovo.

– Non importa.

Altra pausa.

– Le parole che ti toccano nell'intimo sono come le medicine a lento rilascio. Lí per lí senti solo l'amaro, poi l'effetto arriva tutto in una volta.

Ormai ero sull'orlo della disperazione, e avrei fatto qualcosa d'inconsulto se il padreterno non mi avesse mandato una telefonata sul cellulare.

Era Pennacchio, il collega avversario.

– Savio! – ho quasi urlato dalla gioia portando il telefonino all'orecchio. – Che piacere sentirti!

– Che ti prende? – ha fatto lui dopo un paio di secondi di silenzio.

– Eh? No, niente, – ho risposto mentre la mia cliente sprofondava in una specie di rassegnazione cosmica.

– Ci siete? Noi siamo qui da un po', Terracini ha già iniziato a chiamare.

– Siete già lí? Sul serio? – ho detto, stupito dal fatto che fossero passati davanti alla signora Sgherzi senza essere visti.

E per forza non li aveva visti, era in trance.

– Vince', – ha detto Savio dopo una pausa piuttosto lunga.

– Oh.

– Ma vai a tre, stamattina?

– Perché?

– Dài, muoviti, che siamo fra i primi.

– Okay.

Com'è andata l'udienza? In tutta franchezza non lo so. Dico solo che il presidente, dopo un quarto d'ora che eravamo lí ad aspettare che la Sgherzi la smettesse di piangere, ha allargato le braccia dichiarando che non gli era mai capitato di trovarsi davanti a un tentativo di conciliazione di cui non capisse l'esito. E mica solo a lui: tutti noi lí dentro, tranne la Sgherzi che piangeva, eravamo sinceramente smarriti e indecisi sul da farsi. Perché è chiaro che se alla domanda di rito del giudice: «C'è una possibilità che vi riconciliate?», invece di rispondere sí o no, il coniuge ricorrente (in questo caso la Sgherzi) si scioglie in lacrime, e il convenuto (in questo caso Panimolle) si stringe nelle spalle, non riuscendo giustamente a spiegarsi perché la moglie si comporti cosí (dal momento che è stata lei a trascinarlo in udienza), è chiaro – dicevo – che il presidente non sa piú che cazzo fare.

Tra l'altro, il tentativo di conciliazione si risolve normalmente in un pro forma (essendo ovvio che se due adulti sono arrivati fin lí non è che cambiano idea perché un signore che non hanno mai visto sonda la loro convinzione), non esiste che un'udienza s'impantani su una domandina che dura appena il tempo di rispondere: «Non se ne parla neanche», e che il giudice formula giusto perché glielo impone la legge (ma se fosse per lui, glielo leggi in faccia, si risparmierebbe volentieri quella frase da pretacchione aggiustatutto). Noi, invece, dopo venti minuti eravamo ancora lí, e in pratica non avevamo neanche iniziato.

Alla, tipo, sesta volta in cui sussurravo all'orecchio della signora Sgherzi di non fare cosí, supplicandola di dare una semplice risposta (poi poteva anche continuare a piangere) alla domanda del presidente Terracini che mi guardava sempre peggio, avendomi identificato come il responsabile dello strazio a cui era costretto ad assistere (già avevo nelle orecchie il refrain che mi avrebbe riservato alla fine dell'udienza: «La prossima volta istruisca i suoi clienti su come si sta davanti a un giudice, avvocato»), è intervenuto – Dio lo benedica – Savio, chiedendo al giudice di concederci una piccola sospensione perché ci consultassimo con i rispettivi clienti.

Terracini, che non vedeva l'ora, ha accolto la richiesta su due piedi, avvisandoci che a quel punto saremmo finiti in coda e aggiungendo, mentre uscivamo, ma guardando solo me:

– Mi aspetto che la signora venga aiutata a chiarirsi le idee.

– Non si preoccupi, adesso le canto *No Woman, No Cry*, – ho risposto; e quello mi ha guardato come non credesse che l'avessi detto davvero (Savio infatti mi ha dato un calcio sul piede).

E vaffanculo, hai qualcosa da dirmi, fallo apertamente e chiamami per nome: cosa mi bacchetti in anonimo, che mi hai guardato pure in faccia, tra l'altro? Pensi d'insegnarmi meglio il mio mestiere se mi fai il pistolotto in codice? Che poi sentiamola, la strategica esortazione che non hai potuto fare a meno di rifilarmi: «Mi aspetto che la signora venga aiutata a chiarirsi le idee». Perché, secondo te mi cimento ad oscurargliele? O vuoi dire che se i nervi della signora non hanno retto è colpa mia, che io non le ho fornito un adeguato supporto psicologico perché arrivasse al tuo cospetto senza abusare del tuo tempo? E poi scusa, eh, che cazzo vuoi da me se ha attaccato il piagnisteo? Cosa ti aspetti che faccia, che la prenda a schiaffi? Che le dia uno psicofarmaco?

Non le sopporto queste manifestazioni di supponenza, mi mandano in bestia. Sottintendono la pretesa che gli avvocati, essendo una classe mediamente all'anticamera dell'indigenza, debbano star lí a prendere lezioni dal magistrato di turno che non ha tempo da perdere e li tratta da semianalfabeti giuridici a cui correggere il compitino.

Oh, lo so. Mica tutti i magistrati sono cosí (e vorrei anche vedere). Ma ne basta uno all'opera, vi assicuro, per umiliare abbastanza avvocati da danneggiare un'intera categoria. Il che è un problema per quei giudici che non fanno i maestrini con gli avvocati, anzi li riconoscono come degni avversari anche quando la sanno piú lunga di loro. Come per noi avvocati è un problema il collega disonesto o palesemente ignorante, perché anche lí ne basta uno per rovinare abbastanza clienti da inquinare la reputazione di una classe.

In altre parole, siamo tutti nel gran calderone del pregiudizio. Che funziona come l'evasione fiscale: se uno non paga, altri ne fanno le spese. Vale per gli avvocati, i giudici, i medici, gli insegnanti, i commercianti, i commercialisti, i bancari, gli architetti, gli ingegneri, i politici, i giornalisti, gli elettricisti e gli idraulici. E i tassisti (soprattutto). I salumieri un po' meno, ma un tempo andavano fortissimo. Nessuno sfugge alla forca caudina del cialtrone che da solo danneggia un'intera comunità.

Da un certo punto di vista, se ci pensate, è rassicurante: nessuno può permettersi di fare apprezzamenti per categorie, perché se si guarda in casa troverà un cialtrone che glielo impedisce. Il cialtrone è un inibitore automatico dell'impulso qualunquista. Ne abbiamo sociologicamente bisogno.

E comunque, usciti dall'ufficio di Terracini, dopo un po' che tentavamo di rianimare la Sgherzi che non dava segni di ripresa, Panimolle, il marito, che cominciava anche a starmi simpatico per la pazienza mostrata fino a quel momento (perché non è mica detto che un poveraccio citato in tribunale debba essere cosí comprensivo con una moglie che arrivata al dunque fa impallare l'udienza senza neanche spiegare cosa le prende), ha chiesto alla mia cliente (e, devo riconoscerlo: con tutta la gentilezza possibile) se avesse cambiato idea sulla separazione o volesse almeno mutarla in consensuale, perché lui sarebbe stato d'accordo in entrambi i casi.

– Ecco, – abbiamo confermato quasi in coro io e Savio, pregustando il sollievo di una rapida soluzione dell'increscioso incidente procedurale.

Come avesse inserito il codice di sblocco. Gli occhi della Sgherzi si sono illuminati di luce furiosa, la sua mascella pareva quella di un pugile che ha ricevuto un cazzotto due secondi dopo che il gong ha suonato la fine del round.

– Non aspettavi altro, eh? – gli ha ringhiato contro. – Ti farebbe comodo se la voltassimo in consensuale e accettassi l'elemosina che non vedi l'ora di offrirmi, vero?

Al che ci siamo guardati tutti in faccia.

– Ma che stai dic... – ha provato a bofonchiare quel disgraziato. Ma lei lo ha immediatamente travolto.

– O sei cosí presuntuoso da pensare che io non desideri la separazione solo perché mi hai vista piangere? Se ti sei fatto questa idea puoi togliertela dalla testa, perché non voglio piú avere niente a che fare con te, hai capito?

Siamo rimasti in un imbarazzo penoso per una dozzina di secondi, con la Sgherzi che continuava a lanciare saette dalle iridi, finché Panimolle ha avuto una reazione umana:

– Sapete che ci sta? – ha detto. – Che io me ne vado.

E s'è avviato all'ascensore, prontamente inseguito da Savio che già s'industriava per farlo desistere dal suo piú che giustificato proposito.

– Roba da pazzi, – ha detto la Sgherzi.

– Altroché, – ho detto io.

È andata a finire che la mia cliente ha dichiarato di non voler proseguire nella domanda, o meglio l'ha fatto quando, di nuovo prossimi all'esasperazione (rientrati in udienza aveva smesso di piangere per barricarsi in un silenzio ostinato), con Terracini che non sapeva piú che pesci prendere (e a quel punto temevo ci sbattesse fuori), il marito che arava il pavimento e Savio che mi supplicava di fare qualcosa, m'è venuto da dirle che se pensava di avvalersi della facoltà di non rispondere non aveva proprio capito dove ci trovavamo e cosa stavamo facendo; al che lei, che a queste cose ci tiene (appartiene alla categoria dei clienti istruiti che prima di andare dall'avvocato studiano un po' di diritto), mi ha guardato come se avessi rilevato un errore grossolano che non mi sarei mai aspettato commettesse, e vista l'apertura del varco ho aggiunto (inventando) che se avesse persistito in quel contegno impropriamente omertoso (ho detto proprio: «contegno impropriamente omertoso»), il giudice (che è rimasto sconcertato dal mio bluff, ma viste le circostanze me l'ha passato) sarebbe stato costretto a interpretare il suo silenzio come un implicito assenso alla rinuncia di andare avanti nel giudizio, per cui tanto valeva che rinunciasse esplicitamente, anche per non dare la soddisfazione a suo marito (questo gliel'ho sussurrato all'orecchio) di far decidere il presidente al posto suo.

– Tanto mica finisce qui, – ha chiosato guardando in cagnesco Panimolle mentre firmava il verbale.

Quando siamo venuti via di lí, giuro, erano le due e venti.

A quel punto speravo che fosse finita, anche perché eravamo a brandelli, e con Savio avevamo concordato di farci una lagane e ceci di consolazione in una trattoria vicina dove la fanno da chiudere gli occhi, ma la Sgherzi ha insistito perché non la lasciassi sola, dicendosi preoccupata per se stessa; e siccome lo ero anch'io, l'ho invitata a pranzo al posto di Savio (cioè: ho chiesto a Savio se gli andava di venire con noi, ma lui ha congiunto i polpastrelli delle dita della mano destra facendone un ciuffetto con cui s'è bussato alla fronte, e dategli torto).

E cosí siamo andati in trattoria, dove la Sgherzi ha liberato un appetito da fravecatore piuttosto insolito per una donna che poco prima paventava derive autolesionistiche.

– Peeerò, – ho commentato osservandola fare la scarpetta nel piatto mentre io non ero arrivato neanche alla metà del mio.

– Mi scusi, di solito non sono cosí vorace.

– Anzi, mi compiaccio di vederla cosí reatt...

– Ci mancherebbe pure che iniziassi a soffrire di fame nervosa, adesso.

Ho posato la forchetta. Ero troppo stanco per sciropparmi un'altra puntata di *In Treatment.*

– Potrei arrivare alla fine di una frase, per una volta?

Mi ha guardato senza la minima espressione.

– So di aver reso il suo compito piú difficile, stamattina.

«Va be', stocazzo», ho pensato.

– Noo, e perché. Abbiamo appena arricchito la casistica divorzile inaugurando la categoria del silenzio protratto. Il presidente si ricorderà di noi come degli innovatori, vedrà. Pensi come sarà contento di rivedermi, la prossima volta.

Benché sia una donna di sicura intelligenza, non è che abbia fatto proprio presto a capire che non doveva prendermi alla lettera (anche perché, per evitare che m'interrompesse, ero andato alla velocità delle voci fuori campo che elencano le controindicazioni dei medicinali), ma alla fine ha addirittura riso.

– Lei ha sempre la battuta pronta, avvocato.
– Sbagliato. Improvviso ogni volta.
– Il fatto è che quando siamo entrati in quell'ufficio, tutto il rancore e l'insoddisfazione che mi avevano portato fin lí s'erano come deprezzati, non so se mi spiego.
– Tipo quando uno va a impegnare un gioiello che crede costi molto e glielo valutano una miseria?
Mi ha fissato come se avessi indovinato il soprannome di una zia morta giovanissima.
– Certe volte mi sorprende, Malinconico.
– Scusi, eh, ma mi ha preso per un deficiente?
– Al contrario. È che a volte lei mi toglie le parole non di bocca ma di testa.
– Che bello se mi fosse riuscito mentre eravamo davanti al giudice, signora.
– Non so bene cosa mi è successo. È come se vedere il mio matrimonio ridotto a due scartoffie mi avesse spezzato il cuore. Mi sembrava tutto cosí routinario, cosí… poco.
– È poco, infatti. Forse bisognerebbe semplicemente accett…
– Io voglio farla finita con mio marito, lei lo sa. E voglio essere risarcita dell'infelicità in cui mi ha costretta. Ma non mi va che il piú grande fallimento della mia vita diventi una specie d'incidente stradale dove si tratta di capire chi ha ragione e chi ha torto.
– Non c'è dolore nella separazione legale, tutto lí. E noi abbiamo bisogno del dolore. Ci conferisce dignità.
Questa ero riuscito a dirla fino alla fine. Quasi non ci credevo.
– Mi ha di nuovo tolto le parole di…
– E no, eh. Questa qui era proprio profondissima, e se permette voglio l'esclusiva.
– Però è curioso.

– Ma di che sta parlando, adesso?
– Pensavo che è curioso che non sospetti neanche d'essere stato proprio lei la causa della mia reazione in udienza.
– Prego?
– La frase di cui le parlavo prima di entrare in tribunale, quando l'ha chiamata il suo collega, ricorda?
– Ah, sí. Cioè, no. Non me l'ha detta.
– Eravamo allo studio. Mi aveva appena fatto leggere il ricorso. Sono arrivata all'ultima pagina e le ho chiesto: «Tutto qui?»
– Ah.
– Si ricorda cosa mi ha risposto?
«Vaffanculo», ho pensato.
– Mi ha risposto: «Non se la prenda. È cosí che noi avvocati scriviamo i titoli di coda della vita in comune».
– Ho detto questo?
– Mentre scorrevo le richieste conclusive. Devo esserle sembrata proprio triste, in quel momento.
– Non ricordavo la battuta ma sí, diciamo che riconosco il mio stile.
– «I titoli di coda della vita in comune». Nei giorni successivi quella frase mi tornava in testa come il ritornello di una canzone. Era vero, il mio matrimonio era finito, eravamo ai titoli di coda e tutto era condensato lí, in quella pagina. Piú ci pensavo, piú avevo l'impressione che nella separazione che avevamo avviato ci fosse qualcosa di mortificante, per non dire di squallido. Insomma, i titoli di coda della vita in comune non meriterebbero qualcosa di piú di un ricorso di tre pagine?
– Però non è che si può scrivere un romanzo, eh. Anche perché il magistrato non lo leggerebbe.
– E i conti fra due persone che si sono rovinate la vita reciprocamente si regolano cosí, come si tirasse sul prezzo?

– Sa in cosa va forte, lei? Nell'ascolto.
– No, io non ci sto a far finire cosí il mio matrimonio.
– Ma...
– Non me la sento proprio.
– Oh che bel castello marcondirondirondello.
– Cosa?
– Ah, quindi mi sente.
– Se la sento? La sua frase ha lavorato come un tarlo, nelle ultime settimane. Ma è stato solo quando ci siamo seduti davanti al giudice che ho capito che non volevo piú.
– E non poteva dirlo subito?
– Non potevo rinunciare alla domanda senza spiegare come mi sentivo e perché. Se lo avessi fatto, come crede che avrebbe reagito il giudice?
– Le avrebbe ricordato che si trovava in un'aula di udienza e non sul lettino dello psicanalista. E, particolare non irrilevante, nel dirlo avrebbe guardato me e non lei.
– Allora lo vede che ho fatto bene a stare zitta?
Ho afferrato il mio calice di vino e l'ho mandato giú in un sorso. Avevo bisogno di una botta alcolica per riprendermi dallo smarrimento. Le persone come la Sgherzi sono affette da alterazione compulsiva dei fatti. Agiscono sull'impostazione, falsificandola a monte. La realtà non è quella che si mostra agli occhi dei vedenti, ma ai loro occhi. E il bello è che te la spiegano. Te la rinfacciano. E su quella basano le loro aspettative. Sicché tu, che credi nell'oggettività delle cose (almeno come presupposto filosofico essenziale perché due esseri umani s'incontrino e parlino), ti trovi davanti a fatti compiuti che ignoravi (in quanto accaduti in una realtà inesistente), e questa scoperta ti destabilizza, come se una parte di te si sentisse in dovere di avallare la manipolazione.
Non è patologico (o meglio, patologicamente raro) come

sembra. In amore succede continuamente. L'amore, spesso e malvolentieri, è una resa consapevole alla logica alterata di un altro. Piú esattamente un compromesso estorto, ecco.

– Inizio a comprendere il naufragio del suo matrimonio, signora, – ho commentato, leggermente spazientito.

– In che senso.

– Le do una notizia: quella da cui siamo usciti è stata l'udienza di separazione piú faticosa e imbarazzante della mia, diciamo, carriera. Ora, non dico che dovrebbe scusarsi, ma prendersi addirittura il merito di aver fatto scena muta per tre quarti d'ora no, eh. Abbia pazienza. Vuoi vedere che adesso devo farle pure i complimenti.

– Gliel'ho detto io stessa che sapevo di aver reso il suo compito piú difficile.

– Sí, ma poi mi ha spiegato di aver fatto bene. Con orgoglio.

– Era semplicemente per dirle che avevo delle ragioni per comportarmi in quel modo. Credevo le avesse capite.

– Cosa fa, mi dà anche la colpa di non aver capito, adesso?

– Non è quello che intendevo.

– Ma è quello che ha detto. Non può interpretare i fatti a suo piacimento e poi rimproverare gli altri se non stanno al suo gioco. Lei stamattina ha impedito a un giudice e a due avvocati di fare il loro lavoro, oltre a portare suo marito in udienza per poi ritirare la domanda. Se ne rende conto?

Si è morsa le labbra.

– Perché è cosí aggressivo con me, adesso?

– Perché credo che non abbia afferrato che cosa è successo. Siamo stati tutti al suo servizio, stamattina, e non era quello il nostro compito.

Colpita.

– Ha ragione. Mi dispiace, – ha detto. Poi ha chinato la testa e ha smesso di parlare.

Voi cos'avreste pensato: «Finalmente ti ho zittita, Dio sia lodato», giusto? Be', io invece mi sono sentito di merda. Ogni volta (lo giuro, ogni volta) che ho la meglio in una discussione finisce che me ne pento, e chiedo pure scusa. Il mio problema è che non sopporto la vista delle persone umiliate, anche quando se lo meritano. Credo che ci sia qualcosa di sbagliato nell'aver ragione. Ecco perché quando mi danno ragione la rimando indietro.

– No, mi scusi lei, – ho detto togliendomi un semitono, – ho esagerato. La verità è che mi sento inadeguato, perché in fondo penso che a lei e suo marito servirebbe un terapeuta di coppia piú che un avvocato matrimonialista.

– Ci siamo stati. Mi creda, ha fatto piú lei con quella frase che l'analista in due anni.

– Ho sempre sospettato di aver sbagliato lavoro.

– Non è cosí. Le sue parole hanno effetto su di me proprio perché il suo ruolo l'autorizza a esprimersi sulla mia vita privata senza una competenza specifica. Se rispondesse di quel che dice, sarebbe molto piú cauto.

– Bella, questa. Si spieghi meglio.

– È semplice. Se lei mi dà un'informazione legale sbagliata, ne è responsabile. Ma se butta lí, parlando d'altro, un'osservazione sulle mie paturnie, no. Ed è facile che ci azzecchi, oltretutto. Un po' come se andasse fuori tema, e lo prendesse meglio. Gli avvocati sono psicologi abusivi. Quelli bravi, si capisce.

– Be', questo è vero, – ho detto mentre le sopracciglia si tiravano su da sole.

– Uno psicologo basa la sua competenza sugli studi che ha fatto e sull'esperienza acquisita ascoltando i racconti dei pazienti, giusto? È uno che raccoglie storie, in fondo. Semplificando molto, anche se sembra poco rispettoso, parla per sentito dire. Un avvocato, invece, conosce le persone a un livello molto piú autentico.

– Aggiungerei: quando danno il peggio di sé.

– Anche il meglio, credo. L'avvocato ha a che fare con i colpevoli e gli innocenti, i raggirati e i truffatori, gli onesti e i disonesti. A un cliente deve strappare la verità, perché non è scontato che gliela dica. Il contrario di quello che succede dallo psicologo: lí devi aprirti, essere piú sincero che puoi. Lui prende per buone le tue parole e ti cura sulla base di quelle. Se non gli dici la verità, ti danneggi da te.

– Le dispiace se prendo appunti?

– Ecco perché l'avvocato la sa piú lunga. Perché la sa piú sporca. Per cui, quando ti dice una cosa che ti tocca nell'intimo, va dritto al punto senza nessuna accortezza clinica. E se lo può permettere perché non dà un parere scientifico ma gratuito, e ti mette la verità in braccio. Alè.

«Alè» lo ha detto deponendo un neonato immaginario sulle mie lagane e ceci (o meglio, su quello che restava delle medesime).

– Mi compiaccio che abbia colto il lato introspettivo del mio lavoro, signora Sgherzi. In fondo è quello che piú mi corrisponde. Ma non sapevo fosse cosí evidente.

– Ci sono molte cose che non sa.

– La ringr... cosa?

– Quando prima parlavo d'informazioni legali sbagliate, non dicevo cosí per dire.

– No, aspetti, ma di che parla?

– Be', lei non è esattamente un archivio di risposte esatte, avvocato Malinconico. Ma sa quando dire la parola giusta a una cliente che soffre, e questo è tantissimo.

Ho chiuso e riaperto gli occhi alla moviola. In quell'arco di tempo, ho seriamente valutato la possibilità di sbatterle il piatto in faccia.

– Senta, sa cosa? – ho detto stendendo le mani sul tavolo. – Con la demenziale udienza di oggi il mio mandato si è definitivamente concluso. Quando deciderà di andare in replica col teatrino della sua separazione si trovi un altro avvocato.

– Non si sarà offeso.

– E perché mai. Sentirsi dare dell'ignorante che rimedia alle sue incompetenze dispensando consulti psicologici è il sogno proibito di tutti i giuristi.

– Ma io non volevo mancarle di rispetto, al contrario. Cercavo solo di...

– Lei deve andarci davvero dall'analista, signora, – l'ho interrotta alzandomi dal tavolo e recuperando il soprabito. – E non con suo marito (a cui, già che ci siamo, rivolgo tutta la mia solidarietà), ma da sola.

Ha serrato le labbra ed è sprofondata in un silenzio carico di umiliazione, come se solo allora si fosse accorta di quanto fosse cremosa la merda che aveva pestato; ma stavolta la sua buonafede contundente non mi ha commosso neanche un po'.

– Ma tu vedi un poco la Madonna, – ho concluso, per poi girarle le spalle e avviarmi all'uscita, lasciandole anche il conto da pagare.

Una volta fuori, ho deciso che il mio primo adempimento appena rientrato allo studio sarebbe stato incaricare Prostrata, o Dispiaciuta, là, come cazzo si chiama, di mandare subito la parcella alla Sgherzi, gonfiandola fino al raddoppio, se possibile.

Poi, appena ho girato l'angolo, e dal marciapiede di fronte al bar del tribunale ho visto Benny con la toga addosso che sorseggiava il caffè tirandosela che manco Alfredo De

Marsico in pausa da un'arringa di tre giorni in Corte d'Assise, al solo pensiero della faccia che avrebbe fatto quando di lí a poco gli avrei riferito parola per parola il discorsetto con finale a sorpresa di quella squilibrata, ho iniziato a ridere da solo come un coglione.

E a questo punto torniamo al presente.

– Ah, ah, ah! Ha detto proprio cosí: «Lei non è un archivio di risposte esatte»? – esplode Benny in una risata delle sue; quindi azzanna la graffa XL di accompagnamento al caffè con la voracità di uno squalo martello, sputacchiandomi addosso una raffica di granelli di zucchero.

Io guardo sbilenco in direzione di Mariolino il barista, che avrei preferito non venisse informato delle mie squalifiche professionali.

– Ma tu hai capito, – aggiungo retoricamente mentre mi spazzolo la giacca con il dorso delle dita.

– Va be', dài, quella sta fuori come un gazebo in attesa di condono.

– Per un pelo non le ho tirato le lagane e ceci in faccia.

– Surreale, però, – dice, riflettendoci. – Obiettivamente divertente. Un'inversione a U. Cioè, mica te l'aspettavi, immagino.

– Figurati. Dopo quella fellatio di complimenti. La smetti di masticare con la bocca aperta?

– In realtà non è stranissimo, – commenta, ignorando il rimprovero. – Gli psicopatici ce li hanno, questi contrattempi comici.

– Vi faccio il caffè, avvoca'? – mi domanda Mariolino.

– Ma sí, grazie.

– Insomma, se ho capito bene, – fa Benny ricostruendo

la mia allucinante mattinata mentre si sposta dal bancone a un tavolino portandosi dietro tazzina e graffa sbriciolante, con la toga che gli sventola sulle spalle a mo' di conte Dracula in sovrappeso, – il tentativo di conciliazione prima è fallito e poi ha funzionato?

– In pratica sí, – rispondo, seguendolo; e ci mettiamo a sedere. – Cioè, magari fosse stata questa, la sequenza. Prima ci siamo sorbiti il piagnisteo, poi la pausa di riflessione con sclerata contro quel poveraccio del marito che giustamente voleva andarsene, poi il rientro con scena muta...

– Sai che spasso se diceva: «Parlerò solo in presenza del mio avvocato»?

Ci metto un attimo a cogliere il sottofondo stronzo.

– Ah, ah. Divertentissimo.

– Be', e poi ti ha detto che come avvocato sei una pippa e vai meglio come psicologo.

– Perché non ti fai andare la graffa di traverso e soffochi qui, davanti a tutti? Già me la vedo, la mortuaria che arriva e ti copre con il lenzuolo di plastica.

Si gratta le palle.

– Ehi, vaffanculo.

– Be', perché? Tutti i penalisti sognano di trapassare con la toga addosso. Come gli attori in scena.

Butta giú il caffè come fosse un cicchetto di vodka.

– Senza che sfotti, ho causa in Corte d'Assise dalle dieci di stamattina: per andare a prendermi il caffè dovevo salire a rivestirmi?

– Ma falla finita. Adori fare le passerelle con la toga, ammettilo.

– Io? Se non fossi obbligato a metterla, la regalerei subito a Playback.

Playback è un vecchietto che il lunedí mattina si piazza davanti all'ingresso del tribunale con un codice penale tra le mani e inizia a declamare rivolgendosi a una giuria immaginaria, però muovendo solo le labbra (da qui il nome d'arte). L'arringa virtuale dura circa un'oretta, e finisce quasi sempre con un inchino. Se non esibisse il codice, la sua performance potrebbe anche confondersi con il mimo di una direzione d'orchestra.

Il vecchio Playback è innocuo, non ingombra il passaggio e non ha mai dato fastidio a nessuno; solo, se provi ad avvicinarti per leggergli le labbra ti volta le spalle, come fanno i gorilla in gabbia per difendersi dal voyeurismo zoologico dei visitatori.

– Anzi, sai cosa? – riprende Benny inciampando nella sua stessa intuizione. – Quasi quasi gliene compro una.

– Ehi, – m'illumino a mia volta, – questo sí sarebbe un bel gesto.

– Dici che l'accetterebbe?

– Be', perché no.

– E se pensa che voglio sfotterlo?

Ci rimango.

– Certe volte mi spiazzi con la tua gentilezza d'animo, Benny. A guardarti non si direbbe.

– Inculati, Malinconico.

Arriva Mariolino con il mio caffè. Dolce, uffàh. Da noi funziona cosí: te lo zuccherano d'ufficio, a meno che tu non preavvisi che lo vuoi amaro.

– Comunque non è che non capitino, queste cose, – dice Benny riprendendo l'argomento da cui eravamo partiti, quindi rimorde la graffa come se avesse digiunato nel week-end, mutilandola in modo inguardabile. – Cioè, non proprio come la pièce che è toccata a te, ma nelle separazioni succede che arrivano all'udienza e capiscono di non farcela. Vedono la vita che li aspetta, e la prospettiva della solitudine li manda in una paranoia che non sanno gestire.

La sovrabbondanza di S dell'ultima frase gli fa partire un residuo di bolo che mi centra l'arcata sopracciliare destra. Piú arreso che disgustato, strappo un tovagliolo dal dispenser al centro del tavolino e rimuovo lo schifoso detrito dal mio volto.

– Sai una cosa, Benny? Considerato che mangi come un cane di grossa taglia, potresti farti servire la graffa in una scodella e metterci direttamente la faccia dentro.

– Ha parlato il marchesino Malinconico che fa colazione con la bavetta di raso.

Non ci giurerei (perché dalla mia posizione gli do le spalle), ma mi pare di aver sentito Mariolino ridere.

– Ma è capitato anche a te il piagnisteo in udienza? – chiedo.

– Proprio quello no. Ma una volta una tipa è svenuta, e un'altra il cliente ha vomitato sulla scrivania del giudice.

– Ma dài, veramente?

– Non ne parliamo neanche, guarda. Una roba schifosa. Il giudice fa il tentativo di conciliazione, lei risponde: «Ma sta scherzando? Questo è il giorno piú bello della mia vita», e il marito ci rimane cosí di merda che si porta una mano alla bocca e un attimo dopo esplode come una doccia antincendio. Per i primi due o tre secondi siamo rimasti tutti immobili come in un flash mob, tipo fotogramma. E lí ho temuto che vomitasse anche il giudice.

– Gesú. E poi?

– E poi. E poi tutte le udienze rinviate, i colleghi fuori che imprecavano, il presidente che tirava cancheri in un dialetto pieno di u, la moglie che voleva prendere a borsettate il marito dicendogli che le aveva rovinato anche la separazione, il collega di controparte che cercava di tenerla ferma… un incubo.

– Non me l'avevi mai raccontata, questa.

– Ah no? Be', strano. Forse perché non era divertente.
– Ma a te, quella frase che ho detto, che effetto ti ha fatto?
– Quale frase.
– «I titoli di coda della vita in comune».
– Nessuno, perché?
– Niente, per sapere.
– Cos'era, un test per vedere se funzionava?
– Ma no, imbecille. Cosa mi testavo con te che non sei nemmeno sposato? Intendevo che impressione ti ha fatto, se pensi che è un tipo di frase che può spingere a un ripensamento.
– Non esistono frasi cosí, Vincenzo. Ma che stronzate dici?
– Cristo, Benny, qualche volta sforzati di non prendere tutto alla lettera. Le parole non sono istruzioni per l'uso, sono anche allusive, imprecise, improprie. Mi rendo conto che per te non è facile arrivarci, ma sono le parole improprie che cambiano la vita delle persone.

Qui mi taccio e con il cucchiaino rovisto nella tazza alla ricerca di un residuo di caffè, come volessi autoremunerarmi della riflessione appena elargita al mio socio. Che se ne sta lí a guardarmi con stupito interesse, peraltro.

– Come hai detto? – domanda dopo un silenzio meditativo.
– Come ho detto cosa.
– «Sono le parole improprie...»
– «... che cambiano la vita delle persone».

Mi posa una mano sull'avambraccio sinistro.

– «Sono le parole improprie che cambiano la vita delle persone», – ripete.
– E allora?
– Sento che mi sta già cambiando la vita, questa frase.

– Vaffanculo.

Ci ridiamo reciprocamente in faccia, seguiti a ruota da Mariolino che dal banco sghignazza senza sapere perché (lo fa sempre, è un empatico sulla fiducia), quando nel locale irrompe Drupi, uno dei giovani praticanti dello studio, detto cosí per via della somiglianza con il famoso cantante.

– Eccovi, avvoca'. Meno male che vi ho trovato, – dice, piú trafelato che risollevato, a Benny (lo cercava da tempo nei meandri tribunalizi, evidentemente); quindi saluta me con un cenno.

– Ehi, Drupi, – gli dico.

– Che hai da presentarti sudato e con quella faccia, mi è crollata la casa? – chiede Benny.

– Vi volevo solo dire che in Corte d'Assise hanno ripreso. È tornato anche il pubblico ministero, – risponde contratto. Malgrado di cazziatoni da Benny ne abbia presi parecchi, si mortifica ogni volta come se fosse la prima.

– Ah, questa sí che è una notizia. Hai capito, Vince'? – fa Benny sarcastico, senza togliere gli occhi da Drupi. – Il Pm si è preso il disturbo di tornare in udienza dopo che è sparito per tutta la mattinata, e noi scattiamo sull'attenti. Che dico, ci precipitiamo. Fosse mai che arriva in aula e non ci trova.

Al che Drupi (che oggi s'è messo una cravatta floreale su una camicia a righe, roba che se lo guardi per piú di tre secondi ti viene il mal d'auto) tenta penosamente di spiegarsi.

– Avvoca', sono solo venuto a chiam...

– Sai quanto me ne fotte che è tornato il Pm? – lo interrompe Benny alzandosi addirittura in piedi. – Ma chi si crede di essere quello, la Madonna, che ogni tanto appare?

Il povero Drupi mi chiede aiuto con gli occhi, ma il mio socio lo travolge prima che io possa intervenire.

– Perché io devo farmi sequestrare per ore in Corte d'Assise mentre quel coglione è arrivato stamattina con comodo, ha buttato la toga sul tavolo tanto per lasciare il reperto simbolico della sua presenza e poi se n'è andato a farsi i cazzi suoi? Lo sai, ah?

Drupi diventa rosso. La cosa incredibile è che ci pensa anche sopra, manco fosse tenuto a rispondere.

– Ma che cazzo di domande gli fai, Benny? – m'intromettto. – Avanti, datti una calmata. Lo vedi che si girano tutti?

Neanche gli avessi detto: «Scusa, puoi alzare ancora un po' la voce, che dal fondo della sala non hanno sentito bene?»

– E no, Vince', no! Basta! Non ne posso piú di queste mortificazioni. Guardami qua: ti sembra possibile che un magistrato diserti le udienze senza che nessuno gli dica niente e io debba andare a lavorare vestito da Batman?

– Da Batman? – chiedo, mentre sento qualcuno che sghignazza.

– Eh, perché, – dice Benny sventolando la toga con un gesto da matador mentre Drupi Cuor di Leone viene a nascondersi dietro di me (per un attimo, giuro, gli ho visto in faccia il timore che Benny lo prendesse a schiaffi), – questo non è un mantello? Ma in che secolo siamo, che dobbiamo metterci in costume per fare una causa? Che cos'è, un'opera lirica? Fanculo, sai che ti dico? Io adesso su questa toga ci faccio cucire il pipistrello di Batman, e voglio proprio vedere se un giudice ha il coraggio di dire una sola parola!

Nel bar è tutto immobile. Una specie di black-out ontologico che dura per almeno una decina di secondi, roba che anche la macchina del caffè smette di sbuffare per andare alla ricerca di un senso qualsiasi nell'invettiva di Benny. Che adesso è andato in stallo, sudacchiato e confuso, a chiedersi cos'abbia detto, probabilmente.

Mi schiarisco, negli angusti limiti del possibile, le idee, quindi replico:

– Uno, che cazzo c'entra. Due, perché te la prendi con Drupi. Tre, ma cosa urli?

Il mio richiamo deve averlo sedato, perché si rimette a sedere e diventa addirittura discorsivo.

– Stavo dicendo, – abbassa la voce, – perché devo girare per le aule combinato come un cretino quando potrei mettermi una giacca comoda e dei pantaloni sformati, tanto piú che devo passarci le ore, là dentro?

– A parte che già cosí non sei bello da vedere, figuriamoci con i pantaloni sformati, non capisco cosa c'entri l'abbigliamento col fatto che devi tornare in Corte d'Ass...

– Guarda Bill Gates, che ha chiesto espressamente ai suoi dipendenti di andare a lavorare con le scarpe da ginnastica e il pullover, perché se si vestono con abiti comodi, è chiaro, producono di piú. Prendiamo esempio da Microsoft, santo Dio!

Sento le spalle che cedono mentre Benny, sovraeccitato dalla sua digressione americana, ricomincia a scaldarsi.

– E invece no, giacca e cravatta: la divisa permanente, manco dovessimo inaugurare l'anno giudiziario tutti i giorni. Ma perché sopportiamo tutto questo?

Qui si blocca, ma solo per prendersela di nuovo con Drupi, puntandogli il dito contro.

– E tu, sí, proprio tu, senza che mi guardi con quella faccia, con tutte le facoltà che ci sono, proprio in Giurisprudenza dovevi laurearti? E proprio l'avvocato vuoi fare? L'hai capito o no che è un mestiere senza futuro, che in Italia siamo duecentoquarantamila, quattro ogni mille abitanti, che la gente non fa piú causa perché si è resa conto che non ne vale la pena? E ti sei fatto pure raccomandare per venire a fare pratica da me, ma dove campi, dove campate voialtri che passate le ore a smanettare sui telefonini? Li leggete i giornali, ah?

Drupi mi si aggrappa alle spalle.

– Benny, falla finita. Hai rotto i coglioni, – dico. – E tu piantala con 'ste mani, sembra che mi stai facendo la fisioterapia.

Benny starebbe per rispondermi, lanciandosi in nuove variazioni sul fuori tema, ma lo fotto sul tempo:

– Vuoi tornare in Corte d'Assise o pensi di discuterla qui, la causa?

Bingo. Rimane immobile come un portiere che si guarda intorno chiedendosi come abbia fatto il pallone a entrare. Drupi finalmente mi libera dalla presa.

– Hai ragione, cazzo. Hai ragione, purtroppo.

– Scusa, – dico, come ogni volta che qualcuno mi dà ragione. Il telefonino mi vibra nella giacca, annunciando un messaggio in arrivo.

– Andiamo, – ordina Benny a Drupi.

E finalmente escono di scena, liberandomi dall'assedio.

Che cazzo di mattinata.

Esausto, tiro fuori il cellulare.

WhatsApp da numero sconosciuto:

HOTEL LE VERANDE, 21,30

Segue bacetto con labbra rosse.

Eyes Wide Shut de noantri

Svegliarsi in una stanza sconosciuta è già abbastanza angosciante senza che uno si ritrovi accanto una donna sconosciuta; ma siccome non mi faccio mai mancare niente, figuriamoci se mi risparmiavo la doppietta.

Oh, lo so, non è il caso di farne un dramma. Il momento d'oblio può venire a chiunque, specie quando ci si sveglia all'improvviso. È una questione di sovraccarico, di stress da fretta compulsiva di cui siamo tutti ammalati da quando la tecnologia governa le nostre vite, per cui sembra che il tempo non ci basti mai e tendiamo a fare piú cose insieme; ma io è da un po' che vado soggetto a brevi ma violenti attacchi di dimenticanza e di queste cadute sí che ho memoria, perfino adesso che, nonostante non ricordi neanche come mi chiamo, so per certo d'essere già precipitato in questi abissi ontologici.

Guardo piú da vicino la donna che dorme sdraiata sul fianco sperando di riconoscerla, ma perdo tempo perché metà del viso è occultata da una specie di maschera subacquea che immagino abbia indossato per riparare gli occhi dalla luce o distendere la pelle o tutt'e due. È solo la sua presenza che m'infonde il pudore necessario a contenere il panico, perché al momento la mia memoria è completamente azzerata, e temo che se il sistema operativo non riparte tra poco scatterò in piedi e comincerò a correre lungo il perimetro della stanza come un camorrista al 41-bis.

La luce del giorno mi arriva in faccia attraverso la tenda palesemente insufficiente a schermare la finestra, molestando i miei poveri occhi: ne deduco che mi trovo in una camera d'albergo (perché, diciamolo, ormai negli alberghi non si dorme piú, non ce n'è uno che adotti una stronzissima serranda).

Primo punto segnato.

Ho dedotto dunque penso.

L'enunciazione cartesiana non mi pare fedelissima, ma che fa.

Respira, mi dico.

Ma perché? mi rispondo prontamente.

È su questa domanda retorica che la mente inizia a rimettersi polemicamente in moto, spingendomi a riflettere sul fatto che ogni volta che hai un mancamento (che so, un capogiro, un calo di pressione), garantito come *Una poltrona per due* a Natale che sbuca dal nulla il volontario zen che ti posa la mano sulle spalle e ti dice: «Respira». Come se uno che sta svenendo dovesse andare obbligatoriamente in apnea. Avessi avuto un attacco d'asma, capirei. Ma se, come in questo caso, mi sto limitando a prendere atto che non so in quale letto mi sono risvegliato e chi accidenti sia la donna mascherata che mi dorme accanto (situazione che, fra le altre cose, mi sembra la versione discount della scena finale di *Eyes Wide Shut*), per quale motivo dovrei anteporre un'attività assolutamente ovvia come quella del respirare, peraltro già in corso, a una destinazione piú mirata delle mie energie?

Io vorrei sapere chi è che è andato in giro a spacciarli, questi consigli zen per occidentali deficienti, e com'è possibile che di tanto in tanto te li ritrovi fra i piedi. Soprattutto, da dov'è che vengono fuori i teorici della respirazione, perché poi, fra l'altro, il piú delle volte neanche li conosci.

Allora non respirare, mi dico. Pensa, piuttosto. Usa la logica. Partiamo dai fondamenti.

Sei un essere umano. Maschio. Eterosessuale, a giudicare dall'erezione che non puoi fare a meno di registrare, di certo causata dalla visione della donna che dorme sdraiata sul fianco accanto a te, che indubitabilmente ha un corpo da modella, lunghissimi capelli rossi con qualche venatura bionda che le scivolano lungo la schiena come un foulard e s'incuneano in una virgola perfetta quando raggiungono la curva mappamondina del culo.

Hai un nome, Vincenzo.

Un cognome, Malinconico.

E un lavoro.

Ah, pure? mi dico.

Fai l'avvocato, rispondo.

Mi pare di ricordare una roba simile, mi dico.

Non è che tu sia un principe del foro (senza offesa eh), ribatto.

E a quel punto la memoria si riattiva, il sistema operativo riparte; uno dopo l'altro, come vigili del fuoco che si radunano rispondendo a una chiamata di soccorso, i tasselli della mia identità riprendono i loro posti, cominciano a fare capannelli e pettegolezzi, rispolverano fatti accaduti, vecchi film, gente morta, fidanzamenti brevissimi in cui venivo sempre lasciato, figli, vecchi insegnanti, canzoni (la prima che mi ritorna è *Buonasera dottore* di Claudia Mori, una sorta d'intercettazione telefonica ante litteram del dialogo fra una donna e il suo amante, che le risponde in codice in presenza della moglie), resettandomi, procurandomi un conforto che ha l'effetto di una resurrezione, proprio come succede al computer quando clicchi sul mouse la mattina, che sembra che ti dica: «E un attimo, dammi il tempo di riavviare la baracca, fate presto voialtri a schiacciare il bottone, sono io che devo richiamare le truppe, cosa mi clicchi di nuovo, ho capito, ecco qua, mi dici cosa c'era di cosí improrogabile tra queste cosucce? Ooh, la posta elettronica, ma certo, guarda che fila di comunicazioni imprescindibili che dovevi assolutamente leggere, senti qua: "Il tuo mal di schiena ha le ore contate"; "Ciao! Qualcosa dev'essere andato storto perché stiamo ancora aspettando la conferma per inviarti il VIDEO GRATUITO dove scoprirai come guadagnare decine di migliaia di euro in profitti grazie ai Bitcoin"; "Ti vergogni delle tue misure? Clicca qui"».

Su questo ricordo specifico la mia fronte produce il caratteristico effetto frozen da sollievo e la mente ricompone l'assetto della mia neanche poi cosí rilevante vita, alla quale in momenti come questi mi scopro morbosamente legato.

Va be', magari è solo istinto di sopravvivenza, ma penso che ci sia dell'altro, sotto. Voglio dire, sono anche delle occasioni per testare i sentimenti che uno prova per se stesso, queste. Io non mi piaccio granché, ma se quando cado in questi abissi ci tengo cosí tanto a salvarmi vorrà dire che un po' di bene me ne voglio. Il che non è mica cosí scontato.

E comunque, non è che ne abbia frequentati molti, ma tra i vari tipi di panico disponibili sul libero mercato della psiche in dissesto, penso che quello da smarrimento dell'identità sia uno dei peggiori. Come precipitare aspettando uno schianto che non arriva. Ed è orrendo desiderare di spiaccicarsi. Quando è cominciato tutto questo, e com'è che continua a succedermi, mica lo so.

Sono ancora lí a godermi la resurrezione quando mi accorgo che Veronica (si chiama cosí: la nostra relazione è iniziata in occasione della causa di divorzio in cui l'ho difesa) si è tirata su con la schiena e mi sta guardando a distanza ravvicinata come se la faccia mi si fosse riempita di pustole di diversi colori.

– Che ti prende? – domanda.

– Saperlo, – dico.

– Sei sudato, – commenta passandomi la mano sulla fronte. – Ti senti bene?

– Adesso sí, – rispondo, consolato dalla carezza.

Si fa indietro con la testa e mi guarda nemmeno fossi diventato bellissimo.

– Tu riesci a essere inaspettatamente dolce, Vincenzo Malinconico.

– E tu non riesci mai a fare un complimento come si deve, Veronica Starace Tarallo.

S'incazza (le viene abbastanza facile, va detto).

– Primo, Starace Tarallo è il cognome del mio ex marito; e considerato che nel divorzio il mio avvocato eri tu, se mi chiami con il cognome da sposata o sei deficiente o lo fai apposta; secondo, cosa c'è che non va nel mio complimento, vorrei proprio saperlo.

– Primo, – ribatto imitando pappagallescamente il suo tono e mettendomi pure a sedere sul letto, come se tirandomi su ci guadagnassi in virilità, – mettere «inaspettatamente» davanti a «dolce» vuol dire fare un uso detrattivo dell'avverbio; un po' come se tu avessi detto: «Di solito hai la sensibilità di uno scolapasta, ma ogni tanto incappi in questi strani incidenti che ti addolciscono», che non mi sembra carino, se vuoi che te lo dica; secondo, ti ho chiamata col cognome da sposata perché mentre ti rispondevo mi sono accorto di non ricordare assolutamente il tuo cognome da nubile.

Resta in silenzio per un paio di secondi, poi scuote la testa e ridacchia.

– Ma che cretino che sei.

Sospiro.

– Avessi avuto una donna, dico una, che non mi abbia mai detto questa frase.

– È bello sapere di far parte di una comunità.

– Moolto spiritosa.

– Sul tuo conto la pensiamo tutte allo stesso modo, a quanto pare.

– E sarebbe per via di questa opinione condivisa che finite sempre per mollarmi?

– Dammi tempo, – sussurra scivolandomi accanto. – Non è neanche un anno che ci vediamo.

Mi offre la bocca ma mi ritraggo.

– «Che ci vediamo», eh?

– Oh santiddio, – alza gli occhi al cielo.

Per un attimo mi chiedo perché non ho rimandato la polemica di una ventina di minuti, visto che era evidente che eravamo lí lí per farne un'altra (adesso ricordo anche le due precedenti). Ho un vero talento per bruciarmi le trombate, io. D'altro canto è a questo che servono le polemiche.

– Quindi dopo un anno è cosí che definisci il nostro ménage. Due che si vedono.

Ma che mi succede? Le offro su un piatto d'argento la mia debolezza? Non mi riconosco piú. Anzi, mi deludo.

– Sempre meglio che dire ménage.

Glisso.

– Ti rendi conto che da quando stiamo insieme abbiamo scopato sempre e soltanto in albergo?

– E allora?

– Io ho una casa. Tu hai una casa. Tu sei divorziata. Io sono divorziato. Perché non possiamo trombare a casa mia o tua invece di arricchire gli albergatori?

– Io ho una cucina. Tu hai una cucina. Ma questo non c'impedisce di mangiare al ristorante, ogni tanto.

Ecco il tipo di risposta che mi dà sui nervi. Quella che ti fa il verso a vanvera. Stupida e irritante come tutte le imitazioni non riuscite.

– Quello che non ho ancora capito è se ti diverte la fiction della coppia clandestina o semplicemente non vuoi fare sul serio con me.

Si tira su con la schiena, piega in due il cuscino e se lo incastra sotto la testa.

– Che palle.

– Pure?

– E sí, dài, Vince', neanche fosse la prima volta che affrontiamo l'argomento. Lo sai come la penso: e falla finita, no? Mi sembri uno di quei fidanzati molesti che continuano a chiedere la mano di una che non gliela dà.

Ci guardiamo in faccia.

– La mano, – precisa lei.

– Ti ho forse chiesto di sposarmi?

– Voglio una relazione di-sim-pe-gna-ta, te l'ho detto. Niente piú spazi condivisi. Ho chiuso col comunismo. Lo so come funziona: una volta da te, una volta da me, poi lasci lo spazzolino in bagno, poi: «Ti dispiace se tengo qui la camicia?»; finché un giorno ti presenti col microonde, che è peggio di un anello di fidanzamento, e in sei mesi, massimo un anno, mi è cresciuto un altro marito in casa. No grazie, ho già dato.

Sprofondo in un silenzio umiliato. A parti invertite, mi starei già scapicollando a ritrattare e a scusarmi ripetendo a mo' di cocorita che non era quello che intendevo. Veronica, invece, se ne sta lí in un'immobilità crudele, a lasciare che il trailer bergmaniano che mi ha appena regalato faccia strame di ogni mia velleità romantica.

Questa incapacità di pentirsi del colpo basso sferrato a scopo di chiarezza, in nome di una sincerità che si traduce di fatto in un'imposizione di condizioni, non l'ho mai capita, è una delle differenze che hanno piú segnato il mio rapporto con le donne (fino a disamorarmi, a volte). Il mio no non è mai un vero no. Ha bisogno di approvazione. È un no, diciamo cosí, democratico, pronto a scendere a compromessi; che non sopporta il dolore. Il loro no è un decreto. Se non ti piace, sai dov'è la porta.

– Davvero toccante, la fiducia nel rapporto di coppia che traspare da questa bella previsione.

– Ho detto solo la verità.

– Addirittura.

– Intendevo che ho detto quello che penso.

– Cioè che dovremmo continuare a fare gli amanti da albergo a tempo indeterminato?

Mi prende le mani con una tenerezza che non so decifrare.

– Quello che tu ancora non capisci, Vincenzo Malinconico, è che fare gli amanti da albergo è bellissimo. Augurati che la voglia d'albergo ti duri il piú a lungo possibile, perché il giorno in cui desidererai davvero avermi in giro per casa pensando che sarebbe tanto piú comodo scoparmi senza prendere appuntamento né pagare una stanza, sarà il giorno in cui ti sarai stancato di me.

– Veramente è proprio quello che intendevo.

– Cioè?

– Averti in giro per casa e scoparti senza prendere appuntamento.

– Né pagare una stanza.

– Non sottovaluterei il vantaggio, dato il perdurare della crisi economica.

– Be', scordatelo. Ho esaurito la generosità. Mi sono definitivamente convertita al part-time.

– Puoi smettere di ribadire il concetto, ho afferrato.

– Comunque, apprezzo la tua sincerità solo perché mi lusinga sentirmi cosí desiderata.

– Ooh, vaffanculo alla sincerità. Vuoi sapere cos'è la sincerità? Una volgarissima precauzione. Un preservativo, ecco cos'è. Ci vuole piú spina dorsale a mentire che ad essere sinceri, cosa credi, – replico, e le volto la faccia.

Dev'esserle piaciuta, perché non ribatte.

Lascia passare qualche secondo, mi pianta le mani sulle spalle e fa leva con le braccia per sollevarsi su di me, circondarmi con le gambe e poi sedersi delicatamente sul pacco.

– Sono abbagliata dal tuo anticonformismo. Ora te lo togli, quel musetto da koala strappato alla mamma? – dice, facendo stretching sul socio di maggioranza.

Socchiudo gli occhi e li riapro.

– Non è cosí che affronteremo i nostri problemi, – recito, cercando di non ridere.

Ah, che soddisfazione. Erano anni che non vedevo l'ora di dirla, questa. In quanti film stronzi l'ho sentita, manco mi ricordo.

Veronica resta interdetta per un paio di secondi e poi esplode in una risata davvero sguaiata (quando una battuta le piace in modo particolare, non è che ride: si scalmana).

Le chiedo di ricomporsi, ma è peggio.

È ancora lí che squittisce, lacrima e sferra cazzotti al materasso quando sentiamo battere alla porta.

Due volte.

Tre.

La terza sa proprio di: «Aprite o sfondiamo».

La mia fidanzata precaria smette immediatamente di ridere e diventa un cespuglio di nervi.

– Ce l'hanno con noi? – chiede, con una luce omicida negli occhi.

– Ho paura di sí, – rispondo.

Mi si stacca di dosso con uno scatto felino, s'infila la mia camicia e corre ad aprire.

Temendo che lo sconosciuto alla porta si becchi una capata in faccia, mi alzo per intervenire; ma siccome Veronica mi ha fregato la camicia mi apposto dietro la parete che divide la zona letto dall'ingresso, mentre la mia amante da hotel già batte il piede destro sul parquet surgelando con gli occhi le due cameriere comparse sulla soglia.

– Spero che stia andando a fuoco l'albergo, – dice; e quelle (una parecchio somigliante a Ugly Betty e l'altra altissima, con degli occhiali da ragioniere anni Settanta) si guardano in faccia come per chiedersi reciprocamente chi delle due abbia capito.

– Noi dovremmo fare la stanza se no perdiamo il pullman, – spiega Ugly Betty.

– Che cosa? – chiede Veronica.

– E sí, – conferma l'altra. – Le pulizie le finiamo entro le undici e mezza. Sono le undici meno un quarto.

Mi porto la mano alla fronte, prevedendo che Veronica come minimo le prenda a male parole; lei, invece, resta inaspettatamente calma, dice soltanto: «Aspettate un attimo», quindi, come in quelle scene dei film in cui c'è il comprimario che in stato di semi-trance osserva in sequenza i gesti del protagonista che sta per fare qualcosa d'irreparabile, la vedo riapparire in zona letto, recuperare lo smartphone dal comodino, tornare alla porta, impostare la fotocamera, fare due ritratti formato tessera alle cameriere e poi bissare la doppietta immortalando i badge d'identificazione attaccati ai camici di entrambe. Che si guardano di nuovo in faccia, scambiandosi in silenzio la stessa domanda di poco fa.

– Bene. Grazie, – dice congedandosi. Quindi impugna la maniglia della porta annunciandone la chiusura.

– E la stanza? – fa Ugly Betty.

– Dobbiamo fare la stanza, – ripete la collega-lampione.

– Lo dite al direttore quando vi manderà a chiamare, – risponde lei, e chiude la porta senza neanche sbatterla.

Rimango imbalsamato per un bel po', in una fissità solidale con le due poverette, che immagino pietrificate al di là della porta, mentre sento Veronica aprire il rubinetto della doccia.

– Non avrai mica detto sul serio, spero, – le chiedo di lí a poco, raggiungendola.

– Certo che sí, – mi risponde la sua silhouette dal vetro satinato del box. – Non pago una stanza per farmi sfrattare quando lo decide il personale dell'albergo. Il check-out è a mezzogiorno, le ho trattate anche troppo bene.

M'incanto sul negativo di Veronica che si arrotola i capelli in una lunga treccia e la ripone sulla spalla (un gesto che adoro).

– L'avessero almeno chiesto con gentilezza. Hai sentito come battevano alla porta?

Indietreggio di un passo per sfuggire al vapore che ha già invaso l'intero bagno (mai stato con una donna che non rischi di ustionarsi quando fa la doccia).

– Andiamo, vuoi fargli perdere il posto?

– Figurati se perdono il posto. Dove credi di essere, all'Excelsior?

Elaboro.

– Be', questo all'Excelsior non sarebbe successo, – commento, praticamente pensando ad alta voce.

Socchiude la porta del box e mette fuori metà testa. Per la soddisfazione di guardarmi in faccia mentre mi tratta da cretino, immagino.

– Appunto.

Datele torto, datele.

Per lasciare la stanza e poi l'albergo impieghiamo tre quarti d'ora scarsi: il tempo di prepararci, che Veronica chiami in portineria per farsi passare il direttore denunciando l'accaduto e mitragliandolo di calibrati insulti: in vivavoce lo sento incassare in silenzio e cercare penosamente d'inserirsi tra una parola e l'altra dicendosi mortificato e confuso, col solo effetto d'essere invitato a dirigere un pensionato per cani e gatti e infine a dispensarci dal pagamento della stanza in risarcimento del disturbo arrecato.

– E vorrei anche vedere, – chiosa Veronica dopo aver tessuto nell'aria un'invisibile cordicella orizzontale chiudendo a pinzetta i polpastrelli dell'indice e del pollice destro.

Cosí diciamo addio all'Hotel Le Verande o Le Logge, adesso non mi ricordo, e una volta saliti in macchina Veronica propone di vederci piú tardi a pranzo, visto che abbiamo appena evaso il conto dell'albergo.

– E dire che la prima volta che ci siamo incontrati mi hai invitato in un locale dove il cestino del pane costava dodici euro, – commento nell'accomodarmi alla destra del guidatore cioè lei, visto che la macchina è sua.

Accende il motore e poi lo spegne, a significare che la risposta che sta per darmi non ammette rumori di fondo.

– Vuoi dire che allora facevo la splendida con i soldi di mio marito e adesso sono una poveraccia?

Mai ricevuto una secchiata d'acqua in faccia a distanza ravvicinata? Be', fino a questo momento nemmeno io.

– Ti giuro che non è quello che volevo dire, anche se la tua traduzione è impeccabile.

Resta momentaneamente spiazzata.

– Cioè il senso della tua frase era quello?

– Sí. Il senso sí. Ma me ne sono accorto solo quando me l'hai spiegato.

Stringe gli occhi. In effetti mi rendo conto di sembrare un po' intorcinato in questo momento, anche se ho le idee chiarissime.

– Quindi non sapevi di pensare quello che hai detto finché non te l'ho fatto notare io?

– No. Non pensavo che quello che stavo dicendo facesse sembrare che lo pensassi.

– Ma vaffanculo.

– Che ridi, sono serissimo.

– Quindi, se ho capito bene, non saresti responsabile di quello che dici.

– Certo che no.

– Scusa?

– Certo che non rispondo di quello che dico. Dovrei pesare le parole, in un rapporto intimo?

Cerca un insetto immaginario con gli occhi. Punto a me.

– Su questo hai ragione.

– Ah be', meno male.

– Sta di fatto che hai detto una cosa stronza.

– Questo l'ho implicitamente ammesso.

– Potevi essere esplicito e non farla cosí complicata.

– E no, troppo facile chiedere scusa. Sono bravi tutti a pestare una merda e poi dire: «Mi dispiace». Io rivendico il diritto di dire quello che non volevo.

Difficile definire l'espressione che increspa la faccia di Veronica nella lunga pausa che segue. Presente quando fai un estratto conto al bancomat e non ti trovi col totale pur avendo sotto gli occhi il dettaglio degli ultimi movimenti? Ecco, quella.

– Sta' a sentire, Vincenzo Malinconico, – dice quando le riparte il software, – non so se quello che hai appena detto ha un senso. E non so nemmeno se *tu* hai capito quello che hai detto. Ma sai cosa? Mi piace.

Riaccende il motore.

– Colpirti mi piace quasi quanto toccarti.

– Sei un cretino di talento.

Partiamo.

– La smetti di offendere?

– E il problema è che credo sia questa la ragione per cui mi piaci.

A questo bel complimento avrei una rispostina adeguata, e gliela darei anche, se non mi suonasse il telefono.

Leggo il nome del chiamante. Il fisso dello studio.

Siccome non ho mai avuto una segretaria (tranne la breve parentesi di Gloria, se si può definire segretaria una masticatrice compulsiva di chewing-gum che stazionava nel portone del palazzo invece che in ufficio perché il cellulare prendeva solo lí), e non ho ancora avuto occasione di esibire a Veronica il mio rinnovato aplomb da avvocato facoltoso, metto la chiamata in vivavoce.

– Pronto?

– Buongiorno, avvocato. Addolorata.

Veronica mi guarda come a chiedere se mi è morto qualcuno. Detta cosí pareva una chiamata di condoglianze, in effetti.

– La segretaria, – le sussurro. – Si chiama cosí.

Ficca le labbra fra i denti e spalanca gli occhi come se si sgonfiasse. Chissà perché facciamo sempre questa faccia, quando qualcosa ci sorprende. Chi ha inventato le espressioni del viso dovrebbe percepire delle royalties.

– Disturbo? – prosegue la centralinista dei Lacalamita Studios.

– No, dica pure.

– Hanno appena chiamato dalla segreteria del sindaco.

Veronica si volta a guardarmi. Cosa mi guarda, mica l'ho capito.

– Ssè, – dico sollevando le sopracciglia, in un tono traducibile piú o meno in: «Non vedo perché l'informazione dovrebbe impressionarmi. Su, venga al punto».

Dall'interdetto silenzio che segue si capisce che anche Prostrata è rimasta spiazzata dalla mia risposta.

– Per lei, – aggiunge. – Il sindaco. Mario Dasporto.

E di nuovo Veronica si volta a guardarmi come se non sapesse chi sono.

– Ho capito, – rispondo. – Si è solo presentato o ha detto anche qualcosa?

Pausa. Cento euro che all'altro capo del telefono s'è fatta rossa, quella iena.

– Sí, certo, mi scusi, – dice Costernata inciampando nelle consonanti. – Vorrebbe un appuntamento con lei il prima possibile.

Con la coda dell'occhio guardo Veronica che chiude le labbra in un sorriso rovesciato e annuisce come a dire: «Però».

– Hmm... dovrei dare un'occhiata all'agenda.

– Ce l'ho davanti, avvocato. Ma ovviamente non la apro senza il suo permesso.

– Faccia pure, – rispondo di getto, pentendomene subito.

Passa una manciata di secondi in cui sentiamo Desolata sfogliare rumorosamente le pagine.

– Allora, avvocato, – riprende, schifosamente felice, – direi che è libero almeno per i prossimi sei mesi, cosí a occhio.

Ma tu guarda che stronza.

– Devo aver dimenticato di aggiornarla, – bluffo. – Aspetti che vedo sul telefono.

Siccome non ho mai usato l'agenda dello smartphone e non saprei neanche dove cercarla, scorro la playlist di YouTube per simulare la consultazione, ma per sbaglio faccio partire *My Sharona.* A un volume spaventoso, peraltro.

Ooh my little pretty one, my pretty one
When you gonna give me some time, Sharona?

Veronica si volta e mi squadra come mi fossi impigliato in una tonnara o che so io.

– Allora, – dico tentando d'interrompere la riproduzione, – può venire anche oggi, se gli è poss…

Will, you make my motor run, my motor run,
Gun it coming off of the line…

– NON LA SENTO, AVVOCATO! – urla Angustiata; e Veronica comincia a ridere mentre mi accanisco sulla tastiera del telefonino percuotendo i comandi che non rispondono.

Never gonna stop, give it up, such a dirty mind…

– SCUSI, È PARTITA LA MUSICA! DICEVO CHE PUÒ VENIRE ANCHE OGGI! – urlo a mia volta, cercando d'ignorare Veronica che singhiozza e prende a ceffoni lo sterzo.

I always get it up, for the touch of the younger kind…

– AH, ECCO! A CHE ORA?
– ANCHE ALLE CINQUE!

My, my, my, aye-aye, whoa!

– VA BENE!! ALLORA RIFERISCO SUBITO E LA RICHIAMO PER CONFERMA!

M- m- m- my Sharona…

– GRAZIE!!
– PREGO!!

Giuro che nell'attimo in cui Amareggiata attacca, la riproduzione del brano s'interrompe.

Per i primi quattro o cinque secondi non dico una parola né mi volto verso Veronica, benché dai nitriti e dagli scoppiettii labiali percepisca il conto alla rovescia della risata. Quando esplode, temo l'incidente. Infatti per un momento sbandiamo.

– Ah, ah, ah!! Gesú, non ridevo tanto dai tempi della scuola!

– Guarda la strada e vaffanculo.

– È una parola, vedo tutto velato… *Ma-ma-ma-mai Sciarona…* Oddioddio, ho i crampi allo stomaco.

– Abbiamo finito?

– Sí, scusa… Pffhhh…

– E piantala. Lo sai che ridi proprio come una vrenzola?

– Prendimi un fazzoletto, ti prego, – mi chiede, completamente congestionata, agitando la mano verso il cruscotto.

– Non c'è bisogno, tieni, – dico passandole uno dei miei ipoallergenici sottomarca comprati giusto ieri in confezione da 12 (+3 pacchetti gratis).

Si sbatte il Kleenex discount in faccia a mo' di maschera di bellezza e ci spernacchia dentro senza un filo di grazia. Poco piú avanti, approfittando del rosso, un uomo sovrappeso in tenuta da calciatore si piazza davanti alle macchine in fila e palleggia di testa con un Super Santos. Ci mettiamo in coda e la mia, chiamiamola, fidanzata, completa la non proprio gradevolissima manovra di spurgo.

– Bello, conoscersi intimamente, – osservo.

– Oh, mio Dio... – bofonchia asciugandosi, – ooh, Dioddio...

– Almeno in *Harry ti presento Sally* lei mimava un orgasmo, cazzo, – dico esasperato.

– Ahahah, è vero! – riesplode Veronica, – ahahah!

– Che fai, ricominci?

Lo showman col Super Santos finisce il numero e passa ai finestrini delle prime macchine.

– Comunque complimenti per il sindaco.

– Oh, quello. Figurati.

– Sei diventato famoso, Malinconico?

Scatta il rosso e iniziamo a muoverci. Tre macchine avanti, Super Santos battibecca in playback con un automobilista.

– Credo di sapere perché mi ha chiamato.

– Ah sí? E perché?

– Perché mi sono trovato sua figlia in mutande sul pianerottolo.

– Che cosa?

– Vuoi che te lo ripeta?

– Mi stai sfottendo.

– Te lo giuro.

Super Santos mostra il medio all'automobilista, che frena di botto minacciando di scendere ma viene subito demotivato dalle strombazzate delle macchine in coda.

– E che ci faceva la figlia del sindaco in mutande sul pianerottolo di casa tua?

– Secondo te?

– Ti aspettava, ah ah.

– Come hai fatto a indovinare?

– È rimasta chiusa fuori dopo che è uscita dalla doccia.
– Non avrebbe avuto le mutande, in quel caso.
– Stavano girando un film porno nel tuo condominio e lei era in pausa pranzo.
– Fuochino.
– Che si fa, andiamo avanti col quiz o mi spieghi?
– Scappava da una retata nel bordello del quarto piano.
– Cosa?
– Hai capito.
Non so perché Veronica si sia infilata nella strada che ha appena preso. Non so nemmeno dove stiamo andando, ora che ci penso.
– Nel tuo palazzo c'è un bordello?
Mi volto a guardarla per rimarcare l'incongruenza della domanda.
– Certo che hai un'attenzione davvero selettiva, – dico.
– E tu lo sapevi?
– Sapevo cosa.
– Che c'era un bordello.
Mi porto la mano alla fronte.
– Non ci credo, la stessa domanda del carabiniere. Ma dico: ti ho appena raccontato che la figlia del sindaco (*la figlia del sindaco!*) stava scappando da una retata in una casa d'appuntamenti e tu…
Scala dalla terza alla seconda senza motivo.
– Carabiniere? – chiede, come se di tutto quel che ho detto avesse isolato quell'unico concetto, cancellando il resto in automatico.
– E sí. Uno che è venuto poco dopo a bussarmi, – rispondo (o meglio confesso), consapevole d'infilarmi in un casino. Per quanto m'imponga una relazione spiccatamente alberghiera, Veronica è gelosa come una scimmia (questo non l'avevo ancora detto).

– Poco dopo cosa?
Annaspo.
– Dopo che... avevdettallaragazzchepoteventrar, – bofonchio mangiucchiando le parole a volume decrescente.
– Che cazzo hai detto?
– Che dovevo fare, lasciare che l'arrestassero?
Inchioda. La frenata improvvisa mi spinge in avanti come un proiettile. Non sfondo il parabrezza con la testa giusto perché ho la cintura.
– Ma sei stronza? – domando retoricamente.
– Hai fatto entrare una ragazza in mutande in casa tua?
– La figlia del sindaco.
– Scendi.
– Cosa?
– Ho detto «Scendi».
– Non ci credo, stai accostando.
Neanche risponde. Si piega di lato, tende il braccio destro, afferra la maniglia dello sportello e l'abbassa.
– Ma si può sapere che ti prende, ti si è ingrippato il cervello? Avanti, ho solo aiutato una povera ragazza in fuga, non ci ho mica fatto niente. Per chi mi hai preso?
– Sayonara.
Mi guardo intorno, poi guardo di nuovo Veronica confidando in un impeto di ragionevolezza.
– Ti rendi conto di dove siamo? Come ci arrivo a casa?
– Non lo so. Aspetta lo scuolabus. Chiama la mamma.
Se non temessi che, posseduta com'è in questo momento, cominci a urlare come una vaiassa, proverei a impuntarmi e a restare seduto. Ma siccome lo temo scendo dalla macchina.
– Fatti condonare il sistema nervoso, – le consiglio. – È abusivo.
– Ci si vede.

– Mi sa che è escluso.
– Sento già la tua mancanza.
– Vai a farti fottere.
E *sbam!*, le sbatto lo sportello in faccia.
Oh, se ne va. Se ne va proprio.
Se n'è andata.
Non ero mai stato scaricato, prima. In maniera cosí letterale, intendo. È come uscire di galera e sentirsi addosso gli occhi degli estranei.
Sul marciapiede di fronte c'è una macelleria che espone un cartello con su scritto: «Polli senza anti-biotico anche vivi».

Di solito le telefonate di Benny arrivano sempre nei momenti meno opportuni (ha proprio un sesto senso), ma stavolta vedere il suo faccione che lampeggia sul display mi rincuora come un portafogli ritrovato.

– Dove sei? – chiede.

Ecco una delle tante abitudini cafone depenalizzate dalla telefonia mobile. Chi ti chiama al cellulare si sente in diritto di localizzarti prima ancora di dire perché ti cerca. Cosa te ne frega a te dove sto: chi sei, la mia fidanzata?

– Non lo so, Benny, lo giuro. Vienimi a prendere.

– Ma che è successo, hai avuto un incidente?

– In un certo senso.

– Cioè?

– Veronica ha sbroccato e mi ha fatto scendere dalla macchina. Non ho la minima idea di dove mi trovo.

– Cosa le hai fatto?

– Te lo dico se vieni a recuperarmi.

Pausa. Probabilmente sta pensando: «Perché non prendi un taxi?», ma non lo dice perché sa che i taxi li odio.

– Cos'è questa storia del sindaco?

– Cosa c'entra adesso il sindaco.

– Ha chiamato il sindaco, lo so. Hai appuntamento con lui oggi. Alle cinque.

Senti come rosica, il facocero.

– Ormai non stiamo piú insieme, Benny. Fattene una ragione. È un mio diritto frequentare un altro.

Non gli arriva subito, questa.

– Ah ah, che ridere. Perché non me l'hai detto?

– Primo, perché la telefonata del sindaco è arrivata neanche mezz'ora fa. Secondo, perché quella capera della tua segretaria, Colpita e Affondata, là, come si chiama, doveva ancora confermarmi l'appuntamento di oggi ma è chiaro che non ce la faceva proprio a non riferirtelo. Terzo, mi vieni a prendere sí o no?

E niente, gli do il nome della strada e di lí a poco arriva in Bmw X6 (era già al volante, chiaro), e dato che sta grigliando dall'incontenibile bisogno di conoscere il retroscena dell'improvviso quanto inspiegabile interesse del primo cittadino nei miei confronti, mi propone di restare a pranzo fuori. Accetto a condizione che paghi lui e cosí partiamo alla volta di un ristorante fuori città, di quelli davvero superiori, dove va spesso a ingozzarsi di carni d'ogni provenienza.

– Ma come ti sei vestito? – gli domando appena giro la testa.

– Perché?

– È una slim fit, quella?

– Porto solo camicie su misura, dovresti saperlo.

– Su misura di qualcun altro.

Si dà un'occhiata all'airbag naturale.

– Vaffanculo.

– Oh, che vuoi da me. Prenditela con il sarto.

– Sai che c'è? Ora faccio come Veronica e ti scarico qui.

– No eh, ti prego. È orribile ritrovarsi letteralmente in mezzo a una strada.

– Si può sapere che le hai fatto per farla incazzare cosí?

– Ma niente, le ho solo raccontato che ho nascosto la figlia del sindaco in casa dopo che me la sono trovata sul pianerottolo in mutande perché c'era un carabiniere che la inseguiva, – rispondo d'un fiato, come non valesse la pena di star lí a farla lunga.

Benny schiaccia il pedale del freno neanche una mamma con una coppia di gemelli in carrozzina ci avesse tagliato la strada all'improvviso. Per poco non ci stampiamo su una Škoda parcheggiata in doppia fila.

– Ma sei deficiente? – dico, sospirando per la (seconda) scampata frattura del cranio. – Cos'è, il giorno delle frenate a capocchia?

– La figlia del sindaco? – chiede Benny ignorando la mia rimostranza. – *La figlia del sindaco in mutande sul tuo pianerottolo?*

– Inseguita dalla controfigura di Aldo Maccione, – aggiungo ricomponendomi.

– Cosa?

Credo di non averlo mai visto cosí sconvolto da quando lo conosco.

– Il carabiniere. Identico ad Aldo Maccione, te lo giuro.

Perde lo sguardo nell'aria cercando istintivamente di dare un volto al nome che ho appena pronunciato. Incredibile come gli automatismi della mente prendano il sopravvento sulla volontà, altro che «Al cuore non si comanda». È il cervello che va per conto suo.

– Ma che me ne fotte di Aldo Macc... aspetta un momento, un carabiniere inseguiva la figlia del sindaco in mutande?

– Oh Benny, accendi il cervello se no facciamo notte. Non è che ogni cosa che dico me la devi chiedere daccapo.

Seeh, addio. Mi guarda, adesso.

– Non la inseguiva per violentarla. Era scappata da un bordello al quarto piano del mio palazzo, – spiego.

Ci pensa su. Sta visualizzando la scena, immagino.

– La figlia del sindaco fa la zoccola?

– Eh già.

– Incredibile.

– Che nel mio palazzo ci sia un casino o che la figlia del sindaco si prostituisca?

– Davvero incredibile, – ripete contemplando l'aria.

Un gabbiano di sette-otto chili atterra su un cassonetto della spazzatura poco distante e prende a perlustrare la zona come un buttafuori. Sembrano dei picchiatori professionisti, i gabbiani moderni. Quando ne incontro uno cambio strada.

– Hai intenzione di ripartire o restiamo ancora un po' qui? – chiedo.

– E tu l'hai fatta entrare.

– Vuoi farmi la scenata di gelosia anche tu?

Si tamburella le labbra con il polpastrello dell'indice come per punteggiare un pensiero in formazione.

– Ho rischiato grosso, lo so, – aggiungo, dato che non replica.

Accende il motore.

– Ora capisco, – dice, rivolgendomi un sorriso sornione.

– Capisci cosa? – domando mentre stacco due dita dalla fronte per salutare il clochard sulla panchina che ci fissa, immobile, da cinque minuti. Non ricambia.

– Bel colpo, socio. Complimenti, – fa Benny battendomi la mano sulla spalla.

– Ma che stai dicendo?

– Non ti facevo cosí scafato. È stata una buona idea prenderti nello studio. Ho fiuto, questo me lo riconosco.

– Eh?

– Avanti, piantala di prendermi per il culo, è un quarto d'ora che ci giri intorno. Il sindaco sa che tu sai (figurati se la figlia non gliel'ha detto), quindi deve assicurarsi il tuo silenzio. E c'è un modo molto semplice, anzi impeccabile, per assicurarselo. Indovina quale.

– Assoldare un sicario?

– Nominarti suo avvocato, imbecille. E finiscila di fare l'indiano, non ho neanche capito perché continui con questa recita: cosa ti aspetti, che pensi che il sindaco ha chiesto di te perché sei un avvocato di grido?

Lo prenderei a male parole, se non cadessi dalle nuvole.

– Gesú, Benny, hai ragione.

– Ancora che insisti?

– Ti giuro che non ci avevo pensato.

– Sesè, come no.

– È la verità. Quando l'ho fatta entrare non sapevo chi fosse.

– Ma vattene.

– Scusa, eh, ragiona un secondo. Secondo te quella mi arriva in mutande sul pianerottolo inseguita da un carabiniere e mi dice: «Sono la figlia del sindaco, aiutami»?

– E perché no. Era disperata. Sarebbe stato un modo per convincerti.

– Be', non l'ha fatto.

– Non ci credo.

– Invece crederesti a una ragazza che si presenta in mutande e ti dice che è la figlia del sindaco.

Mi guarda, poi torna a guardare la strada.

– Cazzo.

– Lo vedi?

Mi guarda ancora.

– Allora è proprio una botta di culo. Scusa, ti avevo sopravvalutato.

– Vai a morire pugnalato, Benny.

– Ma sei idiota a far entrare in casa una sconosciuta in mutande? Se ti avesse accusato di aver cercato di violentarla per poi ricattarti? È maggiorenne, almeno?

– Credo di sí.

Scuote la testa.

– Tu sei cretino, Vince'. Di piú: sei pericoloso. Se non ci avessi procurato un incarico cosí prestigioso, ti espellerei dallo studio.

– Come sarebbe «ci» avessi procurato?

– Be', ormai il sindaco è un nostro assistito, mi pare ovvio.

– Ah ecco, clientela condominiale.

– Siamo soci o no?

– Per modo di dire.

– Non posso credere che tu sia cosí venale da sminuire la nostra collaborazione solo perché non abbiamo concordato una percentuale.

– E concordiamola, visto che è solo una formalità.

– Dici sul serio?

– Oh, sei tu che hai detto: «Siamo soci o no?»

Il suo viso diventa una maschera della tragedia greca. Come riesco a trattenere le risate, neanche lo so.

– Okay, ci penso, – dice mentre entriamo nel parcheggio del ristorante. – Ora mangiamo.

TMR (Tipica Mortificazione Ricorrente)

Se mi chiedessero di deporre su quanto ha mangiato Benny, non sarei cosí sicuro di dire tutta la verità. Nel senso che ha una tale destrezza nello spazzolare le portate mentre si chiacchiera che potrebbe ordinare tre piatti in piú e farteli sparire sotto gli occhi senza che tu te ne accorga.

Ricordo che abbiamo cominciato con una selezione di patanegra servita con degli spiedini di melone, ma il mio promesso socio deve aver trovato l'appetizer un po' scarso, dato che ha subito chiesto due tartare di manzo con mango, pecorino e menta. Una bollicina (leggi: una bottiglia) è andata via con gli antipasti. Cioè, io ho bevuto un paio di flûte e Benny l'ha svuotata. Poi devo aver visto passare qualcos'altro, tipo un affettato, ma è sparito fra le ganasce di Benny con una tale rapidità che non ho neanche capito cosa fosse.

A quel punto, visto che dopo la tartare che non avevo neanche ordinato ero quasi sazio, e Benny ubriaco (ma ancora affamato), gli ho proposto di dividerci un cube roll di angus uruguayano da 350 grammi presumendo che ne avrebbe divorato i tre quarti (ha un'attitudine a sfondarsi che manco Adam Richman, il presentatore di *Man vs. Food* che s'ingozza d'ipercalorici ultrapiccanti rischiando l'esplosione a ogni puntata); al che Benny mi ha detto di avermi portato in un ristorante per soli uomini (ha detto proprio cosí, parola mia), per cui se avevo voglia di fare la modella («la modella», giuro) potevo prendere il filetto di seitan a patto di sedermi a un altro tavolo e pagarmi il conto; quindi ha ordinato una fiorentina da 800 grammi accompagnata da un piattone di patate fritte con buccia e una bottiglia di Brunello.

Un'ora dopo era lí con la cravatta allentata che cantava (male) *Sebben crudele*, un'aria del Settecento di Antonio Caldara (millanta d'essere un melomane ma in realtà gli piacciono Umberto Tozzi e Raf), e siccome si giravano tutti gli ho detto che era il caso di andare. Lui voleva il dessert, io gli ho detto Stai scherzando, lui ha detto no e io gli ho detto che erano quasi le tre.

– E allora? – ha chiesto con un occhio di qua e uno di là.

– E allora alle cinque viene il sindaco. Vuoi farti vedere in quello stato?

Ha incamerato l'informazione con un ritardo da collegamento in streaming e finalmente siamo venuti via di lí, anche se c'è voluto un quarto d'ora per arrivare alla macchina.

Guidare ho guidato io, essendo Benny inservibile. Poi abbiamo lasciato la Bmw a Vulnus che, appurate le condizioni alcoliche di Benny, l'ha scortato fino all'ascensore caricandoselo in spalla a mo' di divano letto; e adesso eccoci qua.

L'accordo è che Benny (che morirà se non lo assecondo) bussi alla porta del mio ufficio per presentarsi al sindaco una mezz'oretta dopo l'inizio della seduta, per leccargli un po' il culo senza apparire troppo invadente. Gli ho raccomandato di trattenersi il meno possibile e soprattutto di non fargli capire d'essere al corrente degli altarini di sua figlia (questo prima che si ubriacasse, ovvio). Già che c'eravamo (e non era ancora arrivato il Brunello) gli ho anche chiesto perché ci teneva cosí tanto a intrufolarsi nel mio probabile mandato. Niente di strano che volesse passare a salutare il primo cittadino (una cortesia doverosa, essendo Benny il titolare dello studio); umano pure che rosicasse perché Dasporto aveva scelto me e non lui, malgrado io non sia un avvocato conosciuto e Benny sí; e tuttavia non mi spiegavo la sua insistenza. Tutto potrei pensare di Benny tranne che voglia fregarmi un incarico. Desiderava avidamente, troppo avidamente, che il sindaco diventasse cliente dello studio. Ma perché?

– Okay, te lo dico, – mi ha confessato. – Il motivo ha nome e cognome, Ciro Garoppo.

– Ciro Garoppo?

– Sí. Lo conosci?

– No.

– Almeno sai chi è?

– Neppure.

Ha allargato le braccia.

– Santa Madonna, Vince', possibile che non sai mai niente? Ma che lavoro hai fatto, in tutti questi anni?

E qui mi sono preso una pausa di riflessione (o meglio di umiliazione), come succede nei film quando l'immagine va in stallo e la voce fuori campo del protagonista si confida con lo spettatore.

A giudicare dall'esasperazione di Benny, questo Ciro Garoppo doveva essere un nome noto fra gli operatori del diritto. Un magistrato? Un collega? Un assessore? Un boss? Un serial killer? Un imprenditore chiacchierato? Un politico? Non ne avevo la minima idea.

Ero incorso ancora una volta in una TMR, una Tipica Mortificazione Ricorrente per avvocati sfigati, di quelle da cui non c'è verso che ti affranchi mai del tutto. Il massimo dei progressi che puoi raggiungere è due all'anno, non di meno; e per arrivare a due l'anno devi farne, di figure di merda.

Quante volte mi è successo di essere interpellato su un aspetto ordinario del mio lavoro e fare scena muta, mostrandomi all'oscuro delle nozioni piú elementari che attengono all'esercizio quotidiano della professione? Insomma, ci sono cose che se fai l'avvocato devi sapere. Si suppone (ma proprio in generale) che uno conosca la categoria a cui appartiene. Dovrebbe conoscerla perché la frequenta, la pratica. Ma se di lavoro ne hai pochissimo, cosa frequenti, a quale scopo? Non partecipi, non sai. Non sei nessuno. E vallo a spiegare a chi non ne ha idea, che andare la mattina in tribunale a fingere d'essere impegnato ti mette dentro un senso d'emarginazione da buttarti di sotto.

– Sono professionalmente asociale, mi conosci, Benny.

– È l'avvocato del sindaco, Vince'! Il suo penalista, Cristo santo!

– Ah.

– Eh.

– Pensa tu.

– Ma veramente non lo sapevi?

– Sí –. Ammetto con la faccia per terra che mi mancava, questo dato imprescindibile.

Qui mi ha poggiato una mano sulla spalla. Imprevedibile virata di solidarietà. Al che ho capito tutto.

– Sai cosa? Fai bene. Si meriterebbe l'anonimato, quel coglione. Un cretino cosí borioso che non vale neanche la pena insultarlo. E Dasporto dev'essere piú imbecille di lui, dato che se l'è scelto. Ma tanto il sindaco è in vena di cambiamenti, per cui fra un po' gli facciamo prendere un ictus, a quella scorreggia d'uomo.

– Ah, ecco. E meno male che non meritava neanche di essere insultato. Certo che l'invidia è un sentimento che ti è del tutto ignoto, Benny.

– Invidioso io?!? Di quello scarafaggio impotente? Di

quella macchietta col riportino ingelatinato? Ma lo sai come lo chiamavamo all'università? Bialetti lo chiamavamo, perché era identico all'omino della moka. Baffetti compresi. Si metteva dei completini della Upim che manco alla sagra del caciocavallo.

– Santo Dio, Benny, ma cosa c'entr...

– Già allora leccava il culo agli assistenti in un modo indegno. I gechi come lui prima o poi te li trovi dove non ti saresti mai aspettato di vederli.

– I gechi?

– Mai sottovalutare i gechi, Vince'. Ti fottono, con quelle lingue a estrazione ultrarapida. Anche perché essendo gechi si mimetizzano, hai capito.

A quel punto ho provato a sollevare timidamente l'indice destro per dirgli che poteva fermarsi lí (anche perché la sequenza delle metafore era stata abbastanza stomachevole), ma figuriamoci se lasciava il dossier incompiuto.

– Dimenticavo, aveva pure una fidanzata: una zoccola che manco te la racconto la beneficenza che ha fatto a tutta la facoltà di Giurisprudenza. E pure di Economia e Commercio. Scienze politiche un po' meno.

È andato avanti cosí per dieci minuti buoni. Ne ha avuto abbastanza solo al terzo calice di Brunello.

Sommarie informazioni

Non sto mentendo, ha detto cosí:

– Avvocato Malinconico, il sindaco Mario Dasporto e la signorina Venere, sua figlia.

Ecco come può ridurre la gente una vita passata alla segreteria di uno studio legale. Va bene, è arrivato il primo cittadino. Capisco che per te, Straziata o come accidenti ti hanno chiamato i tuoi sciagurati genitori, sia un evento; capisco che ti senta tutta elettrizzata e per l'occasione sia pure andata dal parrucchiere, ma cosa mi bussi alla porta che non l'hai mai fatto, cosa mi annunci, cosa t'inchini e declami? E quell'altro cretino che annuisce a propria volta e tra un po' s'inchina anche lui: ma dove credete di essere, in un banchetto di nobili dell'Ottocento?

Non è che Flagellata sia un tipo ossequioso (al contrario, i lunghi anni di militanza nei Lacalamita Studios le hanno garantito l'inamovibilità, e insieme un'irriverenza tipica degli inamovibili), ma davanti a questo qui ha perso ogni contegno. Sarei pronto a scommettere che si farebbe un selfie con lui, se avesse dietro il telefonino. Guardatela: è la terza volta che gli chiede se vuole un caffè, e a nulla serve che Venere (che tra l'altro è vestita piú o meno come quando me la sono trovata sulla porta) le sbuffi apertamente in faccia come a dirle di smetterla di tributare onori al padre, perché il fatto che l'abbiano eletto sindaco non vuol dire che non sia un coglione (è il sottotesto chiaramente leggibile dal modo in cui sbuffa).

– Grazie... – le dico dopo un po' per congedarla, senza chiamarla per nome, dato che non lo ricordo, – se ora vuole lasciar...

Neanche mi ascolta. Se ne sta lí a fissare il sindaco manco fosse Pippo Baudo.

Istintivamente, non so perché, guardo in faccia Venere. Che mi viene incontro come avesse intercettato una mia inconscia richiesta d'aiuto, rivolgendosi alla vecchia con fulminante prontezza:

– Potrei avere uno Spritz?

Ragazzi, dovreste vedere la faccia di quella poverina. Se le avesse chiesto una pasticca di Mdma sarebbe meno allibita.

– Cosa?

– Se chiede al bar lo sanno.

Bella testa di cazzo, 'sta ragazza.

– So cos'è uno Spritz, signorina, – risponde, piccata, la segretaria.

Venere alza il pollice e si mette a sedere sulla Zig Zag blu, come se l'avessi invitata ad accomodarsi.

Gli occhi di Contrita si stringono come quelli di una poiana e – lo giuro – le si affila il naso. Forse questa donna è una mutante, e non solo nel nome. Il che spiegherebbe il timore sottocutaneo che avverto quando mi si avvicina.

– Venere, – s'intromette il sindaco, – non siamo venuti per farci un aperitivo.

– Se è per questo tu non dovevi neanche esserci, guarda. Per cui se voglio ordinare uno Spritz o un Margarita lo ordino eccome.

– Come no, – faccio io, – abbiamo un barman apposta,

in fondo al corridoio. È l'ultimo trend degli studi legali, ci siamo adeguati di recente.

Su questa, Affranta si congeda con un sorrisetto e leva le tende.

– Non le ho ancora stretto la mano, avvocato, – mi dice il sindaco porgendomela, al chiaro scopo di mostrarsi al di sopra della rispostaccia di sua figlia. Che intanto sta ancora ridacchiando alla mia battuta.

– Molto lieto, dottore, – dico, ricambiando. – Prego, si accomodi.

E mi risiedo sulla Barrel di Frank Lloyd Wright dalla quale m'ero alzato durante gli inchini, mentre lui prende posto sulla Zig Zag gialla.

– Non è dottore, – mi corregge Venere.

Gliene passasse una, oh.

– A mia figlia piace sembrare indisciplinata. Io ci ho fatto il callo, – si giustifica il sindaco, aspettandosi un cenno di solidarietà.

– Solo perché ho detto che non sei laureato? – lo rifrusta Venere.

Una lieve vampata di rossore fa capolino sulla faccia del primo cittadino. Che starebbe per ribattere, se non lo precedessi:

– Potrei sapere cosa intendeva sua figlia quando ha detto che lei non doveva venire?

– Quello che ho detto, – risponde Venere come se lo avessi chiesto a lei. – Sarei venuta da sola, visto che è a me che serviva un avvocato. Solo che mio padre voleva che prendessi il suo, io gli ho detto che non se ne parlava neanche, lui mi si è attaccato alle orecchie come una radio libera e per farlo smettere gli ho permesso di accompagnarmi.

– Non è andata proprio cosí, – balbetta lui guardando me.

– Ah no? E com'è andata?
– Volevo solo conoscere l'avvocato che ti sei scelta.
– Per questo lo hai fatto chiamare dalla tua segretaria?
– Cosa c'è di male se ha chiamato la mia segretaria.
– C'è di male che non sono una bambina, nel caso non te ne fossi accorto. E se non arrivi a capire che prevaricando tua figlia in questo modo l'autorizzi a disprezzarti, vuol dire che hai il quoziente intellettivo di un cavallo a dondolo.

Mi copro la bocca con la mano e fingo un colpo di tosse per non ridere.

– Abbiamo già affrontato questo argomento, Venere, – ribatte il sindaco. – Perché lo stai riaprendo?

– Perché come al solito mistifichi e vuoi far passare le cose per quello che non sono. Che diritto avevi di chiamare al posto mio, senza neanche dirmelo? Chi ti credi di essere per scavalcare gli altri e decidere per loro? Io non ho bisogno di te, non voglio i tuoi favori e non mi servi, ficcatelo in testa.

Mi aspetto che Dasporto perda le staffe e gliene molli uno; invece si ritira in un silenzio mortificato e colpevole. Sul viso non ha traccia di orgoglio, non gli importa di essere stato umiliato davanti a un estraneo. Da un momento all'altro sulla Zig Zag non c'è piú il sindaco baldanzoso e volgarotto che è entrato nel mio ufficio poco fa, ma un padre ferito che prende le misure di una crepa che si è aperta fra lui e sua figlia da chissà quanto.

Guardo Venere, a cui sono venuti gli occhi lucidi. È chiaro che si detesta per come lo tratta e per come lui si lascia trattare. Sembra cosí buffa, cosí teneramente patetica, con quell'acconciatura alla Billy Idol e gli stivaletti sotto le gambe nude.

È cosí che funziona, nell'incomprensione: fai del male, picchi duro perché devi tenere il punto e ti senti di merda perché l'hai tenuto; allora ti dici cosa lo tengo a fare questo punto, se per tenerlo devo umiliare qualcuno a cui voglio bene; per cui ti viene voglia di darlo via, ma siccome sai benissimo che l'umiliato ne approfitterebbe per ridiventare arrogante in cinque minuti (lo sai perché è già successo), va a finire che lo tieni, solo che tenendolo stai male, e cosí resti nella spirale del senso di colpa e continui a soffrire senza possibilità di uscirne.

Le incomprensioni sono estenuanti perché sono fatte di punti che restano attaccati. L'unica è aspettare che cadano da sé, come quelli di certe ferite che non ti tolgono i medici. Se reggi il tempo che ci vuole perché vengano via, s'intende.

– Vi pregherei di tenere fuori da questo contesto i vostri rancori, se possibile.

– Ah, c'è anche un avvocato, qui, – fa Venere. – Mi stavo giusto chiedendo dove fossimo.

– Da un avvocato, appunto, – ribatto, irritato dal suo sarcasmo. – Che non è abilitato a mettere bocca nei conflitti fra genitori e figli. Se è quello il vostro problema avete sbagliato professionista.

I lineamenti di Venere si piegano in un'espressione atterrita, come se nella veemenza della mia reazione avesse colto l'inopportunità della sua battuta. Potesse, pagherebbe per non averla pronunciata: glielo leggo in faccia. Ma quello che mi ferisce della sua umiliazione è la fiammella di rispetto che m'illumina di una luce nuova ai suoi occhi. Ogni volta che mi accorgo di crescere nella stima di qualcuno perché lo tratto male (foss'anche per reagire a uno sgarbo o a una parola che mi offende), confermo a me stesso la bassa opinione che ho degli esseri umani.

– La scusi, avvocato; anzi, ci scusi. Io e Venere siamo facili al battibecco, come può vedere, – interviene Dasporto in sua difesa; e lei lo guarda con un guizzo di riconoscenza che subito reprime. – È che vogliamo sempre l'ultima parola. Siamo molto simili, alla fine, – aggiunge.

– Questo è vero. Ci prostituiamo entrambi, – fa lei.

«Ah, rieccola. Bentornata», penso.

– Venere! – sbotta il padre.

– Sindaco, la prego, – m'intrometto, – non cada nelle sue provocazioni.

– Ho detto solo la verità, – precisa Venere; e torna a rivolgersi al padre: – O sei risentito perché ti ho trattato da collega?

Dasporto si porta una mano alla fronte e chiude addirittura gli occhi.

– Sentite, – faccio io esasperato, – che ne dite di smetterla di punzecchiarvi e venire al motivo di questo incontro? Direi che le presentazioni le abbiamo fatte.

– Ecco, bravo, – accoglie la proposta Venere, – veniamo al punto: mi hanno beccata. Tre giorni fa, in un albergo dove esercito.

– *Esercito?* – fa il papà, allibito.

– Se vuoi uso un altro verbo.

– Meglio di no, – dico io.

– Posso avere un bicchier d'acqua? – chiede il sindaco.

– Certo. È lí, guardi, si serva pure, – dico indicandogli lo Smeg vintage accanto al tavolino di Philippe Starck.

– Un'irruzione della polizia, quindi. Ma tu guarda, – riprendo rivolgendomi a Venere, mentre il padre si trascina dalla sedia al frigobar e tira fuori una Nepi da 0,50.

– Già, – risponde lei. – Sembra che la caccia al pappone li diverta molto, non fanno altro. Sempre gli stessi, poi.

Ci guardiamo in faccia mentre il fantasma di Aldo Maccione si materializza fra noi. Lei (stronza) lo trova divertente (infatti ridacchia); io mica. D'istinto mi volto verso il padre, che tutt'a un tratto mi fissa come se gli dovessi una spiegazione. Io fingo di non capire e torno a Venere.

– Andiamo ai fatti. Cos'è successo, esattamente?

– Hanno bussato alla porta. Bussato per modo di dire, sembrava che fossero venuti a prendere un boss latitante. Si sentono molto *Miami Vice*, nelle operazioni in cui non rischiano niente. Poi sono entrati con i passe-partout e ci hanno fatto uscire cosí come stavamo. Non so se mi spiego.

Con la coda dell'occhio scorgo Dasporto che si tocca di nuovo la fronte.

– «Vi» hanno fatto uscire?

– Sí, «ci». Eravamo in quattro. Non tutte nella stessa stanza, eh.

– Quindi quattro ragazze, una per camera.

– Con un cliente diverso.

Il sindaco manda giú quasi tutta la Nepi in un sorso.

– Uno ha finto di sentirsi male, ma quando i *Miami Vice* hanno fatto per chiamare l'ambulanza si è subito ripreso, – aggiunge Venere.

– Va be', questo non ci riguarda, – replico scacciando una mosca virtuale con uno schiaffetto aristocratico. – Quindi vi fanno uscire, e poi? V'identificano, immagino.

– Prima i clienti, poi noi. Quando è toccato a me si sono guardati in faccia, quegli stronzi.

La domanda che appare sul viso del padre mentre torna a sedersi è piú evidente di un «Guida con prudenza» che lampeggia di notte su un cartellone dell'autostrada. Infatti Venere gli risparmia la fatica di farla.

– No, non gliel'ho dato un nome falso, senza che mi guardi in quel modo, – gli dice, tramortendolo. – Uno, non volevo che mi trattenessero, perché tanto in quel caso gliel'avrei dovuto dire lo stesso; due, non mi vergogno di quello che faccio.

– Su questo non ci sono dubbi, – replica lui rassegnato, cercando dell'altra acqua nella bottiglia vuota.

– E poi vi hanno lasciato andare, – riprendo.

– Be', non subito. Ci hanno trattenuto lí intanto che torchiavano l'albergatore, che ovviamente è caduto dalle nuvole dicendo di non essere tenuto a sapere cosa fanno i clienti nelle sue stanze, al che quelli gli hanno consigliato di non negare cose che poi avrebbe dovuto ammettere (chiaro che la sapevano lunga sul suo conto), poi ci hanno tempestato di domande: se lo conoscevamo, se eravamo già state in quell'albergo eccetera. Cose cosí. Dopo un po' gli ho chiesto a che titolo ci facevano quell'intervista, e quelli mi hanno risposto che erano... com'è che le hanno chiamate? Succinte informazioni.

– Sommarie informazioni.

– Ecco, sí. Sommarie. Una definizione un po' idiota, se ci pensi. Tanto vale chiamarle pettegolezzi, no? Perché quello sono, i pettegolezzi: informazioni sommarie.

Acuta, la ragazza.

– E tu cos'hai risposto? – interviene il padre.

– Cos'ho risposto? – fa lei.

– All'intervista, come la chiami tu.

– Credo che le domande debba farle lui, – ribatte Venere infastidita, riferendosi a me.

– Anch'io, – risponde il padre senza degnarmi di uno sguardo. – Ma visto che non te le fa.

– Prego, sindaco? – dico io.

– Abbia pazienza, Malinconico, – fa lui sempre evitando di guardarmi in faccia, – non crede che sia il caso di sapere cos'ha detto esattamente mia figlia alla polizia, per capire se ha fatto delle dichiarazioni che possono aver compromesso ulteriormente la sua posizione, se tra le altre ragazze c'erano delle minorenni, se Venere le conosceva e aveva degli scambi con loro, di cosa potrebbe essere accusata, tante volte rischiasse un'accusa di favoreggiamento? Cosí, per esempio.

Venere si volta verso di lui al rallentatore, e per la prima volta da quando sono entrati la vedo sinceramente mortificata, quasi che neanche lei, malgrado l'infimo concetto che ha del padre, lo ritenesse capace di mancare cosí platealmente di rispetto a qualcuno. A me, nella fattispecie.

Io rimango curiosamente calmo, raccolgo le idee.

– Se vuol sedersi al mio posto, Dasporto, – dico, – faccia pure. Temo però che debba prima laurearsi e poi superare l'esame di Stato. Se ci si mette d'impegno in una ventina d'anni potrebbe farcela.

Touché. Diventa rosso come un ragazzino beccato in flagranza di pippa.

– Ma tu vedi che figura di merda, – sbotta la figlia. – Sei davvero un cafone oltre che uno stronzo, papà.

– Può anche fare lo spiritoso, avvocato, – mi risponde il padre bypassando gli insulti filiali. – Ma il fatto che non sia laureato non vuol dire che sia ignorante in materia. Non foss'altro perché potrei essermi consultato con professionisti ben piú quotati.

Mi alzo.

– Benissimo. Allora porti sua figlia dai suoi ben piú quotati legali e non m'infastidisca oltre. La porta è lí.

– Io non vado da nessuna parte, – sancisce Venere. – Se ne va lui, piuttosto.

«Ben detto», penso. Ma ce n'è anche per me, subito dopo.

– E anche tu, Vincenzo, «Porti sua figlia dai suoi ben piú quotati legali»: ma mi hai preso per una minorenne telecomandata?

– Aspetta un momento, – si accende Dasporto. – Gli hai dato del tu? E lo hai chiamato anche per nome?

Venere e io ci guardiamo e per un attimo non sappiamo cosa dire.

– Sí. E allora? – fa lei.

– Non gliel'hai detto? – dico io.

– Dirmi cosa? – domanda lui.

– Certo che no, – mi risponde Venere. – Non sono mica affari suoi.

– Ma di cosa state parlando? – va in crescendo il padre.

– Stai equivocando, cretino, – lo redarguisce la figlia.

– Cos'è, lo frequenti? – insinua lui.

– Come ha detto? – domando, accusando una vampata di sangue che mi sfoca la vista.

– Cosa c'è fra te e questo qua, Venere. Rispondimi, – intima Dasporto in un accesso di autorità che suona anche piuttosto ridicolo, date le circostanze.

Al che i miei nervi si ammutinano, e come nel ralenti di un blockbuster mi vedo impugnare il posacenere Spirale Alessi in acciaio inossidabile (design originale di Bacci, ripreso da Achille Castiglioni nel 1986) di cui Benny ha rifornito tutte le scrivanie dello studio benché quasi nessuno fumi, e scagliarlo in faccia al sindaco, che deve avere qualche santo in paradiso perché riesce a scansarsi all'ultimo momento evitando l'incontro ravvicinato del terzo tipo.

Spirale percorre mezza stanza in linea d'aria, raggiunge l'angolo della parete vicino alla porta, v'impatta, rimbalza all'indietro e precipita sul parquet Listone Giordano in teak antico De Lucchi & Nigro producendo una tripletta sonora che ci lascia tutti e tre ammutoliti per qualche secondo.

– Però, – fa Venere rimirando prima il posacenere e poi me, come se fossimo entrambi cresciuti di valore.

– Ma è pazzo? – dice il sindaco, terrorizzato. – Io la mando in galera.

– Un'altra allusione sul mio conto in riferimento a sua figlia e la sbatto fuori, se non se ne va da solo. Le consiglio di scegliere la busta numero due.

In quel momento si apre la porta e, come un comprimario di commedia sul finire del primo atto, entra in scena Benny, per l'occasione stiratissimo e profumato, seguito a ruota da Afflitta (figuriamoci se non veniva a ficcanasare, quella capera mutante).

– Che succede, qui? È caduto qualcosa? – chiede.

Come ci fossimo accordati per farlo, fissiamo tutti e tre il posacenere sul parquet e poi risaliamo su Benny, che a sua volta ci guarda come a dire: «Che cazzo abbiamo da squadrarlo cosí».

Ustionata esamina la scena manco fosse un perito assicurativo venuto a ispezionare il luogo di un sinistro e poi scuote la testa in un modo che mi fa venir voglia di ripetere il lancio mirando al suo naso da uccello.

– Ma sbaglio o... – fa Benny rivolgendosi a Dasporto e chinando la testa verso la spalla per fingere una manovra di riconoscimento. – Ma tu guarda un po' chi abbiamo qui.

Dasporto, ancora intronato per la scampata lesione facciale, non ricambia adeguatamente l'avance di Benny, che gli va incontro scodinzolando.

– È un onore averla nel mio studio, sindaco. Sono l'avvocato Lacalamita.

«Nel mio studio»: ah, che stile. Nessuna voglia di prendersi la scena, Benny. Che basso profilo. Che modestia. Che gusto dell'understatement.

E che bella scelta di profumo, aggiungerei.

– Piacere, avvocato, – gli stringe la mano Dasporto senza partecipazione. – Mi scusi, ero un po'... distratto.

– Oh, si figuri. Non ci siamo mai incontrati ma mi sono sempre riproposto di dirle quanto apprezzi il lavoro della sua amministrazione. Questa comunità le deve tanto, davvero.

Che schifo. Mi prude dappertutto.

Il mio imbarazzo dev'essere condiviso da Venere, a giudicare dalla faccia che le è venuta.

– La ringrazio, lei è molto... gentile.

– Si sente bene?

– È solo un po' traumatizzato perché Vincenzo gli ha tirato un posacenere, – interviene Venere. – Ma non l'ha preso, per cui è tutto okay.

– Che cosa? – chiede Benny. E mi guarda aspettandosi che la smentisca.

Io guardo lei dandole della stronza con gli occhi mentre Fustigata chiude la porta in segno di disprezzo.

– Mia figlia sta scherzando, avvocato, – dice il sindaco. – Mi è solo caduto il posacenere di mano mentre rispondevo al telefonino.

– Ah, – fa Benny.

– Sono un po' maldestro, eh, avvocato Malinconico? – mi chiede Dasporto proponendomi una tregua tacita. Che accetto.

– Macché, sono io che ho tirato il posacenere a un moscone. Lo sai, Benny, quanto mi piace stampare i mosconi sui muri.

Passa qualche secondo penoso.

– Ah, ah, ah! – ride per solidarietà il mio collega.

– Ah, ah, ah, – lo scimmiotta Venere calcando la finzione.

Benny stende un sorriso, ma è chiaro che vorrebbe dirle almeno una parolaccia.

– Quindi questa bella ragazza è sua figlia? – chiede al sindaco. Ma dal tono si capisce che la domanda era: «Quindi questa stronzetta è opera tua, eh?»

– Già. Lei è Venere. Venere, l'avvocato Lacalamita.

– Ho sentito come si chiama, non sono mica sorda.

– Ah, che simpatica, – dice Benny digrignando. – E cosa fai nella vita?

Questa poteva risparmiarsela. Ruspante com'è, capace pure che non l'ha fatto apposta.

– Devo rispondergli? – mi domanda Venere.

Fingo di lisciarmi la barba ma produco un nitrito, spernacchiandomi nella mano.

– Cosa ridi? – mi fa Benny. Ma viene da ridere anche a lui, per cui Venere fa due piú due. E il padre appresso.

– Venere, ma dove mi hai portato?

– Io? Sei tu che ti sei attaccato come una zecca.

– Come sarebbe a dire: «Dove mi hai portato», sindaco? – domanda Benny, già pronto ad azzannare. È impressionante la rapidità con cui passa dal servilismo ai pesci in faccia.

– Sarebbe a dire che lei sa bene di cosa sto parlando perché è al corrente del motivo della nostra visita. Altrimenti non avrebbe fatto quella domanda a mia figlia e non avrebbe ridacchiato subito dopo con il suo collega.

– Questo è vero, – infierisco, dato che non me ne frega piú niente di salvare le apparenze. – Molto stupido da parte tua, chiederle cosa fa nella vita.

– Ma perché, scusa, – mi risponde quel cretino come se stessimo facendo due chiacchiere fra noi, – le marchette non si possono fare anche part-time? In giro è pieno di studentesse che fanno le zoc… senza offesa, eh.

Dasporto si porta tutt'e due le mani alla fronte. E devo dire che a questo punto lo capisco.

– Non ci posso credere, – dice Venere, sventolando pure la mano per allontanare il nauseante profumo del mio collega, – ma davvero questo qui è il titolare dello studio?

– Ehi ragazzina, – fa Benny, – visto che ormai abbiamo fatto le presentazioni, se vuoi possiamo entrare in confidenza. Ma non so se ti conviene.

– Venere, – riprende il padre in un tono che rasenta l'implorazione, – dammi retta, andiamocene. Lascia che se ne occupi il mio avvocato, non lo capisci che è meglio?

– Toglitelo dalla testa.

– E il suo avvocato chi sarebbe, Ciro Garoppo? – s'intromette Benny, opportuno come un pezzo degli Iron Maiden al trigesimo di una devota di Padre Pio.

– Esatto.

– Eccolo là, lo sapevo, – mi dico da solo.

– Ah be', allora non posso che complimentarmi con sua figlia per la scelta del nostro studio, – commenta Benny, gratis.

– Perché, cosa vorrebbe dire?

– Non del *vostro* studio, – lo corregge Venere. – Di Malinconico.

Annuisco, tanto per farlo crepare in corpo.

– Uno studio associato è come una famiglia, signorina, – risponde il deficiente dopo una brevissima scena muta.

– Ah, è uno studio associato? E come mai non c'è il nome di Vincenzo sulla targa?

Mi piace sempre di piú, questa ragazza.

– Già, come mai non c'è? – infierisco, divertendomi schifosamente.

Benny non sa cosa dire, ma Dasporto lo salva in corner.

– Cosa sta insinuando sull'avvocato Garoppo, mi scusi?

– Insinuare io? Su Garoppo? Ma vuole scherzare? È bravissimo. Del resto, quando dai quattro volte l'esame d'abilitazione, un po' di diritto lo impari per forza.

Lavorare con Benny mi migliora la qualità della vita. Incredibile, ma è cosí.

– Sta diffamando un suo collega, – gli punta contro il dito Dasporto. – Spero se ne renda conto.

– Diffamando? Lo chieda a lui, se è vero o no.

Per un momento intravedo un'ombra di dubbio sulla faccia del sindaco.

– Non mi stupirei se avesse fatto davvero l'esame quattro volte, quel cretino ingelatinato coi mocassini lucidi e il doppiopetto da cafone, – osserva Venere.

– E perché, i baffi? – la corteggia prontamente Benny, entusiasta del suo intervento. – Non sembra l'omino Bialetti?

– Ah, ah, ah, è vero! – ride lei dopo averci pensato un attimo.

– Basta, adesso è davvero troppo, – fa Dasporto allo stremo. – Me ne vado.

– Ciao, papà. Scusa se nessuno ti accompagna alla porta.

– Ma vuoi davvero farti difendere da loro due? Non senti come parlano?

– Come parliamo? – mi fa Benny.

– A me lo chiedi? – ribatto.

– Ancora con loro due? – torna sull'argomento Venere. – È Malinconico il mio avvocato, come te lo devo dire?

– Le devo ricordare come ha chiamato mia figlia poco fa, avvocato Lacalamita?

Ci prendiamo due secondi di silenzio per attivare la memoria recente e richiamare l'epiteto.

– Ah, quello, – si giustifica Benny. – Ma io mi riferivo alla categoria, mica a lei.

– Ma sí, non mi pare il caso di formalizzarsi, – lo supporta Venere. – Certo, questo qua è chiaramente uno che non pensa prima di parlare, ma ha detto la verità.

La faccia di Benny prende un colore tipo salmone scaduto. Muore dalla voglia di restituirle l'apprezzamento, è chiaro, ma le è troppo grato per averlo difeso e lascia correre.

– Quindi non hai niente in contrario se ti danno della zoccola, – pronuncia finalmente la parola proibita il padre, sperando di toccarle un nervo scoperto.

Ingenuo, da parte sua.

– Cosa credi che facessi in quell'albergo, una seduta spiritica?

– Come linea difensiva non sarebbe male, – s'illumina Benny.

– Aah, ma ti prego, – dico io.

– Pensaci, invece. Può essere una strada.

– Come no. Sosteniamo che la nostra assistita era lí per parlare coi morti.

– Venere, avanti. Sono degli improvvisati. Non vedi che non sanno quello che dicono?

Benny ruota la testa al rallentatore verso di me, come a chiedermi se ho sentito. Al che mi taccio e gli concedo la precedenza. Anzi, l'esclusiva.

– Sindaco, uno che colleziona dalle due alle tre figure di merda ogni volta che apre bocca in pubblico dovrebbe avere almeno la decenza di non dare pagelline a chi ha studiato.

«Ottima, Benny», penso. E gli strizzo l'occhio.

– Ma come si perm... – tenta di dire Dasporto.

– Vuole che le ricordi quella dei campi di *concentrazione*? O la manovra in default? Guardi che la seguo, cosa crede.

– Com'era quella di Brecht? – m'inserisco iniziando a ricordarne un'altra.

– Lo sapevo, – fa Venere. – Stavo facendo il conto alla rovescia. Quella è già un classico.

Benny si picchietta la fronte con il dito.

– Aspettaspetta... ah, sí: «Siamo gli eroi che attendeva il popolo, anche se non ne ha bisogno».

– Ah, ah, ah!!! – esplodo senza ritegno. Neanche Venere riesce a trattenersi, ma un residuo d'affetto per il padre la spinge a voltare la testa di lato per non essere vista.

– Potete anche smetterla, – dice Dasporto, il cui rossore facciale rasenta l'ustione, a questo punto. – Ho solo fatto confusione, la notte prima avevo avuto una colica renale.

– E già, perché è risaputo che le coliche renali rendono ignoranti.

– Dài Benny, piantala, – dico. Mi pare ne abbia prese abbastanza, il poveraccio.

– Io direi che non hai proprio capito la frase di Brecht, papà. Hai fatto casino coi concetti.

– E il lapsus omicida? – infierisce Benny, che a quanto pare non è ancora sazio.

– Quello era l'assessore De Nardo, stronzo, – replica inaspettatamente il sindaco.

Attimo di pausa.

– A chi hai dato dello stronzo, scusa? – fa Benny passando subito al tu.

– A te. E vaffanculo.

Benny gli si avventa contro, e lui alza le braccia assumendo una patetica posizione di difesa. Venere, in un impulso di tutela filiale, afferra Benny per le spalle sbilanciandolo all'indietro. Il mio non propriamente atletico collega perde l'equilibrio (non che di solito ne abbia molto), piroetta goffamente su una gamba (la camicia gli fuoriesce oscenamente dai pantaloni scoprendogli un rotolo di panza), crolla di lato, si aggrappa allo schienale della Zig Zag gialla, batte il ginocchio destro sul parquet e per compensare lo sbilanciamento piega istintivamente l'altra gamba ad angolo retto, arrestandosi in un'improbabile postura da arciere sovrappeso.

Il sindaco lo guarda dall'alto, stupefatto.

Io e Venere ridiamo.

– Ringrazia tua figlia, stronzo, – dice Benny rialzandosi, accaldato, con la cravatta di traverso.

«Se no sai che massacro», penso. E credo lo pensi anche il sindaco, mentre si avvia alla porta disgustato.

– Che fai, vieni con me o resti? – chiede alla figlia.

– Secondo te?

– Se neanche questo spettacolo ti ha fatto cambiare idea, ti meriti l'avvocato che ti sei scelta.

– Stammi a sentire, – perde le staffe Venere con un tempismo che ci lascia tutti di stucco, – se non fosse per l'avvocato che mi merito, come lo chiami tu, a quest'ora sarei già sui giornali, e tu nella merda. Nessuno avrebbe fatto entrare in casa una puttana in mutande che scappa da una retata, nessuno, men che mai quel cafone lampadato di Garoppo di cui ti riempi tanto la bocca!

A queste parole, Benny risplende come un sole a primavera. – Diglielo, – sussurra, neanche Venere avesse parlato di lui. Infatti Dasporto lo guarda come a chiedergli cosa diavolo c'entri; ma è un attimo, perché la raffica di notizie appena ricevute dalla figlia lo ha cosí intronato che quando riprende a parlare quasi balbetta:

– Una... retata? In... mutande?

– Sí, come no, una retata in mutande. È venuta una pattuglia di nudisti, a prenderci, – fa Venere.

– Cioè, tu... sí, insomma, lei... – si rivolge a me il sindaco.

– È cosí che è andata, – fa Benny.

– La vuoi finire di rispondere per me? – gli dico.

E finalmente chiude il becco.

– Scusate, ho bisogno di sedermi, – fa Dasporto tornando verso la Zig Zag gialla.

Nessuno obietta, anzi ci rimettiamo tutti a sedere (compreso Benny, non si capisce a che titolo). Restiamo in silenzio per un po', a lasciare che i conflitti evaporino.

È il sindaco a riprendere la parola, stanco morto:

– Mi dispiace, avvocato Malinconico, non sapevo di questo precedente, mia figlia non me l'aveva detto.

– Questo l'avevo capito. Cosí come capisco che lei sia sottosopra, anch'io sono padre. Di me può dire o pensare quello che vuole, ma non le permetto d'insinuare che abbia avuto dei rapporti intimi con sua figlia. Ciò detto, mi vergogno di averle tirato il posacenere.

– Ah, quindi è vero, – nota Benny.

– Ha ragione, ho parlato a sproposito. Scusi anche lei, Lacalamita. Non avrei dovuto sbottare in quel modo.

– Oh, le pare. Se non mi avesse dato dello stronzo avrei continuato con le citazioni.

– Smettila, Benny.

– Mi ha aiutato quando ne avevo bisogno, – aggiunge Venere mordendosi le labbra. – Mi ha dato fiducia.

– Mi dispiace, tesoro, – le dice il padre con una dolcezza che quasi mi commuove (perché i conflitti d'interesse hanno a che fare anche con i sentimenti piú puri e non solo con il business, e questo andrebbe detto, ogni tanto). – Se me lo avessi detto...

Allunga una mano ma lei si ritrae, diventando piú aggressiva di prima.

– Ti senti sollevato perché hai evitato lo scandalo, vero? Be', preparati, perché siamo punto e a capo.

– Cosa?

– Secondo te perché ci troviamo qui?

– Bella domanda, – dico io. – Avevo appena cominciato a fartela, prima della rissa.

– Perché l'altra sera mi ha chiamata un amico della Gazzetta per dirmi che la notizia della retata è arrivata in redazione, e che fra i nomi delle persone fermate c'è anche il mio.

– Oh, Cristo santo, – impallidisce il padre.
– Le questure sono piene di spifferi, – dico lanciando un'occhiata a Benny.
– Prima o poi doveva succedere, – commenta Venere con una sufficienza irritante.
– Se la prendi con tanta filosofia, non vedo perché sei qui, e soprattutto cosa potrei fare per te.
– Perché non voglio che pubblichino il mio nome. E non per lui, – intende il padre. – Quello che non accetto è l'idea di finire sui giornali come se avessi commesso un reato. Non sono una delinquente e non devo dare conto a nessuno delle mie scelte. Se si azzardano a far uscire il mio nome, gli facciamo causa. Voglio che chiudano.
– Temo che questo sarà un po' difficile, – dico.
– Capiamo prima un po' di cose, – interviene Benny, con l'impulso del bravo penalista che ha fiutato un problema implicito nell'esposizione dei fatti e vuole risolverlo a monte.
Venere lo squadra dal basso verso (si fa per dire) l'alto come se fosse la prima volta che lo vede.
– Se Vincenzo mi permette, – aggiunge il mio non so se socio o collega comportandosi correttamente, per una volta.
Apro e chiudo la mano destra, autorizzandolo.
Venere si stringe nelle spalle in modalità «Se lo dici tu».
– Se ho capito sei stata coinvolta in un'altra retata.
– Intuitivo, il tuo collega, – mi fa lei.
Benny la ignora e procede:
– Un appartamento? Una villa?
– Un albergo.
– Dove si trova?
– In pieno centro. Da non credere, eh?
– Si chiama *Baleno*, per caso?
– Sí, – fa lei restando a bocca aperta.

E anche Dasporto guarda Benny con altri occhi.
– Lo conosci? – chiedo.
– Come no. Il proprietario è un certo Palumbo; Carlo, se ben ricordo. Piú un affittabordelli che un pappone. L'hanno già beccato, dava le chiavi di una villetta fuori mano a una trans che controllava un giro di nigeriane, ma la villa era intestata alla moglie. L'ho difesa, una volta, per una truffa aggravata. La moglie, non la trans.
– Pure. Ma che bella coppia di sposi, – osservo.
– Infatti hanno interrogato anche lei, – aggiunge Venere, sempre piú conquistata dalla sapienza di Benny.
– Ma non mi dire. Quanti anni hai?
– Ventidue.
– Posso chiederti quante volte sei stata in quell'albergo?
– Qualcuna.
– Parto da cinque e vado per multipli?
– Meno di dieci.
– Oh, Madonna santa, – fa il padre.
Vado a prendergli un'altra Nepi.
– Come funzionava? Vi accordavate al telefono?
– Prenotavo con un nome falso, sempre lo stesso.
– I clienti te li procurava Palumbo?
– Assolutamente no. Solo la stanza.
– A un prezzo maggiorato, immagino.
– Bravo.
– Quindi lui non interveniva nelle tue trattative con i clienti.
– No.
– Avete mai usato dei codici, che so, «Per caso avete ritrovato degli orecchini nella camera 304», o fatto qualche nome, anche di altre ragazze, per esempio?
– Mai. Comunque con Palumbo avrò parlato due o tre volte. Rispondeva sempre la moglie.

– Quante eravate quando è arrivata la polizia?
– Quattro.
– Una per stanza, – intervengo trovando finalmente un varco in cui inserirmi, a disagio come sono per il furto della scena che sto subendo da Benny.
– Meno male che me l'hai detto, Vince'. Stavo quasi per pensare a un'ammucchiata, – mi risponde facendomi fare la figura dell'idiota. – Le conosci, queste ragazze? – chiede a Venere.
– Un paio. Ma che erano lí l'ho scoperto quand'è arrivata la polizia.
– Maggiorenni, che tu sappia?
– Sí, tutte.
– Okay. Adesso dimmi un'altra cosa, – qui diventa piú serio, come dovesse toccare un punto delicato. Rimanendo seduto si china verso Venere, accorciando le distanze per invitarla alla precisione, direi quasi per intimidirla.
Quando entra nel vivo del lavoro, si trasforma. È un po' come quei musicisti che prima di salire sul palco sembrano anonimi e pure un po' imbranati, poi iniziano a suonare e acquistano un carisma che sfiora la bellezza.
È in frangenti come questi che misuro la mia inferiorità professionale. Il bravo avvocato sa chinarsi in un certo modo sul cliente, quando serve. Io non sarei mai capace di chinarmi su un cliente cosí.
– Vi passate mai i clienti, fra voi?
– Qualche volta.
– Come fate?
– Mai per telefono, se è questo che vuoi sapere.
– Niente messaggini, gruppi WhatsApp, e-mail?
– Figurati. Non sono mica stupida.
– Ne sei proprio sicura?
– Assolutamente. Non parlo mai di lavoro al cellulare.

– Bene. Molto bene.

– Perché insiste su questo punto, avvocato? – domanda il sindaco, che intanto ha finito anche la seconda Nepi.

– Perché se sua figlia avesse consigliato quell'albergo a una delle ragazze o viceversa, o ci fossero delle intercettazioni da cui risulti che si accordavano per andarci, magari alludendo a un cliente comune o peggio facendone il nome, ci sarebbero gli estremi per un'accusa di favoreggiamento.

– È escluso, – ribadisce Venere, sicurissima di sé.

Benny annuisce, spazzando via ogni preoccupazione residua.

– Scusi, eh, avvocato Malinconico, – mi dice Dasporto a bruciapelo, – ma non sono le stesse domande che le avevo rimproverato di non star facendo a mia figlia?

– Perché non me ne ha dato il tempo.

– Ah, ecco, – fa lui, intendendo: «Come no».

Potrei aprire un'altra polemica, ma evito. Anche perché ha ragione.

– Certo, – continua Benny, – dovremmo sapere cos'hanno dichiarato le altre ragazze; ma per ora pensiamo a te. Ti ricordi cos'hai detto esattamente alla polizia?

– Che non erano affari loro, che ero libera di fare quel che volevo negli alberghi. E che potevano farci gli aeroplanini con il verbale, visto che non c'era un avvocato ad assistermi. Secondo me è lí che mi sono chiamata la soffiata al giornale, perché mi hanno presa proprio sul cazzo.

Il sindaco sussulta alla parolaccia, gli trema pure una palpebra.

– Certo che la sai lunga, tu, – le dice Benny con un sorriso compiaciuto. – Non è vero, Vince'?

– Eh?

– Hai capito cos'ha detto?

– Cosa.

– Art. 63 c.p.p. Inutilizzabilità delle dichiarazioni rese in sede di sommarie informazioni.

– Ah, certo.

– In relazione a quelle acquisite dalla polizia giudiziaria ex art. 351 c.p.p.

– Naturalmente.

Ma tu vedi che stronzo.

– *Nemo tenetur edere contra se*, – conclude soddisfatto.

Venere e il padre si guardano domandandosi che cazzo abbia detto. Siccome questa la so, vado a rattoppare la figura di merda.

– Significa: «Nessuno è tenuto ad accusare se stesso». Il collega è un appassionato di brocardi. E di pasti abbondanti, come potete vedere. Recitare gratis una locuzione latina senza tradurla lo entusiasma quasi quanto una lasagna a nove strati.

Beccati questa, stronzo.

– Molto spiritoso, – fa Benny arrossendo e guardandosi la panza in automatico, probabilmente sollecitato dalla parola «strati».

– A ogni modo non è il caso di allarmarsi, – mi rivolgo a Venere. – Non mi pare tu abbia ricevuto un avviso di garanzia.

– No, infatti. È il giornale il problema, adesso.

– Se me lo avessi detto avrei potuto fare qualcosa, – la rimprovera il padre.

– Tipo impedire la pubblicazione? Grazie tante, le tue iniziative me le risparmio volentieri. Uno, sei maldestro. Due, i giornalisti non ti sopportano. Tre, che poi viene anche prima dell'uno, questi sono affari miei e non voglio che te ne occupi tu.

Il sindaco si stende le sopracciglia con le dita.

La gente si stende le sopracciglia solo in due casi: quando si concentra e quando sente arrivare la disperazione. E per lui valgono le due cose insieme.

In tutto questo, non ho capito perché Benny continua a guardarmi come se gli frullasse in testa qualcosa che ha a che fare con me.

– Fermi un attimo, – irrompe come un portatore di belle notizie. – Ci stiamo ponendo un problema inutile.

Mi sa che adesso ho capito.

Sto per intimargli di non provarci quando Venere, che nemmeno l'ha sentito, si rivolge di nuovo al padre con un misto straziante di tristezza e rancore:

– Ti mordi le labbra perché potrei coprirti di vergogna?

E io vorrei dire: «Perché non la fate finita? Non lo vedete che siete uguali, quando vi mordete le labbra?»

– Sei tu che dovresti vergognarti. Se non altro di avermi messo in questa situazione.

– Quindi è questo che ti brucia.

Lui fissa il vuoto in cui sta probabilmente galleggiando.

Segue un'inquietante quiete.

– Facciamo cosí, papà. Rivoltiamo la faccenda. Adesso vado al giornale a confermare la notizia, cosí puoi prendere pubblicamente le distanze da me e non ti rovini la carriera.

– Ma che stai dicendo?

– È la soluzione piú dignitosa per tutti e due. Dopo di che sarà meglio che ti dimentichi di avere una figlia.

Intervengo:

– Non le dia retta, sindaco. Avanti, Venere, smettila di dargli addosso. Non lo capisci che è sconvolto? L'ha appena investito una valanga, cosa vuoi che dica?

Venere tace, dandomi ragione con gli occhi.

– Grazie, Malinconico, – dice Dasporto.

– Scusate, – si reintrufola Benny nella tregua. – Stavo,

prima che ricominciaste a litigare, dicendo che il direttore del giornale è un mio carissimo amico.

– Ma come «Stavo – prima che ricominciaste a litigare – dicendo»? – lo riprendo.

– Perché? Che ho detto di sbagliato?

– Hai mutilato la perifrastica. Tra «Stavo» e il gerundio ci hai messo quasi un endecasillabo.

Ci pensa un attimo.

– Ma vaffanculo, va'.

– Davvero è amico del direttore? – sbarra gli occhi il primo cittadino, già riprendendo colore. Incredibile come le emozioni tingano.

Benny risponde in modalità *Amarcord*: butta il capo all'indietro lentissimamente, tirato dal filo invisibile della nostalgia. Non dice una parola ma il testo implicito suona pressappoco cosí: «Eravamo davanti al palazzo che bruciava. Un cortocircuito, forse. Sua madre era dentro, i pompieri non arrivavano. Lui voleva correre a salvarla ma io l'ho preceduto, lanciandomi nelle fiamme. Perché ho messo a rischio la mia vita? Non saprei. Credo che in certi momenti non si pensi. L'ho portata fuori di lí. Sí, l'ho fatto. Ed è stato allora che quell'uomo, quel compagno di giochi con cui ho condiviso le estati dell'infanzia, ha maturato nei miei confronti un debito che non finirà mai di pagare, benché non gli abbia mai chiesto niente».

Sono cosí stupefatto dalla sua impudenza che quasi lo invidio.

– Quindi siete proprio amici amici, – dico sfidandolo.

Solleva le spalle come se non fosse neanche il caso di rispondere ma evita accuratamente i miei occhi, il vigliacco.

– Guardate mio padre, il primo cittadino, uno dei principali esponenti del partito della rinascita. Sembra un bambino davanti all'ingresso del luna park. Ancora un po' e saltella.

Quello manco la sente, innamorato com'è di Benny, al momento. Se solo sapesse.

– Se mi autorizza, sindaco... – fa l'Uomo Dal Culo In Faccia allungando la mano verso il telefono fisso, piú viscido di un capitone.

– Non so, avvocato, – finge di frenarlo Dasporto. – Lei capisce che si tratterebbe di una mossa contraria ai miei princìpî.

– Ah, ah, ah!!! – esplode Venere in una risata che parla da sola.

– Certo che la capisco, sindaco, – lo blandisce Benny al trotto, – ma non devo certo insegnarle io che la politica è l'arte del compromesso.

– Specie quando si tratta di risparmiarsi una grande figura di merda, – postilla Venere.

Come darle torto.

Benny non solo non raccoglie ma rilancia, raggiungendo nuove vette di viscidume:

– Il circuito mediatico è studiato per stritolare i personaggi pubblici, sindaco. Ogni dettaglio verrà usato contro di lei. Scivolare nelle sabbie mobili è un niente. Ma quando sei lí che affondi hai il diritto di afferrare il primo ramo disponibile.

– In tribunale lo chiamano Benny La Metafora, – dico.

Per poco non ride, il cretino.

– Lei inizia a piacermi, avvocato, – gli dice il sindaco.

Venere si alza in piedi e punta l'indice contro suo padre. Il bello è che alza anche il pollice, nella pantomima ridicola di una mano armata.

– Se non fossi il cacasotto che sei, l'affronteresti a testa alta questa situazione. E la volteresti a tuo vantaggio. Diresti: «D'accordo, mia figlia fa la zoccola: *e allora?* Ha derubato, truffato o corrotto qualcuno? È forse un reato prostituirsi? Se è questo che pensate vi do una notizia: non è cosí. *Fare la puttana non è vietato*. Capito, stronzi?» Ecco cosa diresti.

Si rimette a sedere.

Ci guardiamo tutti in faccia. Ed ecco arrivare la replica pragmatica di Benny:

– Sí, come no. Dài, esci dal centro sociale e fatti due passi nella realtà. Credi davvero che le cose vadano cosí?

– Centro sociale lo dici a tua sorella, chiattone, – lo travolge lei. – Quei morti di fame cannati dovrebbero vincere alla lotteria per permettersi un quarto d'ora con me.

– Oh mio Dio, – fa il padre.

– Hasta la victoria siempre, – esclamo io.

– Siempre, – mi risponde mezzo ridendo (le è piaciuta, è chiaro).

– Sai cosa mi ha colpito subito di te? La tua vocazione alla parità sociale. L'ho capito da quando mi sei apparsa sullo zerbino in versione francescana.

Qui si concede una risata grassa.

– Ma che cretino che sei.

Eccone un'altra. Darmi del cretino dev'essere uno sport nazionale.

– Versione francescana? – chiede il sindaco.

– Parlavo del nostro primo incontro.

– Ah, quello, – fa lui, intronato.

Benny finge di allacciarsi una scarpa, ma nel piegarsi finisce per sghignazzare ancora piú forte. Improvvisamente mi viene il sospetto che dietro la porta ci sia Sconsolata con un imbuto nell'orecchio.

– E tanto per chiarire, – puntualizza Venere tornando a me spuntandosi una lacrima, – se credi che faccia quello che faccio per ribellione, per una forma di rivalsa contro mio padre o stronzate del genere, non hai capito niente.

– Sai che novità.
– Eh?
– Niente, è la storia della mia vita.
– Quello che stavo cercando di dire, – riprende Benny, – è che per quanto il tuo discorso sia impeccabile, il pensiero comune non è abbastanza evoluto per accogliere l'idea che la figlia del primo cittadino faccia la zoccola.
– Avvocato, la prego, – protesta il sindaco allargando le braccia.
– Avanti, Benny, moderati, sarà la quarta volta che la chiami zoccola, – mi associo.
– Oh, non badate a me, parlate pure liberamente, – dice Venere. Che mi è sempre piú simpatica, devo ammettere.
– Allora lo dico diversamente. È un teatrino ipocrita, lo so, ma sta di fatto che gli elettori che hanno mandato tuo padre alla guida del Palazzo non accetterebbero che sua figlia si sia ripassata buona parte della cittadinanza.
– A me non sembra detta tanto diversamente, – nota lei.
– Per quanto tu abbia ragione, e ce l'hai assolutamente, – prosegue Benny, – in politica conta l'opportunità. Puoi fare quello che vuoi della tua vita, ma se ricopri una carica pubblica devi tenere un basso profilo. La stessa ragione per cui per uscire mi vesto e non vado in giro coi boxer.
– Anche perché sarebbe uno spettacolo ignobile, – dico io.
– La tua ex moglie non la pensa cosí.
– Ma voi due, – dice Dasporto tra il rassegnato e l'esausto, – non riuscite proprio a risparmiarvi questi dialoghi da bagno dei maschi?
– Vada per il trattatello, Ciccio, – risponde Venere a Benny bypassando il siparietto. – Orrendo ma impeccabile, a modo suo. Sta di fatto però che: uno, io non ho nessuna carica pubblica, per cui al massimo potrei dan-

neggiare mio padre; due, penso che ammettere la verità su di me incrementerebbe i suoi consensi. E sai cosa? Io la twitterei proprio, la notizia. Anche solo per il gusto di fottere sul tempo il giornale. Volete lo scandalo? Eccolo, ve lo regalo. Vi tolgo ogni possibilità di lucro. Una cosa alla Banksy, capito.

– Non dirai sul serio, – fa il padre terrorizzato.

– Ma certo che no, – intervengo. – Vero?

Sul punto interrogativo, la fisso.

– Dio, papà, ho visto topi di fogna piú dignitosi di te.

– Sentite, – riprendo, – non siamo qui per discutere le strategie di comunicazione del sindaco, mi sembra.

– Bravo socio! – fa Benny. – Allora, dov'eravamo rimasti?

– Alla telefonata, se non sbaglio, – risponde il sindaco-verme.

– Madonna mia, papà, ma proprio non ti vergogni?

– Tranquillo, dottore, – Benny rimette la zampa sul telefono. – Se vuole chiamo anche adesso, in viva voce.

– Non è dottore, – lo corregge Venere.

– No, lasci stare, mi fido, – dice Dasporto evitando di raccogliere la provocazione.

– Come vuole, – fa Benny. E leva immediatamente la mano dalla cornetta.

Restiamo tutti in un silenzio ambiguo, in attesa di una frase che non è ancora stata pronunciata ma già aleggia nell'aria.

– Immagino che si aspetti qualcosa, in cambio di questa telefonata, – viene al punto il sindaco.

– Mi pare chiaro. Ma non è certo un do ut des.

– Ah no?

– Se le dicessi che non voglio diventare il suo avvocato sarei un ipocrita. Ma un passaggio del genere, per funzionare, deve avvenire spontaneamente, sulla base di un rapporto di fiducia, non per uno scambio di favori.

Dasporto si accarezza la barba contropelo e si fa un giretto per la stanza con gli occhi.

– Noi, – continua Benny, – facendo quella telefonata, una prima prova di fiducia gliela stiamo dando. Se riterrà, il nostro studio sarà onorato di rappresentarla per qualsiasi procedimento in corso o a venire. Se no, pace. Del resto non possiamo vincolarla in nessun modo, al momento. Se pure le facessimo firmare un mandato, potrebbe revocarcelo un minuto dopo la telefonata.

Il sindaco lo fissa e annuisce ripetutamente.

Pur mentendo senza un filo di pudore, Benny ha fatto un discorsetto addirittura leale. Il che è ridicolo, ma sorprendentemente vero.

Venere mi rivolge un sorriso sornione, poi solleva i pollici e se li rivolta contro.

– E la puttana sarei io, – dice.

Il direttore del giornale si chiama Mariangelo Caiazza (al maschile è davvero inascoltabile, ma capita anche il contrario: io, lo giuro, una volta ho conosciuto una Diega), e non solo non è mai stato amico di Benny, ma sono ragionevolmente sicuro che perderebbe volentieri l'occasione di conoscerlo, se gli capitasse.

Quella telefonata, credo si sia capito, poi sono stato io a farla, non tanto per rimediare al millantato credito di Benny, che appropriandosi della mia amicizia con Eco (è cosí che ho ribattezzato Mariangelo da ragazzino: era tale la lunghezza del nome che mi pareva di chiamarlo in una caverna, tanto le sillabe tornavano indietro) s'era infilato in un casino che non avrebbe potuto risolvere, e neanche per evitarmi un imbarazzo che mi sarebbe piovuto addosso per la proprietà transitiva delle figure di merda degli studi associati (che poi, di quale studio legale associato stai parlando, direte voi, che non ti ha affatto associato, quell'arancino d'uomo, ti ha solo dato una stanza in uso e giusto perché gli stai simpatico, visto che – diciamolo – non sei una cima di avvocato né un portatore di clienti). L'ho fatta solo perché non sarei mai riuscito a restare inerte mentre le rotative festeggiavano la stampa del nome della figlia del sindaco da sbattere sulle locandine delle edicole piú ancora che in prima pagina.

Direte: ma scusa, eh, le hai già parato il culo una volta mettendotela in casa alla cieca (tu) in mutande (lei); hai quasi tirato il posacenere in faccia a quel cafone del padre dopo che aveva insinuato che te la intendevi con lei (e meno male che non lo hai centrato, se no adesso non staremmo neanche qui a parlarne); hai fatto pure la figura del ragazzotto di bottega quando il tuo indefinibile collega (poi ne parliamo, di quello) ti ha praticamente rubato la scena interrogando la ragazza come se il suo avvocato fosse lui; era proprio necessario, dopo aver tanto sopportato, andare anche a chiedere un tale favore a un amico d'infanzia?

E allora io vi risponderei che: 1) se voglio nascondere le ragazze in mutande nel mio appartamento non devo certo chiedere il permesso a voi, e i posaceneri li tiro in faccia a chi mi pare; 2) «Non sei una cima di avvocato né un portatore di clienti» glielo dite a vostra sorella.

Per cui, va be', ho messo un po' a soffriggere Benny dicendo che poteva levarsi della testa che avrei fatto quella telefonata, che il casino l'aveva combinato lui e il problema era suo; lui, tutto dispiaciuto, mi ha chiesto se davvero volevo che il mio amico (adesso era diventato mio) pubblicasse il nome di quella povera ragazza (ha detto sul serio «povera ragazza») trascinando nello scandalo anche il padre; io gli ho detto che non mi era affatto sembrato che ne avesse un concetto cosí monacale, visto che le aveva dato piú volte della zoccola, e quanto al padre, di cui adesso sembrava aver preso a cuore il destino, l'unico interesse che lo spingeva a crucciarsene era la prospettiva di fare le scarpe a Garoppo; lui ha detto che okay, *forse* aveva un po' esagerato ma era colpa mia se s'era visto costretto a ricorrere a quella strategia d'emergenza; io gli ho detto: «Stai scherzando?» e lui mi ha detto: «Te ne stavi zitto come un cretino, che facevamo, perdevamo il cliente? Appena mi sono ricordato che tu e quel babbeo eravate amici ti ho anche guardato ma tu niente, eri disattivato. Ma è possibile che devo sempre essere io a prendere le iniziative professionali? Che cazzo fai, dormi?»

Al che ho impugnato di nuovo Spirale e l'ho minacciato di tirarlo in faccia anche a lui se non fosse immediatamente uscito dal mio ufficio, aggiungendo che sarebbe stato improbabile che lo mancassi, data la stazza e i penosi riflessi di cui disponeva.

Cosí ho chiamato Eco, ed ecco qui la trascrizione della telefonata. Da leggere in modalità d'intercettazione, se volete.

Io: – Eco! Ti disturbo?

Eco: – Vince'.

Eco mi saluta sempre cosí, senza alcuna alterazione emotiva, come se non facessi notizia, non so se mi spiego. Ora, non dico che quando un amico ti chiama devi saltichiare sul posto, ma neanche rispondergli come se la sua esistenza fosse un'ovvietà ontologica.

Io: – Ma la tua segretaria ci fa o ci è?

Eco: – Ci è. Ma non è la mia segretaria, è la segretaria della redazione.

Io: – Malinconico?, mi ha chiesto due volte; e io: E già; e lei: Veramente?; e io: Sí, il famoso rapper. Ora mi passa il direttore? Abbiamo concordato un'intervista per l'uscita del nuovo album.

Eco: – Magari adesso ti sta cercando su Google.

Io: – Chissà, forse esiste anche un Malinconico che rappa. Senti, che mi dici della figlia del sindaco?

Qui s'è preso un momento.

Eco: – Mah, sto bene Vince', grazie, non è il caso che continui a chiedermelo, non ci sentiamo da appena un anno.

Io: – Ha parlato il Pulitzer dell'Empatia. Eco, quando l'infermiera ha sollevato tuo figlio dalla culla per mostrartelo dalla finestra del nido hai continuato a parlare al telefono. Lo so perché ero lí.

Eco: – Sí, ma era l'amministratore delegato.

Io: – Ma che ridi, imbecille. Dovresti vergognarti.

Eco – Va be' va'. Cosa vuoi sapere della mignotta deliveroo?

Io: – Vedo che sai di cosa stiamo parlando.

Eco: – Anche tu, mi sembra.

Io: – Ma com'è venuta fuori la notizia?

Eco: – Secondo te?

Io: – Va be', lasciamo perdere. Pensi di pubblicarla?

Eco: – Tu come la vedi?

Io: – Gesú, Eco. Mi rispondi o me la faccio da solo, la telefonata?

Eco: – Immagino che tu me l'abbia chiesto perché non vuoi che la pubblichi.

Io: – Infatti.

Eco: – E perché?

Io: – Uno, perché sarebbe una porcata. Due, perché se no ti querelo insieme al giornale.

Eco: – Ah, mi quereli. Quindi sei il suo avvocato.

Io: – Cosí sembrerebbe.

Eco: – A proposito, ho sentito dire che adesso sei nello studio di Lacalamita.

Io: – Sí.

Eco: – Quindi è vero. Be', mi dispiace per te, è una merda.

Io: – Ah, grazie.

Eco: – Comunque non preoccuparti per la ragazza. Mi servisse per la carriera, potrei anche scoperchiare il tombino. Ma il giornale è in sofferenza, tra poco mi prepensionano, figurati se mi metto in un casino giudiziario per fare lo scoop sulle marchette della figlia del sindaco.

Io: – Hai sempre avuto una grande deontologia professionale, tu.

Eco: – È proprio perché ce l'ho che non maciullo una ragazza di vent'anni in prima pagina. Se trovi il suo nome su un giornale, non sarà certo il mio.

Io: – Ora ti riconosco.

Eco: – Ah grazie, sai quanto ci tengo alla tua opinione.

Io: – Ah, ah. Quindi non la pubblichi neanche, la notizia?

Eco: – Sí che la pubblico. Ma con un nome di fantasia.

Io: – Cioè un nome falso.

Eco: – Ti risulta che esistano nomi falsi?

Io: – Eh?

Eco: – Andrea. Claudia. Giovanni. Sono nomi falsi?

Io: – Be', no.

Eco: – Ecco.

Io: – Posso chiederti una cosa?

Eco: – Se proprio devi.

Io: – Ti sei separato di recente?

Eco: – E questo che c'entra?

Io: – Ed è stata Livia a lasciarti, vero?

Eco: – Molto spiritoso.

Alien

Preoccupato? Un po'. Diciamo che da quando mi sono scoperto questa piccola cisti sulla palla destra non sono stato a spaccarmici la testa piú di tanto. Le prendo bene le sfighe in arrivo, io. Per i primi due-tre giorni faccio finta di non capire, poi magari indago. È proprio una mia tecnica.

Forse è perché non sopporto gli ipocondriaci, quel loro sentirsi sempre al centro dell'attenzione, neanche le malattie li trovassero irresistibili. Per cui non è che corro dal dottore al primo sintomo anomalo. Ma non vi rotolerebbero i sentimenti, se mentre vi rivestite dopo una palpatina d'ordinanza, il vostro medico curante (che tra l'altro conoscete da trent'anni) telefonasse personalmente al suo ecografista di fiducia per chiedergli di ricevervi il prima possibile?

Dal lettino alla scrivania di Gianfranco sarà un metro e mezzo, eppure mi è sembrato di attraversare la strada.

– Secondo me è un varicocele, – mi ha detto passandomi l'appunto con l'indirizzo e l'ora dell'appuntamento.

– Varicoche?

– Varicocele. Un rigonfiamento delle vene dello scroto, tipo le vene varicose delle gambe.

Qui s'è messo a gesticolare in un modo incomprensibile ma bello da vedere, come stringesse due ciuffetti nell'aria e li separasse uno dall'altro tirando una cordicella immaginaria verso l'alto. A volte penso quanto il nostro modo scriteriato di usare i gesti debba sembrare buffo alle persone sorde, che con le mani ci parlano.

– In pratica succede che le vene che corrono lungo il cavo spermatico non fanno fluire il sangue in modo corretto. Se ti tocchi al di sopra del testicolo, sentirai come una matassa.

– Sí, me n'ero accorto.

– È una manifestazione tipica. Il sangue fatica a defluire dal testicolo alla parte alta del corpo e ristagna nelle vene dilatate.

– Diciamo che ho capito. Dobbiamo preoccuparci?

– No. Solo, può influire sulla fertilità. Nel caso avessi ancora qualche ambizione riproduttiva potremmo intervenire chirurgicamente.

– Se è tutto qui perché fai quella faccia?

– Quale faccia, io non ho nessuna faccia. Voglio solo andare a fondo della cosa.

– Non potremmo restare in superficie? Ogni volta che approfondisco trovo qualcosa che avrei preferito non sapere.

– Vicie'. E dài.

Ho stropicciato un po' il foglietto.

– Quindi non sei sicuro che sia un varicocema.

– Varicocele. No. Non posso esserne sicuro cosí al tatto. Per questo voglio che tu faccia l'ecografia.

– Allora cosa potrebbe essere?

Ci ha pensato su.

– Una colonia di alieni che ha avviato l'invasione del pianeta partendo dalle tue palle.

– Che cattivo gusto.

– Gli alieni o io?

– Non è che c'è qualcosa che non mi dici?

– Una. Non andare a cercare informazioni su internet.

– Perché potrei scoprire qualcosa che non vuoi dirmi?

– Perché in medicina non esiste il fai da te, e meno ancora l'impara da te. Non ci si fanno le diagnosi in rete. Lo so come funziona, venti minuti di navigazione e ti convinci di avere sei mesi di vita.

– Questo è vero. Una volta ho cercato «dermatite da contatto» e ho creduto di avere le piattole.

– Comunque non hai il tempo di vederti l'horror su Wikipedia. Magliulo ti aspetta tra mezz'ora. È qui vicino, ci arrivi a piedi.

– Ma come mezz'ora, devo andarci subito?

– Per caso ho scritto: «Prenditela comoda», sul foglietto che hai in mano?

– Non credevo che fosse cosí urgente.

– Infatti non lo è. Ho chiamato Giorgio Magliulo, mica l'ambulanza. Poteva riceverti in mattinata, perché aspettare?

È primavera. Ha smesso di piovere da poco e la cascina dove ci siamo svegliati odora di rigattiere. Dalla fattoria sento, nell'ordine: un muggito, il raglio di un asino (il suono piú addolorato in natura), un cane che abbaia. Protestano a vanvera, ognuno nella sua lingua.

La finestra affaccia su un prato all'inglese su cui il sole forma bellissimi cerchi di luce, come l'occhio di bue di un teatro puntato a caso sull'erba.

Alfredo ha otto anni, Alagia va già alle medie e porta la treccia. Nives ci ha imposto il week-end bucolico (ogni tanto se ne viene fuori con un programma per l'immediato futuro che dovrebbe farci saltare di gioia, e ogni volta io abbozzo perché odio i programmi, soprattutto quelli per l'immediato futuro), scommetto che il collega che le ha consigliato questo posto ci manda regolarmente i pazienti che ha in cura.

La stanza è in penombra, il gel freddo («altrimenti non si chiamerebbe cosí», penso), la sonda mi scorre sui coglioni facendomi sussultare a ogni manovra.

– Quello è un varicocele, sí.

– *Quello?*

Scendiamo a fare colazione e Alfredo s'ingozza in fretta perché vorrebbe andare subito a vedere gli animali (ci sono cavalli, mucche, pecore, anatre e perfino due lama), devo insistere perché prima salga in camera a lavarsi i denti. Lui cerca di tenere il punto, io dico che lavarsi i denti è un'abitudine che ci vuole poco a perdere se non la prendi; lui mi guarda trovando la mia frase incomprensibile, Nives e Alagia ridono. Finisce che patteggiamo il lavaggio dei denti in cambio di un giro su Rod Stewart, il pony biondo del proprietario.

– Che significa?
– Aspetti un attimo.

Mi vedo di spalle attraverso gli occhi di Nives mentre percorro il prato verso il recinto delle capre con i bambini per mano. Lo sento, il suo amore. Nella schiena. È un amore felice, grato.

«Ti ama», mi ha detto un'altra volta, trovandomi sul divano in posizione da contorsionista con Alagia che mi dormiva addosso. Significava «Ti amo», ma era detto meglio.

– C'è altro.

Mi chiamo Vincenzo Malinconico. Avvocato. Piú che di grido, direi di gemito.

Ho cinquant'anni. Due figli. Alagia e Alfredo.

Nives, la mia ex moglie, è una psicologa affermata. È una delle ragioni per cui ci siamo lasciati.

Alfredo l'ho fatto con lei. Alagia ce l'aveva già, quando l'ho incontrata. Anche lei è mia figlia.

Dopo Nives ho amato tanto un'altra donna, che ho perso, come quasi tutte le donne che ho avuto. Ho un talento, nell'essere stato amato.

Ora ho una storia con un'altra, che in una sfuriata di

gelosia mi ha buttato fuori dalla macchina, e sono giorni che non mi chiama. È fatta cosí, vuole sempre avere ragione. E poi mi tiene sull'uscio. Ma credo che si stia innamorando, perché non me ne passa una. E anch'io, perché gliele passo tutte.

Sapete? Mentre il radiologo agita i demoni che litigano nel monitor, e che anch'io sto sbirciando dal lettino come se potessi capirci qualcosa, mi accorgo che è tutta qui, la mia biografia. Che qualsiasi cosa aggiungessi all'elenco di cui sopra, sarebbe di troppo. Qualsiasi vita, anche quella di chi ha fatto grandi cose, si potrebbe riassumere in poche righe senza farle torto.

– Un nodulo. È qui, guardi.

Punta il dito sullo schermo. Se non me l'avesse indicata non l'avrei neanche distinta dalle altre, quella macchiolina.

Volta lo schermo verso di me, circoscrive la zona e la ingrandisce.

– Sette, otto millimetri, non di piú.

Chissà perché i medici pensano che farti familiarizzare con l'aspetto clinico dei tuoi mali ti faccia sentire meglio. Come se non solo dovessi accettare la realtà, ma vedere pure com'è fatta (che poi, trattandosi di grafica computerizzata, è come spiare dal buco della serratura e scorgere a malapena qualche ombra).

– È vascolarizzato, – aggiunge.

– Significa quello che penso?

– No. Significa che dobbiamo approfondire.

Strappa due fogli di carta da cucina da un rotolo gigante e me li passa.

– Ecco, si asciughi.

– C'entra il varicoqualcosa?

– Varicocele. No. Quello possiamo dimenticarcelo.
– Posso rivestirmi?
– Sí, abbiamo finito.
Scosta la consolle dal lettino e va alla scrivania.

Alfredo su Rod Stewart. Devo avere ancora la foto, da qualche parte. Quando il pony inizia a trotterellare si emoziona cosí tanto che gli si spezza il fiato, e sorride in un modo che mi stringe il cuore.

E ne vedo un altro, di cuore. Quello di stoffa rossa dove mia madre conservava i disegni di mio fratello e miei, appeso alla parete della sua stanza da letto. Da quanto tempo non mi tornava in mente. Chissà se mamma lo conserva ancora.

Mi rivesto al rallentatore mentre Magliulo scrive il referto al computer.
– Non parla perché è preoccupato, dottore?
– Dispiaciuto, semmai.
– Che cos'ho?
– Non si fasci la testa. Dobbiamo indagare, tutto qua.
– Allora perché è dispiaciuto?
– Perché bisogna operare. È seccante, lo so; ma non c'è un altro modo per analizzare il nodulo. Non possiamo fare un agoaspirato, per dire. I testicoli, come pure il sistema nervoso centrale, sono distretti a cui è particolarmente difficile accedere, tant'è che a volte neanche i farmaci chemioterapici raggiungono una concentrazione sufficiente a uccidere le cellule malate, in quei punti. Infatti li chiamiamo santuari.
– Che belle informazioni mi sta dando.
– Non faccia cosí. Non le ho diagnosticato un tumore.
– Non ancora.

Si toglie gli occhiali, li poggia sulla scrivania.
– Ha sentito cosa le ho detto? Finché non si esamina il nodulo, la previsione negativa vale quanto l'opposta.
– Ma una Tac non basterebbe?
– La farà, senz'altro. Ma credo che prima sia il caso di operare. Qui però mi fermo. Ogni valutazione nel merito è di competenza del chirurgo. Se vuole, le consiglio qualcuno.
– Va bene, grazie.
Prende il cellulare, cerca un numero in memoria, stacca un foglietto da un blocco e pronuncia un nome con i riferimenti ospedalieri mentre lo scrive.
Resto in piedi. Ho fretta, tutt'a un tratto.
Magliulo alza gli occhi su di me. Poi mi chiama. Un po' come quando a scuola il professore ti riprendeva se ti trovava distratto.
– Vincenzo.
Per nome, addirittura.
– Sí.
– Vedrà che andrà bene. Stia tranquillo.
E mi passa il foglietto. Il secondo, da stamattina.
– Solo una cosa, – aggiunge trattenendo l'appunto un attimo prima di lasciarmelo.
– Sí.
– Non perda tempo.

Esco, con la mia cartellina sotto il braccio. Fa freddo, assaggio l'aria con la punta della lingua.
Un ragazzo in bici canticchia sulle labbra la canzone che probabilmente sta ascoltando in cuffia mentre cerca varchi nel traffico. Legato al paletto di un supermercato, un cane di piccola taglia fissa l'entrata aspettando il ritorno del padrone. Una quindicenne con i capelli cortissimi registra un messaggio vocale mentre cammina a passo svelto lun-

go un marciapiede. Vedo tutto come un montaggio fuori sincrono, un'animazione rallentata.

Prendo il telefonino, indugio.

«Non dovrei», penso. E nello stesso istante in cui lo penso la mia esitazione perde significato. Mentre tocco il tasto di chiamata, addirittura sorrido.

Due squilli.

Tre.

Cinque.

Rispondimi.

Sei.

E dài.

– Hai una bella faccia a farti sentire.

Il sollievo mi chiude gli occhi.

– Facciamo l'amore.

– Che cosa?

– Per favore.

– Ma che ti prende?

– Per una volta, non andiamo in albergo. Vediamoci da me. Non ci vengo a casa tua, non ti preoccupare.

– Vincenzo.

– Eh.

– Ma che c'è.

– Niente.

– Guarda che se stai cercando di spaventarmi è peggio. Poi non te la perdono.

– No, non voglio spaventarti. Voglio solo stare con te.

– Ma che ti è successo, dimmelo.

– Niente, davvero. Solo, per favore, non dirmi di no.

Verso casa alzo lo sguardo.

Curioso, sono le undici di mattina e si vede la luna. C'è

anche il sole. Ma poi non è cosí infrequente, anzi. Mi pare di aver letto che la luna c'è sempre, come le stelle e i pianeti. È la luminosità dell'atmosfera che le toglie visibilità. Mi sembra.

«Che cos'è la luna?», mi chiede Alagia una mattina che l'accompagno all'asilo.

Passa qualche lungo secondo, prima che le risponda.

«Una lampada che la notte si accende senza che schiacci l'interruttore», dico.

E lei, chissà perché, mi stringe forte la mano.

Dovessi indicare il momento in cui mi sono sentito suo padre per la prima volta, direi quello.

L'arte di cambiare argomento

Osservando Rosario Dawson che balla in discoteca, Edward Norton ne *La 25ª ora* dice a Barry Pepper: «È l'unica sulla quale continuo a fare fantasie dopo esserci andato a letto».

Questa battuta mi torna in mente ogni volta che mi ritrovo a guardare Veronica. E non solo quando è nuda e va e viene dal letto perché c'è sempre qualcosa che ha lasciato in sospeso, tipo mettere il telefono in carica, rispondere a un messaggio o controllare se ha ancora le chiavi di casa in borsa (una fissazione, da quando le ha dimenticate nella serratura e rientrando ha trovato la cucina sottosopra: non avevano rubato niente, solo svuotato il frigorifero e bivaccato), ma anche quando, metti, siamo al ristorante, lei scorre il menu e non si accorge che la osservo, poi mi scopre, mette un sorriso sornione, gonfia con la lingua il labbro superiore dall'interno e si schermisce ma è contenta perché vede quanto mi piace.

Ora mi dorme accanto, di schiena, scoperta (è raro che abbia freddo, ma quando ce l'ha ruba anche la metà di mia spettanza), ed è la prima volta che seguo con gli occhi le dune del suo corpo nella scenografia della mia camera da letto. Mi sento al tempo stesso ridicolo e grato: ha abdicato al principio di non condivisione, per una volta. E dire che ero io quello che si faceva pregare, quando la nostra storia è cominciata.

– Non mi hai nemmeno chiesto della macchina, – dice a un tratto, rovinandomi la contemplazione.

Non stava dormendo, quindi.

– La macchina?

– La mia. Quella da cui ti ho fatto scendere, – precisa, rimanendo di spalle.

– Ah, quella. Perché, è andata distrutta dopo che mi hai lasciato per strada?

– Quanto sei cretino.

– Ti dispiace voltarti?

Un colpo di reni e me la ritrovo a due centimetri dalla faccia.

– Secondo te perché l'ho fatto?

Ma brusca, come se dovessi saperlo.

– Perché ti avevo raccontato della figlia del sindaco, – rinculo.

– Sí, anche.

– Ah, quindi abbiamo pure un altro capo d'accusa.

– Lo sai che parli nel sonno?

– Cosa?

– E lo sai quale nome hai sussurrato due, dico due volte, un po' prima che venissero le cameriere a chiederci di lasciare la stanza?

Mi tiro su con la schiena, mi appoggio alla testiera del Gressvik (preso da poco: fino all'ultimo ho tentennato fra un Kongshus e un Mandal, ma erano entrambi troppo bassi per il materasso che avevo scelto), piego in due il cuscino, me lo piazzo fra la pancia e il pacco, improvvisando d'istinto una conchiglia metaforica per parare i colpi bassi; e solo allora le chiedo di che cazzo stia parlando.

– Alessandra Persiano, ti dice niente?

Batto le ciglia in doppietta.

– Stai scherzando.

Mi guarda come se avessi già mentito.

– Pensi ancora a lei?

– Ma c'è una telecamera nascosta o ti si è avariato il cervello? Mi accusi di aver sussurrato nel sonno il nome di una donna con cui ho avuto una storia finita da anni, e dovrei anche stare a giustificarmi?

– Due volte. L'ho sentito chiaramente, – ripete, come se i miei argomenti non avessero uno straccio di costrutto. Come se la logica fosse dalla sua parte, e non dalla mia. Sempre cosí, con le donne che ho avuto. Secondo me sono io che me le cerco.

– Ma scusa, eh, – ribatto, rotolando nel paradosso, – perché me lo dici solo adesso?

S'infila il reggiseno. È un tempo teatrale, questo. Vuol dire che la discussione s'avvia a concludersi.

– Volevo passarci sopra, poi te ne sei uscito con la figlia del sindaco e mi è partita la brocca.

– Sai dove sei proprio cintura nera, tu? In Stato di diritto. Fosse per te, l'inquisizione non sarebbe mai passata di moda.

– Perché l'hai nominata?

– Ma come faccio a risponderti se neanche so di averlo fatto?

– Non l'hai dimenticata, è vero?

La prendo per le spalle. Dovrei mandarla a farsi fottere, non foss'altro perché ho ben altro di cui preoccuparmi, adesso, e invece voglio rassicurarla. Ma quando imparerò?

– Io sono innamorato di te, imbecille.

Le vengono i lucciconi ma ci mette un attimo a tornare stronza.

– Se tu mi avessi chiamato col suo nome mentre scopavamo, almeno avrei potuto darti un pugno in faccia. Invece no, dormiva, lui.

Tolgo il cuscino dai piani inferiori e lo riposiziono dietro la testa, considerandomi fuori pericolo.

– Potevi svegliarmi, se tanto ti scappava.

– Non si può svegliare qualcuno e accusarlo di qualcosa che non sa di aver fatto.

– Questo è vero.

– Però l'hai detto.

– Il mio inconscio, semmai.

– Quindi lo ammetti?

– Di avere un inconscio?

– Che nel tuo inconscio c'è ancora Alessandra.

– E come faccio a saperlo, l'inconscio è inconscio.

– Ecco, lo vedi che avevo ragione?

Si siede all'indiana e comincia a lisciarsi gli stinchi mentre si abbandona a una riflessione ad alta voce che avrei preferito mi risparmiasse:

– Il guaio è che Alessandra mi piace. E io sono gelosa delle donne che mi piacciono.

– Be', – osservo, tanto per dire qualcosa, – in fondo è stata lei a consigliarti di venire da me per il divorzio. Se le hai dato retta immagino ti abbia ispirato fiducia, visto che non ti stava mandando da un avvocato famoso.

– Lo sai, a volte mi domando se non fosse proprio quello che voleva.

– Che noi due ci mettessimo insieme? Ma dài.

– Non dico che l'abbia fatto apposta, ma che il pensiero non le dispiacesse. Anch'io preferirei che un uomo che ho amato si mettesse con una donna che ammiro, piuttosto che con una sgallettata qualsiasi.

– Una specie di passaggio di consegne, insomma.

Scuote la testa, rassegnata:

– Capite veramente un cazzo, voi uomini.
– Invece voi donne siete cosí subliminali.
Ride.
– Vieni qui e dammi un bacio, scemo.
– No.
– Come no?
Incrocio le braccia.
– Vieni qua tu.
– Non te ne approfittare perché sei malato.
– Prego?
– Mi hai sentito.
– Non sono malato, devo solo fare degli accertamenti.
– Ma ti stai già comportando come se lo fossi.
– Ah, pure.
– Credi che te l'avrei passata cosí facilmente se non mi avessi dato questa bella notizia, ah?
Mi stringo la fronte con le dita.
– Oh, santiddio.
Abbassa gli occhi sul lenzuolo.
– E adesso che hai?
Fa no con la testa, ma le tremano le labbra.
Le prendo il viso fra le mani.
– Ehi.
Mi guarda. È cosí triste. Cosí indifesa. Sarò patetico, ma mi sento felice, in questo momento. Quando l'amore si semplifica, quando diventa debolezza e timore, di piú: paura di non rivedersi, smarrimento, raggiunge quello stato di purezza in cui non c'è piú nulla che lo nutre. Non il sesso, non il bisogno (comunque lo s'intenda), non l'abitudine (che pure conta, altro che chiacchiere), non il tempo passato insieme e nemmeno i figli, se ce ne sono: no, l'amore in quei momenti è il bene dell'altro che vuoi e senti in pericolo. Quello, e quello solo.

– Primo, può essere benigno. Secondo, se pure non lo fosse, è molto piccolo. Terzo, vedrai che è benigno.
Mi accarezza i capelli, mi tira a sé, mi bacia.
Facciamo l'amore di nuovo.
Poi ci addormentiamo abbracciati.

Mi sveglia il clic della fotocamera dell'iPhone. Ho letto da qualche parte che è il suono della macchina fotografica del sound designer della Apple che l'ha ideato per il telefono, lo stesso che ha inventato quello d'avvio del Mac: avrebbe voluto chiamarlo *Let it Beep*, ma poi gli fu impedito dall'Ufficio legale che non voleva grane con la casa discografica dei Beatles. Ma tu vedi cosa vado a ricordarmi quando si riattivano le funzioni cerebrali.
Svegliarsi è un po' come riaccendere il computer quando s'impalla, che ti si riaprono a cascata tutte le finestre della sessione precedente piú qualcuna abusiva che non si sa da dove viene, tant'è che resti qualche secondo a fissarla con moltissimo interesse.
Veronica si è alzata. È lí, in piedi, di spalle, in topless. Con l'iPhone inquadra la cartella dell'ecografia spalancata sulla cassettiera Kullen.
– Ma che stai facendo?
– Shh.
– Ma come Shh. Stai scattando una foto, mica parli al telefono.
Scorre l'indice sul display alla ricerca di un numero, immagino.
– A chi la stai mandando?
Gli allegati inviati su WhatsApp scoppiettano come pop-corn. Chissà come si chiama, quest'altro suono qui.
– Un amico gastroenterologo. Abbiamo avuto una storia, diversi anni fa.

– Questo dettaglio m'interessava davvero tanto.
– Be', che vuoi? Tu le tue ex le chiami nel sonno, io preferisco chiamarli al telefono.
– Ma che spirit… aspetta un attimo, gastroenterologo, hai detto?
– Hm-hm.
– E da quando i gastroenterologi s'intendono di noduli alle palle?
– Non se ne intendono, infatti. Ma è un primario e conosce i medici di tutti i reparti dell'ospedale, potrebbe indirizzarci da un urologo di sua fiducia.
– Veramente avevo pensato di chiamare quello che mi ha consigliato Magliulo.
– Magari Natalino conosce anche lui.
– Natalino? Ah be', se lo conosce Natalino.
Il telefono le vibra sulla Kullen.
– Eccolo.
– Di già? È proprio ai tuoi comandi, questo qui.
Porta il cellulare all'orecchio.
– Le mie ex non mi rispondono mica cosí in fretta.
– Sta' zitto. Natalino? Ciao. Sí, bene, tu? Già, davvero parecchio, un paio d'anni, mi sa. Scusa la fretta ma avrei bisogno di un tuo consiglio. Hai visto gli allegati?
Le faccio un po' di smorfie cretine mentre lei va avanti nella conversazione telefonica.
– Sí. No. Purtroppo sí. Finiscila. No, non dicevo a te.
Chissà a quali domande rispondeva, la tripletta che precedeva il «Finiscila». Quanto al «Purtroppo sí», penso di aver capito.
– È piccolo, vero? Pochi millimetri. Buon segno, no?
La lunga pausa che segue non mi piace per niente.
– Ma che vuol dire «francamente vascolarizzato»?
L'avevo notato anch'io, quell'avverbio.

– Magari ci sono noduli che fanno coming out e altri che non vogliono far sapere che si vascolarizzano, – commento ad alta voce.

– E falla finita, – dice; poi riprende: – Scusa. Sí, è qui. Ah, guarda, fare battute idiote è la cosa che gli viene meglio.

– Salutamelo, – dico, alzandomi. E la raggiungo alla Kullen. Lei si sposta, temendo che mi stia avvicinando per origliare, ma io voglio solo ridare un'occhiata alla cartella, so mica perché.

– Ripetere l'ecografia? Come mai?

La guardo incuriosito. Niente.

Intanto rileggo. Fosse mai che capisca qualcosa di piú.

NELLA PORZIONE INFERIORE DEL TESTICOLO DESTRO SI RISCONTRA FOCALITÀ NODULARE DEBOLMENTE IPOECOGENA, A CONTORNI SFUMATI E LEGGERMENTE IRREGOLARI, DELLE DIMENSIONI DI CIRCA MM 8,5 X 6, FRANCAMENTE VASCOLARIZZATO AL CD/PD MERITEVOLE DI APPROFONDIMENTO DIAGNOSTICO.

– Certo, hai ragione. Quindi nel caso potrebbe operarlo subito?

Mi porto involontariamente una mano al pacco.

– Come sarebbe a dire: «Questo non lo so»?

PER IL RESTO I TESTICOLI SONO IN SEDE NATURALE, REGOLARI PER FORMA, CONTORNI E DIMENSIONI, AD ECOSTRUTTURA GHIANDOLARE OMOGENEA, SENZA EVIDENZA DI ALTRE LESIONI FOCALI.

– Aspettare quanto?

ISPESSITO L'EPIDIDIMO DESTRO IN TOTO CON MODERATA ECTASIA DEI VASI VENOSI DEL PLESSO PAMPINIFORME. A SINISTRA MINIMO IDROCELE E MODERATA ECTASIA DEI VASI VENOSI DEL PLESSO PAMPINIFORME FINO ALLA CODA CON FENOMENI DI REFLUSSO DURANTE TEST DI PONZAMENTO (VARICOCELE). NON VERSAMENTO ENDOBURSALE A DESTRA. NECESSARIA CONSULENZA SPECIALISTICA UROLOGICA.

– Stai scherzando.

Oh-oh. Abbiamo aggrottato le sopracciglia.

– Non meno di una settimana? Ma siete amici o no?
Mi guarda. Storto, anche.
«Prenditela con lui», vorrei dirle.
– Se non puoi chiedergli un favore, mi dici in cosa mi saresti utile?
Alzo il pollice per complimentarmi per i suoi amori passati.
– Come no, adesso ci mettiamo in attesa che l'illustre collega ti risponda e magari ti dica pure che non ha posto.
Okay, a questo punto è ufficialmente incazzata.
– Senti, fai una cosa, lascia perdere. A saperlo neanche ti chiamavo.
Se i miei calcoli sono esatti, la prossima è un vaffanculo.
– Ah, ecco, mi fai sapere. Starò qui incollata al telefono intanto che si scioglie la riserva. La sai una cosa? Sei rimasto lo stesso politichino di reparto che non fa mai niente per niente.
Natalino si starà arrampicando sugli specchi, a giudicare dall'insofferenza con cui Veronica annuisce andando su e giú per la stanza.
– Nonò, non hai proprio capito. Quello che mi aspettavo dicessi, caro il mio primario dei cazzi tuoi, era: «Stai tranquilla, dammi il tempo di organizzare e domani mattina al massimo lo ricoveriamo». Questo dovevi dirmi. Ma vaffanculo!
E vai! Giusto una battuta dopo! Ormai la conosco davvero, questa donna.
Il poveraccio sta ancora balbettando all'altro capo del telefono, quando Veronica glielo sbatte in faccia.
– Ma 'sto stronzo.
Restiamo in silenzio per un po'.
– Dài, non fare cosí.
Mi avvicino per consolarla ma non vuole essere toccata, è un fascio di nervi. Allora le mostro le mani alzate. Lei manco mi vede, sdegnata com'è.

– Cafone. Arrivista. Miserabile. Tanto gli costava? Io non chiedo mai favori a nessuno, mai. Ma se ti chiamo e senti che sono agitata, e dammela, una mano, Cristo santo!

Le faccio una faccia comprensiva.

– Non sono una che si approfitta.

– A me lo dici? Ti ho visto cancellare una a una le foto del tuo ex marito con la segretaria ammanettata al termosifone, figurati se non lo so. Praticamente hai buttato via una rendita vitalizia.

– Ma vaffanculo, – dice al suo ex, spero, portandosi una mano alla bocca come per riparare la crepa nella voce.

Il suo iPhone vibra di nuovo.

Gli butto un'occhiata. Lei no.

– Mi sa che è lui, – dico.

– Può andare a farsi fottere, figurati se gli rispondo.

Mi avvicino al telefono per spiare la foto che lampeggia sul display.

– Ah, che uomo affascinante. Sai che somiglia a una borsa dell'acqua calda?

Mi guarda, come se ci stesse pensando sopra.

– Era bello, quando stavamo insieme.

– Ma adesso sembra una borsa dell'acqua calda, non dire di no perché stai ridendo.

Ride.

Piange.

– Ehi, – mi avvicino. – Oh.

– Eh.

– Vieni qui.

Le accarezzo il viso.

– Non è successo niente, va bene? Adesso chiamo il chirurgo che mi ha consigliato Magliulo, pare che sia uno dei migliori nel suo campo. Fregatene di Pasqualino.

– Natalino.

Il telefono vibra ancora.
– Inutile che chiami, verme, – dice alla foto del gastroenterologo.
Le prendo le mani. Ha delle mani lunghissime, Veronica.
– Dài. Basta, adesso.
Posa la fronte sulla mia spalla.
L'abbraccio.
– Ehi, – dico.
– Oh, – dice.
– Mica l'avevo capito, che mi volevi cosí bene.
Mi fa scivolare la bocca sull'orecchio.
– Nemmeno io, mannaggia a te.

Refrain

Benny s'è già fatto un cuoppo di terra personalizzato (di soli arancini, mozzarelle impanate e crocchè, senza corredo di verdure pastellate, che con tutto il rispetto per le verdure pastellate uno si domanda sempre se non era meglio occupare quello spazio con una frittatina di spaghetti, p. es.) e guarda con lascivia una mozzarella di bufala da 250 grammi in bella mostra sul tavolo accanto, mentre a me hanno appena servito una margherita debordante a cui sto facendo il risvolto per impedire la sbavatura laterale del condimento (perché la vera margherita – che si sappia – è quella che straripa intenzionalmente dal piatto, nella rappresentazione simbolica dell'eccesso), quando mi chiama al telefono Gisella Della Calce, divorzista cattolica, detta anche «Finché omologa non vi separi» per via del suo riconosciuto talento nel convincere i separandi litigiosi a trovare accordi soddisfacenti per entrambi. Com'è che ci riesca nessuno lo sa; ma è certo che se vai da Gisella giurando vendetta al coniuge finisci per versare o ricevere un assegno di mantenimento e/o ritrovarti ad abitare in un residence intanto che cerchi un appartamento in affitto. Tra l'altro è incredibile la quantità di gente che abita nei residence.

Siamo in pausa pizza dopo una mattinata passata in tribunale per un processo che ricomincia alle tre di pomeriggio. Benny è parte civile per un disgraziato agente in borghese a cui due gemelli di buona famiglia hanno quasi portato via il naso in una rissa; ha insistito perché lo affiancassi tenendo anche un'arringhetta di rinforzo (ha detto proprio: «arringhetta di rinforzo»), non perché gli servissi, ma (e lo penso in fondata malafede) per darmi un contentino e distrarmi dalla proposta di associarmi allo studio.

Avesse telefonato un altro collega, col cazzo che avrei interrotto un momento cosí solenne (infatti non capisco quelli che perdono tempo a fotografare i piatti invece di mangiarli), ma di Gisella ho troppo rispetto per non risponderle, tanto piú che una persona discreta come lei avrà di sicuro un buon motivo per chiamarmi a quest'ora.

E infatti, con la correttezza professionale che le è tipica, Gisella m'informa (un'attenzione che non tutti i colleghi ti riservano) che la signora Sgherzi in Panimolle le ha chiesto di patrocinarla e, data la cordialità dei nostri rapporti, mi domanda se le ragioni per cui ho rinunciato all'incarico possano sconsigliare anche a lei di accettarlo (un invito alla delazione per prevenire accolli di clientela molesta, diciamo).

Capita, che un collega ti guardi storto o ti tolga il saluto perché non l'hai informato che il tuo ex cliente, attualmente suo, era meglio perderlo che trovarlo (che poi a questi qui vorrei dire: uno, ma secondo te, quando rinuncio al mandato di un cliente problematico, dovrei telefonare a tutti i colleghi che conosco per dirgli di stare alla larga da lui? Due, come facevo a sapere che era venuto proprio da te? Tre, cosa ti offendi, che a malapena mi ricordo come ti chiami?)

Cosí le riassumo l'udienza surreale in cui la Sgherzi ha prima pianto, poi taciuto a oltranza e dulcis in fundo mandato a monte la pratica rovinando mesi di lavoro e facendoci prendere sul cazzo dal giudice, e le confido che, dato il tipo di psicopatologia della cliente in questione, mi sembra che abbia il profilo perfetto per lei.

Al che Gisella dice: «In che senso, scusa?»; e io le spiego che non intendevo certo dire che è l'avvocato ideale per i malati di mente, ma che il suo riconosciuto talento nell'indurre in transazione sarebbe, a mio giudizio, l'unica speranza per risolvere quella complicata separazione che né io né Savio Pennacchio (che difende quel poveretto del marito) siamo riusciti a portare a casa.

«Ah, ecco», si rasserena lei, e poi aggiunge che deve dirmi un'altra cosa. Le chiedo se le dispiace dirmela piú tardi, è già da un po' che Benny sta lanciando certi sguardi alla mia margherita.

Lei mi chiede dove sono, visto che sente spiattellare e le sembra di riconoscere la pizzeria (dove effettivamente spiattellano in un modo molto tipico); io confermo che sí, sono proprio lí; lei dice che mi raggiunge fra poco, è in zona. La cosa mi sorprende, non immagino cos'altro debba dirmi di cosí importante da volermi incontrare di persona.

Finalmente mi dedico alla pizza spezzando il cuore di Benny, resto indifferente alle sue continue implorazioni oculari; in questi casi tende a comportarsi come un cagnolino al ristorante, tant'è che in piú di un'occasione mi sorprendo a dirgli: «No, non te ne do, hai già mangiato, basta».

Gisella arriva e mi racconta che la Sgherzi avrebbe fatto il mio nome a una carissima amica in odore di separazione, che a suo giudizio trarrebbe un enorme beneficio da un consulto con me.

Le domando perché non le abbia consigliato lei, essendo Gisella il suo avvocato, attualmente. E Benny, che nessuno ha interpellato, aggiunge che la Sgherzi dev'essere proprio una bella cafona, per averle detto una frase cosí.

Gisella prima lo guarda come a dirgli che non le sembrava di avergli chiesto cosa ne pensasse e poi ammette che infatti c'era rimasta un po' male, ma poi la Sgherzi le aveva spiegato che non è che preferisse me a lei (anzi), però una volta le avevo detto una frase che l'aveva messa in crisi, sollevandole tutto uno strato di sensi di colpa e di ripensamenti, per cui s'era convinta che, per una donna tormentata dai dubbi riguardo alla decisione di separarsi, io fossi l'avvocato piú indicato, mentre riteneva Gisella molto piú capace di affrontare tecnicamente la materia.

– Ah, – faccio io.

E qui Benny per un pelo non mi ride in faccia.

– Non ho capito, – dico, avvampando.

– Be', – fa quello stronzo di Benny, – mi pare chiaro. Ha detto che Gisella è un bravo avvocato e tu una specie di consulente psicologico che aiuta le donne indecise a capire se vogliono lasciare il marito o no.

– Vaffanculo, Benny.

– Ehi, non le ho mica dato ragione. Riassumevo soltanto.

– C'ero arrivato da solo, grazie tante.

– Ma se avevi detto di non aver capito.

– La vuoi smettere?

– Aspettate un attimo, – interviene Gisella, – altrimenti qui si travisano le mie intenzioni, e sembra che sia venuta a riportare un pettegolezzo. Stupido, oltre che falso.

– Ecco, appunto, – dico rincuorato, mentre con gli occhi prometto a Benny un cazzotto in bocca, se prova a ridere.

– Vincenzo, – continua Gisella, – è chiaro che questa qui non ci sta con la testa. Prima al telefono mi eri sembrato favorevole all'idea che la patrocinassi, ma io ho deciso di rifiutare, anche per la stima che ho di te. È questo che sono venuta a dirti.

Vado in pausa.

– Ti dispiace se ti faccio una foto, compro una cornice e ti metto sul comodino? – dico.

– Per cosí poco, – risponde Gisella.

– Lo dici tu che è poco, – s'intromette di nuovo Benny. – A Vincenzo fa bene un bagno d'autostima, ogni tanto.

– Come sarebbe? – chiedo.

Anche Gisella lo guarda stranita.

– Sarebbe che ti sottovaluti, ecco cosa. Che hai il senso di colpa dell'intellettuale prestato all'avvocatura.

– E questa da dove ti è uscita?

– Cos'è, vuoi negarlo?

– Be', non so, non ci ho mai pensato. Non mi sono mai sentito un intellettuale.

– Tu? Ma fammi il piacere. Stai sempre a farla lunga su tutto, leggi, giri intorno alle cose, ti perdi in ogni bicchiere d'acqua che trovi, e se non lo trovi ne riempi uno apposta.

– E fa questo un intellettuale?

– Sí, anche. Cioè, penso di sí.

– Anch'io direi che sei un intellettuale, Vincenzo, – interviene Gisella. – Non nel senso che intende Beniamino, ma penso che tu lo sia. Il che nulla toglie al fatto che tu sia un bravo collega.

Ho sentimenti ambigui, in questo momento. Dico sul serio. Non so se essere compiaciuto o irritato. È un po' come quando al liceo mi dichiaravo a una ragazza, lei mi baciava e poi mi diceva che non era il caso che ci mettessimo insieme. Okay, lí si trattava d'iniziazione ai rapporti sentimentali e qui di libera professione, ma lo spartito è lo stesso. Infatti ho subito riconosciuto il tema. Invecchiando mi convinco sempre piú che il destino è questa roba qui: un refrain personalizzato, scritto apposta per te, che di volta in volta la vita ti suona in una cover diversa, a seconda dell'età.

– È esattamente quello che penso anch'io, – dice Benny impedendomi di parlare, anche se non mi ricordo nemmeno cosa stavo per dire. – Mica lo prendevo nello studio, se no.

– Su questo mi sa che abbiamo un discorso in sospeso, – dico, gelandolo.

E lui ficca tre centimetri di testa nelle spalle.

– Comunque, – riprendo, rilassandomi, – direi che mi avete psicanalizzato abbastanza, ragazzi. Per quanto riguarda la Sgherzi, Gisella, non farti problemi. Davvero, sei la collega giusta per districare quel casino.

– Sei gentile, Vince', ma temo che una cliente del genere non sia un buon affare.

– Il marito ti sarebbe grato per l'eternità. E Savio ti chiederebbe di sposarlo.

Ride. – Ho già un fidanzato, grazie –. Si alza per congedarsi, poi ha un ripensamento: – Posso farti una domanda, Vince'?

– Certo.

– Quella cosa di cui mi ha parlato la Sgherzi...

– Quale?

– La frase che l'ha messa in subbuglio, facendole venire i sensi di colpa... che poi era la ragione per cui ti ha consigliato alla sua amica... me l'ha anche detta, ma adesso non me la ricordo.

Benny salta sulla sedia:

– La so! – quasi urla, alzando pure il ditino. – I titoli in sovrimpressione del rapporto di coppia!

– Seeh, come no. Ma stai zitto, deficiente.

– Perché, non era cosí?

– No che non era cosí.

– E com'era?

– I titoli di coda della vita in comune.

– I titoli di coda della vita in comune! Ecco! – esclama

Gisella. – Com'è che non la ricordavo? M'era piaciuta cosí tanto quando me l'ha detta che volevo segnarmela.

– Non ci credo. Ha fatto effetto anche a te?

– Perché ti meravigli? È una frase bellissima, musicale. Cosí densa, stimolante, carica di rimandi. Sembra il titolo di un romanzo.

– L'hai sentita? – mi fa Benny sollevando il pollice verso di lei. – Poi dici che non ho ragione. Un intellettuale prestato all'avvocatura.

– Anzi, sai cosa? – continua Gisella. – Un romanzo con un titolo cosí lo comprerei senza neanche leggere la quarta di copertina.

– Magari ci penso, – dico.

– Ti dispiace se me la spendo sul lavoro?

– Oh, figurati.

– E no, eh: abbi pazienza, – s'intromette Benny; e il bello è che è quasi serio. – Il copyright è di Vincenzo, quindi dello studio. Immaginati lo slogan, «Lacalamita-Malinconico: il primo studio legale che invece di separare riunisce».

– Quanto sei cretino, Benny.

– Va be', io vado, – fa Gisella.

Bacetto a me, stretta di mano a Benny.

Che rosica, infatti.

Termina qui il briefing su quella che sembra essere la mia frase-jolly per incasinare le idee alle donne. Chissà se funziona anche con gli uomini, mi domando mentre Benny piega la testa e mi guarda come se gli stessi nascondendo qualcosa.

– Che ne dici di andare? – propongo. – Tra poco si ricomincia. Ho anche la mia arringhetta di rinforzo.

– E tu che ne dici di dirmi perché hai quella faccia?

– Quale faccia?

– Non quella da cretino che hai sempre. Intendo quella depressa che ti viene ogni dieci minuti.

Mi passo la mano fra i capelli. Quelli dietro la testa, visto che sopra non ne ho piú tanti. Poi guardo oltre il vetro uno dei pizzaioli che è uscito fuori a fumare. Non so perché, forse una vaga somiglianza nel modo in cui si appoggia all'infisso della porta, ma mi torna in mente un amico d'infanzia che mi ha insegnato a giocare con niente.

– Vince'.

– Oh.

– Dimmi che cazzo ti è successo.

– Okay, vuoi saperlo? Te lo dico. Mi hanno trovato un nodulo a una palla e bisogna capire che natura ha.

Incrocia le braccia sul tavolo.

– Un nodulo?

– Sí. Otto millimetri. Francamente vascolarizzato, nel caso t'interessasse il dettaglio.

– Come te ne sei accorto? Da quanto tempo lo sai? E perché non mi hai detto niente?

– A quale devo rispondere?

E qui parte un interrogatorio serratissimo in cui Benny diventa praticamente un altro, mi fa delle domande molto mirate che sembrano sottintendere una certa competenza in materia di tumori, si appunta mentalmente ogni mia risposta e quando gli faccio il nome dell'urologo che mi ha indicato Magliulo quasi s'illumina.

– Andrea Valiante?

– Sí.

– Allora giochiamo in casa, è un amico.

– Come lo era il direttore del giornale?

– Sta' zitto.

Tira fuori il telefono, cerca un numero in memoria

e – giuro – cinque, non piú di cinque minuti dopo, ha già parlato con questo Valiante, riferito la diagnosi, sentito il suo parere e fissato un appuntamento per domani mattina (in pratica, la telefonata che avrebbe voluto Veronica con il suo ex).

Nello stesso lasso di tempo, fra una battuta e l'altra con il medico, mentre quello controllava i suoi impegni per capire quando ricevermi, mi racconta che suo padre, l'avvocato Lacalamita sr, è stato padrino di battesimo di Valiante, e che Andrea, anche lui urologo come il padre, ha lavorato diversi anni in Francia prima di rientrare in Italia.

– Mi sa che sono io che ti sottovaluto, Benny, – gli dico alla fine, risollevato e sorpreso dal constatare che l'imprevedibile testa di cazzo che ho di fronte mi stia già proponendo una soluzione.

– Allora. Le cose stanno cosí, – dice Benny rimettendosi il telefono nel taschino. – Domani andiamo in ospedale. Ti accompagno io. Ripeti l'ecografia. Se la diagnosi di Andrea convalida quella di Magliulo (e sarà cosí, perché Andrea mi ha detto che lo conosce e lo stima), ti opera. Anche subito. E lí decide cosa fare. L'intervento è semplice, te ne vai la mattina dopo, al massimo il giorno successivo. Quindi domani evita di fare colazione.

– Che significa «E lí decide cosa fare»?

– Significa che se trova quello che non vorrebbe, toglie. In quel caso può metterti una protesi, se lo autorizzi. Oppure preleva un campione di tessuto per l'esame istologico. Se fosse un tumore, si potrebbe anche dover fare una radio o una chemioterapia. Fine della storia.

– Come se fosse una storia a lieto fine, – dico, con una strana rassegnazione che prende possesso della mia voce.

Benny mi posa una mano sulla spalla.

– Andrea è bravissimo. E poi è un amico.

– E se è un tumore?
– Oggi non si muore piú come prima, Vince'. Siamo circondati da gente che è guarita dal cancro, solo che di quella non si parla. Fanno piú notizia quelli che non ce la fanno.
– Com'è che sei cosí ferrato sull'argomento?
Non risponde subito.
– Perché sono fra i guariti.
– E perché non me l'hai mai detto?
– Avevo sei anni, non me lo voglio ricordare.
– Cazzo, Benny.
– Già.
Gli vengono gli occhi lucidi.
– E comunque vaffanculo, – dice dopo un po'.
– Perché?
– Chi l'ha detto che hai un tumore?
– Nessuno, – dico.
– Appunto. Non sappiamo ancora niente.
– Giusto.
– Quindi non rompere i coglioni.
– Okay.
– Piuttosto.
– Cosa.
– Devi farmi un favore.
– Un favore?
– Sí. E non puoi dirmi di no, visto quello che ho appena fatto per te.

Vernissage

La mostra a cui Benny mi ha costretto a venire, e che s'inaugura presso un'ex farmacia del centro storico diventata un caffè fighetto, è una collettiva di artisti contemporanei perlopiú sconosciuti (ma anche fra quelli conosciuti non è che ci sia un nome che ti faccia dire: «Ah, sí»).

Inutile dire che Benny coltiva per l'arte contemporanea un interesse simile a quello che potrei nutrire io per l'innesto a gemma dormiente del biancospino o per il cinema giapponese degli anni Trenta (Ozu Yasujiro e Shimizu Hiroshi fra tutti; e aggiungerei qualcosa di Michał Waszyński, tanto per metterci un po' di Polonia), ma visto che stasera sarà presente anche il sindaco (che dal giorno della demenziale seduta nel mio ufficio non s'è piú fatto vivo, mentre Venere un paio di volte mi ha chiamato per sapere se c'erano novità, ma non ce n'erano), ha pensato che sarebbe stato molto strategico da parte nostra fare una capatina al vernissage per incontrarlo e dirgli (cosí, en passant, tra un commento e l'altro delle opere in mostra) che la telefonata a cui teneva è stata fatta e (ma proprio di striscio) rinfrescargli la memoria circa la convenienza di licenziare Garoppo e passare da noi, tante volte.

– Ah, che ideona, Benny, – ho commentato quando mi ha illustrato il programma.

– Se la montagna non va da Maometto, – ha detto lui.

– Io non ci vado da quello a dirgli della telefonata, sappilo.

– Infatti devo andarci io, mica tu.

– Cosa?

– Be', sono io che gli ho raccontato che ero amico del direttore. Quindi la telefonata devo essere stato io a farla, giusto?

– Giusto non direi proprio.

– Va be', coerente.

– Ma come coerente.

– Cioè: l'assunto è falso. Però la telefonata l'hai fatta. E ora tocca a me.

– Santiddio, Benny. Tu sovverti qualsiasi logica.

– Quello è il nostro lavoro, in un certo senso.

Cosí alla fine ho dovuto cedere, ed eccoci qua.

Dato che domani potrebbero asportarmi una palla, avrei preferito passare una serata diversa (anche se Veronica mi ha promesso che stanotte verrà a dormire da me, avvertendomi però di «non prendere l'abitudine»); ma l'esperienza che sto facendo non è priva d'interesse antropologico.

L'ambiente è ampio, volutamente spoglio e anche un po' scrostato. Della vecchia farmacia (Ia-ia-o) è rimasto solo il banco e un'antica vetrina di veleni, sicché il già risicato pubblico presente (una ventina scarsa di persone, dai cinquanta in su) desertifica ulteriormente il desolante paesaggio.

A parte me, Benny e le solite comparse di questo genere di eventi – il regista teatrale di una compagnia locale e due attori che si odiano perché uno ha avuto una particina in una serie tv, uno scrittore famoso nel suo palazzo, due giornalisti (di cui uno televisivo) e un fotografo –, i non addetti ai lavori che si aggirano per la sala sembrano piú interessati al buffet che alle opere in mostra (uno a certe cose non ci pensa, ma c'è un sacco di gente che sfanga la cena con le inaugurazioni).

Benny, che detesta aspettare l'apertura dei buffet, si è munito di fiaschetta, per cui ogni due per tre la tira fuori, prende un sorso e se la rimette in tasca come se rubasse al supermercato.

Gironzoliamo un po' fra le opere (la mia preferita è un'installazione intitolata *L'ipocrita*, un banco di scuola inchiodato a una parete dal lato del ripiano, con le gambe puntate verso l'osservatore e il sottopiano ricoperto di gomme da masticare), mentre Benny, col telefonino opportunamente silenziato, finge d'immortalare l'arte ma in realtà fotografa gli artisti di nascosto (due o tre sono vestiti proprio come dei cretini), finché, con quel leggero ritardo da uomo impegnato, arriva il sindaco, accompagnato da una guardia del corpo e dall'assessore alle politiche sociali, tale Giovanni Paparusso, che conosco perché fa l'avvocato anche se in tribunale si vede poco, preso com'è da qualsiasi incontro pubblico previsto dal cartellone cittadino (mi hanno detto che da un po' va anche ai matrimoni: una specie di neomelodico della politica, insomma).

Nel caso vi stiate chiedendo se sia un fan di Paparusso, la risposta è no. Diciamo anzi che se mi capitasse davanti mentre guido, potrei anche spampanarlo al suolo (una volta me l'ha fatta sporca sul lavoro, e ne ha combinate di ogni con tutti). Neanche mi sorprende che un omuncolo scorretto e mediocre come lui sia riuscito a farsi strada nel palazzo di città. Quando capita (come adesso) d'incontrarci, ci evitiamo reciprocamente o, se proprio non c'è via di fuga, accenniamo una roba che somiglia a una parvenza di saluto.

Con Benny, invece, è inimicizia aperta da quando, circa un anno fa, il mio (diciamo) socio, che non lo può proprio vedere, incontrandolo all'ufficio notifiche gli ha detto (del tutto gratuitamente, devo ammetterlo): «Ehi, Papa, come vanno i parafanghi?» (dato che Paparusso tratta solo botte di macchina). Quello s'è imbestialito come un dogo argentino dopato ed è andata a finire che abbiamo dovuto separarli; per cui quando, arrivando al vernissage, ha registrato la presenza di Benny, è diventato grigioperla.

E comunque.

Ci sciroppiamo il discorsetto del sindaco sull'importanza della riconversione degli immobili storici della città in luoghi di aggregazione culturale invece che in nuovi locali notturni per permettere ai commercianti di arricchirsi o (peggio!) alla camorra di aprire altre lavanderie di denaro sporco, «perché l'amministrazione, malgrado le intimidazioni e le pressioni che riceve, sta opponendo una resistenza ostinata ai tentativi di penetrazione della camorra» (qui si aspettava un applauso che non c'è stato); e restiamo positivamente sorpresi dal fatto che, oltre a omettere qualsiasi apprezzamento sulle opere e sugli artisti (di cui è chiaro che non sa nulla), arrivi alla fine senza prendere neanche una cappella: tant'è che allo sguardo allusivo che ci rivolge durante il modesto battimani che prelude all'apertura del buffet (di quegli sguardi col vaffanculo ellittico), Benny e io ci scambiamo con gli occhi l'impressione che ci abbia letto nel pensiero.

Nel corso della serata, Benny lo approccia in un paio di occasioni, ma con scarsi risultati. La cosa non mi stupisce, visto che s'è attaccato cosí tante volte alla fiaschetta che ha cominciato già da un po' a farfugliare e sputazzare le P.

Dasporto dispensa sorrisi cordiali e frasi di circostanza a chi gli si avvicina per stringergli la mano, avanzare qualche richiesta o fare commenti sull'amministrazione della città; ma avendo conosciuto le sue reazioni piú istintive (anche perché per poco non l'ho preso in faccia col posacenere Alessi), scommetterei – da certi brevissimi incantamenti, certe piccole esitazioni nel rispondere e soprattutto dalla fissità espressiva caratteristica di chi s'impone d'ignorare la presenza di qualcuno – che qualcosa l'abbia turbato nell'intimo. E siccome sono ancora piú convinto che la causa del turbamento si trovi qui dentro, avvio una rapida indagine fra lo scarso pubblico che ha preso d'assalto l'altrettanto scarso buffet.

All'inizio non registro movimenti sospetti, pur tenendo d'occhio l'obiettivo, e m'incanto davanti a un albero di Natale decorato con dei fili spinati fosforescenti che mi sembra un omaggio (credo involontario) alle campagne pubblicitarie di Oliviero Toscani (un bel titolo per quest'altro capolavoro potrebbe essere «Limite invalicabile»).

Poi, qualcosa succede.

A debita distanza dal buffet, dove Dasporto sta rilasciando una dichiarazione all'iPhone di un giornalista, Giovanni Paparusso alza un calice di prosecco in sua direzione come a dedicargli un brindisi.

Il sindaco lo vede e non solo non ricambia la cortesia, ma si gira come sottraendosi a una provocazione.

Guardo Paparusso, le cui sopracciglia si sollevano quel tanto che basta a tradire l'autocompiacimento di chi sa di aver mandato a segno il colpo, e mi si accende una lampadina.

Prendo il cellulare, cerco Paparusso su Google, lo trovo (sui social è piú presente di un gattino da Instagram), scarico un primo piano della sua faccia vagamente equina e lo mando seduta stante a Venere via WhatsApp.

Sono lí in attesa che la spunta di WhatsApp si azzurrisca quando Benny, che un altro paio di cicchetti e si ubriaca, viene a chiedermi se mi va di fingere di urtarlo accanto a Paparusso cosí che lui possa rovesciargli addosso un calice di Aglianico.

Gli dico che non se ne parla neanche, anzi se per favore ce ne andiamo, visto che dobbiamo essere in ospedale presto, domattina. Lui, in tutta risposta, ritira fuori la fiaschetta.

– Ma tu non stavi lavorando? – chiedo.

– In che senso, – risponde.

– Credevo che fossi venuto per riproporti al sindaco, non per ciucciare dalla fiaschetta, mangiare pizzette dell'altro ieri e progettare incidenti molesti.

– È cosí. Ma è indifferente alle mie avances, cazzo.

– Lo credo. Con quell'alito di Macallan.

– Ho mangiato mezza scatola di tic tac prima di tentare di abbordarlo, stronzo.

– Dove va, adesso?

– Ma dove va chi?

– Paparusso, – rispondo, mentre lo vedo agganciare il sindaco (che intanto si è liberato dall'intervista) e sussurrargli qualcosa che quello sembra non gradire.

– Paparusso? – chiede Benny voltandosi disorientato verso i due.

– Già, – dico studiandomi Dasporto, che è diventato un fascio di nervi. La guardia del corpo infatti gli si avvicina, di certo per chiedergli se qualcosa non va.

Lui lo liquida con un cenno del capo.

Continuo a osservarlo, sempre piú convinto del retroscena che ho in mente da un po'.

– Vince', – fa Benny.

– Hm.

– Ma che sta succedendo?

Il sindaco deve aver colto l'insistenza del mio sguardo,

perché si volta lentamente verso di me come si aspettasse di prendermi in flagranza.

Cosa che accade, infatti.

– Poi ti spiego, – rispondo.

E parto su due piedi alla volta di Dasporto, come se tutt'a un tratto prendere di petto la faccenda mi sembrasse il modo piú corretto ed efficace di venirne a capo.

– Ma dove vai? – dice Benny alle mie spalle.

Raggiungo il sindaco, che nel vedermi arrivare si mette sulla difensiva.

– Cosa c'è, avvocato? Non ci siamo salutati abbastanza, prima?

– Non sono venuto a salutarla, – rispondo, sbilanciato dalla sua reazione.

– Ho già parlato con il suo collega, guardi.

– Prego?

– Ho capito, volete che vi associ al mio collegio difensivo. So anche della telefonata e vi ringrazio. Ci penserò.

Sul momento considero la possibilità di mandarlo a farsi fottere davanti a tutti. Ma poi chi lo sente, Benny.

– Quello che dovrebbe aver capito, sindaco, è che a me, di entrare nel suo collegio dei sapienti, non me ne frega niente. E per la cronaca: è lei che è venuto da me, accodandosi a sua figlia, tra l'altro, che neanche la voleva. E aveva ragione, perché lei non sa che cosa sia il rispetto degli altri.

E qui mi fermo, anche se proseguirei volentieri.

Dasporto si pietrifica come un gargoyle. Dalla faccia che fa, sembra che si sia riconosciuto in pieno nei miei argomenti, specialmente l'ultimo.

Faccio per andarmene, ma mi prende per il braccio.

– Aspetti, avvocato.

Guardo prima la mano, poi la faccia.

– Che vuole, adesso.

– Mi scusi. Le chiedo scusa, davvero. Mi ha preso in un brutto momento.

– Lo so. Per questo mi sono permesso di avvicinarmi.

– Cos'è che sa?

Ruoto la testa al rallentatore verso Paparusso, che si sta complimentando con l'autore del tributo a Toscani con una falsità cosí evidente da sembrare ironica. E quello lo sta pure a sentire, e gongola.

Dasporto segue la traiettoria del mio sguardo e finalmente ci capiamo.

– Cosa le ha detto? – domando.

Abbassa la testa, sospira.

– C'entra Venere, è cosí?

Resta qualche altro istante in silenzio.

– Scusi. Non mi va di rispondere, adesso.

– Come vuole.

In macchina, Benny mi fa il terzo grado. Gli racconto i fatti, gli confido i miei sospetti. Che di lí a poco trovano conferma nel messaggio che aspettavo: Venere mi scrive di aver riconosciuto l'uomo della foto che le ho mandato.

– Vedi che abbiamo fatto bene a venire? – mi fa Benny allungandomi una doppia pacca sul braccio.

Levo gli occhi dalla strada e li sposto su di lui.

Red carpet

Prima ancora di aprire gli occhi avverto la sensazione di scorrere. Non percepisco il corpo, ma (piú o meno) penso. C'è qualcuno al mio fianco, anzi ai miei fianchi, perché sono due le voci che si sovrappongono, anche se le sento lontane e non capisco cosa dicono. Mi hanno chiamato per nome, o l'ho solo immaginato.

Provo a muovere la testa e le mani ma non rispondono; allora cedo volentieri a questa sensazione di leggerezza o (meglio) di levitazione, mi dimetto dal governo del corpo e mi lascio trasportare, ovunque conduca questo passaggio. Non m'importa dove finirò, cosa ci sia in fondo al tunnel in cui sto fluttuando mentre una luce bianca, fortissima e intermittente (a tratti giallognola) rende sfocata la sagoma umanoide che intravedo in lontananza, e pare stia lí ad aspettarmi. Un po' tracagnotta, la verità.

Se è vero quello che raccontano gli scampati (il rapido passaggio in un tunnel inondato da una luce abbagliante, una persona in fondo che ti aspetta, la sensazione di benessere ecc.), mi pare che torni tutto, eccetto l'usciere sovrappeso e l'intermittenza della luce (in nessuna esperienza di pre-morte s'è mai sentito di luci a correnti alternate, tantomeno con delle gradazioni giallognole, mi sembra). Sarà che mi tocca pure l'outlet dell'aldilà, cosa volete che vi dica.

– Avvocato? – mi pare di sentire. Voce di donna.

Avvocato? Ma che, nell'oltretomba valgono i titoli di studio?

– Avvocato Malinconico? – ripete un'altra voce. Anche questa femminile.

– Eeh, – rispondo.

– Come si sente?

Apro gli occhi davvero, adesso. E finalmente vedo.

– Non è ancora il mio momento? – dico all'infermiera che mi guarda dall'alto.

E la collega dall'altro lato del lettino ridacchia.

– Su, su, che abbiamo finito.

Sollevo finalmente la testa mentre voltiamo l'angolo del corridoio superando il medico obeso che avevo preso per un buttafuori dell'aldilà (quelli che nella leggenda dei rientrati dalla morte ti rimandano indietro dicendoti che la tua ora non è ancora suonata), e subito l'infermiera mi posa una mano sulla spalla imponendomi di restare disteso.

– Stia giú, la portiamo noi.

Piú che portare direi che mi sbatacchiano (a ogni curva temo che il gancio della flebo si stacchi dalla piantana a rotelle), tant'è che – adesso che ricomincio a connettere – mi chiedo perché vadano di fretta, visto che mi stanno riportando in camera, e non in sala operatoria.

Ora che mi ricordo, anche quando mi ci hanno portato, in sala operatoria, correvano. Come se dovessi essere operato d'urgenza. Dopo l'ecografia, che ha confermato la diagnosi di Magliulo, Andrea Valiante, già che c'era, aveva deciso di operarmi subito, ma cosí, per scrupolo, mica perché rischiavo di non passare la nottata. Cosa si corrono sempre le infermiere, non lo so.

«Fai presto», mi ha detto Veronica quando sono venuti a prendermi. Non era male, come battuta.

Mi ha aspettato in camera, restare fuori dalla sala operatoria le mette angoscia.

Benny è rimasto con lei a farle compagnia. Le sbava ancora un po' dietro, quel rattuso, ma piú che altro è irretito dalla sua bellezza, per cui è sempre un po' impacciato, non dice male parole davanti a lei, chiude le vocali, tiene la panza in dentro, cose cosí.

Perché non ho detto niente ai miei figli? Conosco un sacco di gente che appena ha un problema lo confida a destra e a manca (che è anche un paradosso, se ci pensate), finendo per aprire dei gran dibattiti (come se poi i problemi personali aspirassero a una soluzione democratica). Io, sui problemi personali, sono piú per la monarchia. E poi, visto che mi operavano per sapere (e non perché già sapevano), perché avrei dovuto scombinare la vita di due ragazzi – uno che studia a Roma e l'altra che vive col marito a Padova – prima del tempo?

Non voglio essere un peso. Non mi va di complicare la vita al prossimo. E non è nemmeno che rifiuti il suo aiuto. Solo, glielo chiedo il piú tardi possibile.

Direte: però a Veronica l'hai detto.

È vero (ma non vi sfugge proprio niente, oh).

Perché?

Perché volevo sapere cosa stavamo facendo.

Non lo sapevo mica, fino a qualche giorno fa.

C'infiliamo in un montacarichi occupato per metà da un uomo delle pulizie magro come un attaccapanni che porta un carrello carico di secchi, scope, spazzole e detergenti, l'infermiera Su-su molla un cazzotto di taglio a un tasto della pulsantiera (incredibile come sia riuscita a centrarlo, con le mani da carrettiere che si ritrova) e partiamo.

Guardo il soffitto della cabina illuminata dalla luce della plafoniera e mi domando come ho fatto a scambiare i neon del corridoio di un ospedale per i flash del red carpet dell'Ade.

All'apertura delle porte appare Brucio, un infermiere palestrato con un piercing a un sopracciglio e un tatuaggio tribale che gli dipinge mezza crapa pelata: appena mi vede spalanca le braccia e mi dà il bentornato.

– Ce l'hai fatta, – dice chinandosi e sfoggiandomi un sorrisone a distanza ravvicinata (Cristo santo, ha un piercing anche su un incisivo). – E noi che credevamo di non vederti piú.

Sollevo appena il braccio a cui è attaccato il deflussore della flebo per mostrargli il medio.

– Ooh, cosí mi piaci, – fa lui come se avesse ricevuto la risposta che sperava; e sfrecciamo lungo il corridoio del reparto. L'altra infermiera deve averla seminata, dato che è scomparsa.

Malgrado il look da satanista di Olevano sul Tusciano, Brucio appartiene a quella categoria d'infermieri che oltre a svolgere le loro mansioni specifiche curano la manutenzione dello stato d'animo dei pazienti. Appena te lo trovi davanti ti chiedi chi sia stato ad assumerlo, tempo mezz'ora e vuoi solo lui. È un sollevatore di morale, ma non ha l'insistenza dei sollevatori professionisti che sanno che riderai solo per educazione. Brucio fa proprio ridere. Ti sfotte e si fa sfottere. Ti tratta come se non fossi malato (è quello il trucco). È a lui che Valiante mi ha affidato, stamattina, per prepararmi all'intervento; e dopo dieci minuti ero già pazzo di lui.

Mentre mi prendeva il sangue gli ho chiesto del nome. Mi ha spiegato che da piccolo ha rischiato di appiccare un incendio in casa per ben due volte ma senza farlo apposta (benché le circostanze lasciassero intendere il contrario), e i genitori, invece di punirlo o prendere quantomeno sul serio le sue tendenze incendiarie, avevano raccontato l'accaduto ad amici e parenti a mo' di barzelletta, e la cosa incredibile – continuava Brucio – era che ridevano tutti, tanto dovevano trovare divertente l'idea del piromane in casa, cosí avevano cominciato a chiamarlo Brucio e dopo un po' il suo nome di battesimo era andato in prescrizione, e adesso pure i suoi figli lo chiamavano Brucio, anzi, Papà Brucio.

– Ma vattene, – ha detto Veronica ridendogli in faccia.

– Te lo giuro, – ha risposto Brucio con tanto di bacio sulle dita. – Che poi, l'avessi fatto almeno apposta, ad appiccare il fuoco. Invece no, soprattutto la seconda volta. E quei due imbecilli mi hanno marchiato a vita. Sono fatti cosí, gli manca il senso del drammatico, hai capito.

– Ci stai prendendo per il culo, – ho detto.

– Ma manco per niente.

– Ah, ah, – ha detto Veronica.

– Però sapete cosa? – ha aggiunto Brucio mentre se ne andava con il mio sangue. – Credo che mi abbia fatto bene crescere con delle teste di cazzo. In pratica non c'è niente, ve lo giuro, niente di cui non riesca a ridere.

Questa ci ha lasciati in silenzio. Come tutte quelle frasi che ti piacciono perché ti fanno pensare che dovresti essere cosí anche tu.

Poi Veronica è venuta a sedersi sul letto, mi ha preso la mano e mi ha detto che anche se da piccolo non avevo dato fuoco alla casa di famiglia, secondo lei anch'io ero un po' cosí.

– Cosí come, – le ho chiesto.
– Hai capito.

– Ma cosa corri, c'è pericolo che mi freghino il posto? – domando a Brucio mentre la prende larghissima per infilarmi nella porta con tutto il lettino in una sola manovra.
– No, è che devo pisciare, – risponde l'imbecille.
Rido, e la compressione dell'addome mi procura una fitta di dolore all'inguine. Cos'avranno combinato da quelle parti, ancora non lo so.
– Fa male, eh? E adesso non è niente, vedrai i prossimi giorni.
– Vai a morire ammazzato, Brucio.
– Ormai è fatta, domani o dopodomani al massimo te ne torni a casa. Eccotelo, te l'abbiamo riportato quasi integro.
L'ultima era per Veronica, che mi viene incontro con i lucciconi e un sorriso che mi stringe il cuore.
Non so perché è commossa, magari è per qualcosa che devo sapere e lei sa già, ma da quando stiamo insieme non ha mai avuto questi occhi qui.

Parole pregiudicate

Il coglione ce l'ho ancora. Cioè, quel che resta, dato che il nodulo me l'hanno tolto e spedito in Anatomia Patologica. Quando si dice passarsi la palla. La notizia un po' mi solleva, dato che prima dell'intervento avevo autorizzato il chirurgo a mettermi una protesi, nel caso in cui aprendo avesse pensato ch'era meglio togliere. A quest'ora il mio campione sospetto dovrebbe essere già in lista per l'istologico, per l'esito ci vorrà un po'. In un certo senso sono punto e a capo.

Andrea Valiante ha circoscritto l'asportazione pensando che possa trattarsi di un linfoma. È la prima volta che presto attenzione a questa parola, di cui finora intuivo vagamente il significato. Ci sono parole a cui non diamo confidenza, come certe persone che conosciamo di vista ma preferiamo non salutare. Poi un giorno vengono ad abitare sul nostro pianerottolo, e ci tocca convivere.

Al primo posto nella mia personale classifica delle parole pregiudicate ci sono i nomi delle malattie, con tutti quegli *oma* e quelle *ía* finali. Non so bene cosa sia un linfoma (a parte l'altro modo in cui lo chiamano, che mi piace ancora meno), e vorrei tanto continuare a non saperlo; ma ci pensa il dottore a fare le presentazioni.

– È una neoplasia dovuta a una proliferazione dei linfociti, – spiega, o meglio crede di spiegare, dato che, a parte «proliferazione», non ho capito cos'ha detto.

– Il linfocita, – aggiunge, vedendomi brancolare, – è una cellula del sistema immunitario. Il linfoma tende a svilupparsi nei linfonodi o in altri organi linfatici, tipo la milza, ma può colpire qualsiasi organo.

– E a me ha centrato la palla destra.

– Diciamo cosí. Nel suo caso avrebbe fatto eccezione ai suoi soliti bersagli, visto che i testicoli (come la mammella, l'intestino o il sistema nervoso) non appartengono al sistema linfatico.

– Ah, ecco. Un'edizione limitata, diciamo.

– Questa me la segno.

– Detta che si capisce, un tumore.

– Se le piace il turpiloquio.

– In effetti la trovo una parola di cattivo gusto.

– Allora non la usi. Anche perché non è detto che ce l'abbia.

– E se venisse fuori che ce l'ho?

– Lo curiamo. Guardi che qualche progresso la medicina l'ha fatto, nell'ultimo trentennio.

– Cioè dovrei fare una chemioterapia.

– O radio. O tutt'e due, se serve. Sempre che sia (ammesso che sia) un linfoma aggressivo. Perché ce ne sono anche d'indolenti, che crescono con molta lentezza e non richiedono neanche una terapia, ci limitiamo a tenerli sotto osservazione. Ma anche sui linfomi aggressivi abbiamo percentuali di guarigione altissime, ormai.

– Lo voglio indolente.

– Sí, lo vogliono tutti.

– Immaginavo.

– Comunque, sono tutte ipotesi prive di costrutto, al momento, senza l'esito dell'istologico.

– E quanto ci vorrà?

– Solitamente i tempi non sono brevi. Ma farò in modo che si sbrighino.

– Mi aspetta un bel periodo spensierato.

– Esca. O resti a casa e si goda il divano. Faccia quello che si sente. Domani le cambio la medicazione e posso già dimetterla, se vuole.

– Mi fa un po' male.

– Lo so. Nei prossimi giorni la ferita le darà fastidio, ma è sotto copertura antibiotica, quindi si metta tranquillo. Per aiutare lo scroto a sgonfiarsi può impacchettarlo col ghiaccio e usare uno slip contenitivo, non boxer. Per un po' si troverà tra le gambe un malloppo piú grosso, diciamo.

La battuta è buona, eppure (non so perché, forse per la mela sbucciata rimasta sul tavolino vicino al muro, dove mi è appena caduto l'occhio: uno non dovrebbe mai guardarli, i vassoi con i resti dei pasti in ospedale) mi prende una botta di sconforto che spegne la voglia di sorridere. Il dottore se ne accorge, e mi posa una mano sulla spalla.

– Voglio darle un consiglio. Uno solo. Lo vuole?

– Lo voglio.

– Non ne faccia la sua occupazione principale. Affronti questo problema come una cosa fra le altre.

– Sa qual è il limite di queste frasi, dottore? Che nessuno di quelli che te le dice ti spiega come si fa.

– Nessuno sa come si fa. Nessuno sa come si fa nulla. «Come si fa?» è una domanda stupida.

«Questo è vero, cazzo», penso.

– Cazzo, è vero, – dico.

– La metta cosí. Se anche morisse, sa cosa succederebbe?

– Non posso grattarmi, dottore, ho una ferita, laggiú.

– Ripeto: sa cosa succederebbe?

– Che non vedrei piú i miei figli. La mia donna. I miei amici.

– No, intendevo per il mondo.

– Ah, per il mondo niente, immagino.

– Ecco, bravo. Allora non la faccia troppo lunga.

– Non ho capito, – ribatto.

Che in questo caso fa le veci di un vaffanculo.

– Cosa vuole che gliene freghi al mondo se lei, o io, non ci siamo piú. Andrà avanti lo stesso. Magari anche meglio. Per quanto ne sappiamo, la nostra presenza potrebbe essergli d'ostacolo in qualcosa che ha in programma da tempo. Valli a capire, gli equilibri dell'universo.

– Questa spiegazione mi rincuora molto.

– Provi a vederla cosí. A dirsi: se anche me ne vado, non finisce il mondo. Che è una stronzata, ma se la racconti lo stesso. Ce ne raccontiamo tante, in fondo.

– Uu-uh. Hai voglia.

– E allora.

– Quante probabilità ci sono che sia benigno?

– Questa è ancora piú stupida di «Come si fa».

– Sí, eh?

– Mi dia retta. Si volti dall'altra parte e lasci fare a noi. Vedrà che andrà bene.

– Ma questo è il discorsetto standard che fa ai pazienti per tirarli su?

– Solo a quelli che non sono ancora malati e frignano come se lo fossero.

Fa per andarsene. I medici se ne vanno sempre all'improvviso, in levare, come lo facessero apposta a lasciarti a riflettere su qualcosa che ti hanno detto e devi capire senza neanche un aiutino.

– Lo sa? Non mi sorprende che sia amico di Benny, – gli dico alle spalle, costringendolo a voltarsi.

– Io almeno lo conosco da quand'eravamo alti cosí. Lei no.

– Porca puttana, ha ragione.

Si allontana ridacchiando, e in quel momento mi accorgo di sentirmi meglio.

È bravo, questo qua. Mi piace il suo senso del limite.

Verso le sei del pomeriggio, aiutato da Brucio che le assicura di occuparsi personalmente di qualsiasi mia necessità, convinco Veronica ad andarsene a casa. Sospettavo, avendola vista all'opera con il marito boccheggiante d'infarto colto in flagranza ludosessuale, che in qualche anfratto di lei albergasse un'infermiera, ma non la credevo capace di tanta dedizione, specie nei miei confronti. Da quando stiamo insieme si è sempre cosí preoccupata di ribadire il disimpegno del nostro rapporto che forse tutta la concentrazione profusa nel disimpegnarsi le ha fatto l'effetto opposto, e adesso non sa neanche lei com'è che proprio non ce la fa ad allontanarsi da me. Cosí mi tocca rassicurarla, dirle che se anche avessi un linfoma sarebbe di sicuro indolente, perché quello lo vedrei proprio adatto a me, un linfoma che non ha voglia di fare un cazzo, men che mai di riprodursi e combattere contro la chemio col rischio di rimanerci, solo starsene al riparo nella mia palla senza far del male a nessuno, ma lei non ride, al massimo tira le labbra in dentro.

Benny, che verso l'una se n'è andato per tornare poco prima della chiusura del reparto al pubblico, si offre di accompagnarla, e nell'occasione la invita anche a cena.

Gli dico: «Ma stai facendo il provolone con la mia ragazza?», e lui: «Certo che sí», e Veronica: «Guarda Benny che io mangio solo in ristoranti costosissimi», e lui: «Nessun problema, piccola», e finalmente se ne vanno.

Umberto, il mio vicino di letto, nonostante abbia subíto un intervento ai reni piuttosto complicato e riesca a malapena a parlare, mi sussurra: – Certo che stai proprio con una bella figa, ma come hai fatto?

– Ha un sacco di soldi, ma proprio tanti, – risponde Brucio al mio posto irrompendo nella stanza con il carrello dei vassoi.

– Ah, ecco, – rantola Umberto, e chiude gli occhi rassicurato.

– Sai una cosa? – dico a Brucio mentre mi tira su lo schienale col telecomando, poi solleva il ripiano estraibile dal mio comodino e me lo sistema davanti. – Tu e quest'altro stronzo che mi ha raccontato tutte le sue coliche dell'ultimo trimestre mi mancherete tantissimo, quando me ne andrò.

– Puoi sempre riammalarti.

– Vaffanculo, Brucio, non voglio vederti mai piú.

– Ah, ah, – fa.

E leva il disturbo.

Mi sistemo il cuscino dietro la schiena per affacciarmi meglio sul mio menu: quadrucci in brodo di verdure, coscetta smunta di pollo con contorno di carote lesse, panino soffiato e yogurt alla banana di marca ignota.

Madonna che tristezza.

Sto per farmi coraggio e affrontare almeno i quadrucci, quando mi vibra il telefono e sullo schermo appare il primo piano di Alagia.

Speravo di sfangare il ricovero con qualche messaggino, visto che mi capita di non sentire i miei figli al telefono anche per due o tre giorni di seguito, ma una telefonata, è chiaro, può sempre arrivare. E dei due, chi si prende piú facilmente il disturbo di chiamare, manco a dirlo, è Alagia.

Mi guardo intorno con la coda (anzi, con l'orecchio) di paglia, vagliando i rumori circostanti da cui potrebbe dedurre dove mi trovo (il piú losco potrebbe essere quello della pompa da infusione della flebo), quindi rispondo.

– Ciao tesoro, come stai?

Brevissimo silenzio che promette tempesta.

Infatti.

– Come hai potuto, Vincenzo?

– Scusa?

– Lo so dove sei. Ho parlato con Veronica.

Devo avere un calo di pressione, perché a un tratto diventa tutto sfocato.

– Io... non sapevo che la conoscessi.

– Infatti non la conoscevo. Mi ha chiamato, si è presentata e mi ha raccontato tutto. Mi sembra una donna gentile e anche molto amorevole. Neanche questo mi avevi detto, grazie.

Guardo la coscetta di pollo sul mio vassoio e mi sento di assomigliarle tremendamente, in questo momento.

– Perché non sapevo ancora se tra noi sarebbe andata avanti oppure no, – balbetto, mentre applaudo mentalmente a Veronica per questa bella iniziativa che ha preso.

– Per starti accanto in ospedale, direi che un po' di bene te ne vuole.

Dovrei spiegarle che fino a qualche giorno fa non avevo idea che le cose fra noi stessero come sembrano adesso, che Veronica ha la sindrome dello spazzolino, che ha sempre ribadito che la nostra era una relazione disimpegnata, ma figuriamoci se vado a confidarle delle faccende cosí intime.

– Probabilmente è cosí, anzi direi proprio che è cosí, ma ti assicuro che l'ho appena capito. Fino a qualche giorno fa non avrei mai detto che fosse cosí legata a me, pensa che ha sempre voluto che ci vedessimo in albergo perché aveva paura che lasciassi lo spazzolino o peggio la camicia a casa sua, e ci ha sempre tenuto a ripetere che avevamo una relazione disimpegnata, anzi *di-sim-pe-gna-ta*, diviso in sillabe, capito, per cui figurati se mi sarei mai aspettato di averla accanto in un momento come questo.

Segue una lunga pausa durante la quale Alagia si starà chiedendo cos'ho detto.

– Quello che voglio sapere, Vincenzo, è perché lí con te non ci sono anch'io. Perché non me l'hai detto.

– Per non farti preoccupare. Non l'ho detto neanche ad Alfredo, se è per questo. E tantomeno a tua madre, ovvio.

Altro silenzio.

– Non ti facevo cosí egoista.

– Egoista? – domando.

– Sí.

Qui le si rompe la voce:

– Egoista è anche chi prevarica i sentimenti degli altri con i suoi. Mi hai privato del diritto di starti vicino mentre ti operavano.

– Tesoro, non volevo tenere in ansia te e tuo fratello, magari anche inutilmente. Veronica ti avrà spiegato, si tratta solo di capire la natura del nodulo.

Ecco, adesso piange proprio.

Ne facessi una buona.

– L'hai fatto per me, lo so. Ma non è quello che voglio. La devi smettere di proteggermi, Vincenzo. Se tu stai male, voglio star male con te. Io sono tua figlia.

E qui non ce la faccio, non reggo, mi si chiude la gola, mi si riempiono gli occhi, riesco solo a dirle che mi dispiace, poi allontano il telefono dall'orecchio e comincio a piangere senza riuscire a fermarmi, tanto che Umberto si tira su e ripete Vince' ma che è stato, che cos'hai, e io non rispondo, allora lui schiaccia il pulsante di chiamata e accorre Brucio, Che c'è Vincenzo, cos'è successo, e io Niente, non è niente, non vi preoccupate, ora mi passa.

Tregua

È vero, l'ho sempre protetta. Non solo lei, anche Alfredo. E non perché sia un padre apprensivo, anzi: ho sempre discusso e a volte litigato con la mia ex moglie perché volevo che i nostri figli crescessero liberi, con tutte le disattenzioni che quest'idea di libertà implica (perché se vuoi che tuo figlio impari a far da sé devi accettare di voltarti dall'altra parte mentre si avventura nel mondo, in qualunque modo lo faccia). Quello che ho sempre fatto, neanche apposta ma proprio d'istinto (in questo senso proteggendoli), è cercare di non coinvolgerli in nessun cazzo di mio problema, specialmente quelli con la madre.

L'abitudine di ammorbare i figli con le miserie coniugali dei genitori (quasi che reclutarli nella *Guerra dei Roses* sia una specie di canone formativo), l'ho sempre trovata una violazione della privacy (dei figli). Non capisco in nome di quale principio educativo un ragazzo che cresce, e ha ben altro a cui dedicarsi, debba essere messo al corrente dei problemi di coppia di mamma e papà. Sapere se o quanto si amano, se si portano dietro dei rancori, se sono fedeli o si tradiscono.

Piú in generale, credo che la pratica di parlare di qualsiasi cosa con i figli sia un modo di portarli in detrazione, di scaricare (su di loro) le spese dei problemi che padri e madri non sanno risolvere da sé. Se vogliamo dei figli liberi, penso, dobbiamo liberarli da noi.

Ma questo discorso non puoi mica farlo a una figlia a cui hai nascosto che andavi a operarti per un sospetto linfoma. Specie se ti richiama per scusarsi di averti cazziato fino alle lacrime.

– Non devi scusarti, hai ragione.
– Non ti ho nemmeno chiesto come stavi.
– Lí per lí l'ho pensato, la verità.
– Ma sapevo già tutto da Veronica.
– Be', un «Come ti senti», prima della ramanzina, ci stava.
– Adesso non girare la frittata.
– Vabbuo'.

E cosí siamo rimasti che terrà il segreto fino al risultato della biopsia, ma solo perché – ha voluto precisare – Alfredo ha un esame la settimana prossima (notizia che Alf s'era ben guardato dal darmi: sta' a vedere che ha preso da me).

Quanto a lei, le ho detto che poteva anche evitare di venire apposta da Padova, visto che in giornata mi avrebbero dimesso e ormai si trattava solo di aspettare l'esito dell'esame. Lei mi ha risposto di farmi gli affari miei, perché se vuol venire apposta da Padova non deve chiedermi il permesso.

E niente, Benny e Veronica sono venuti a prendermi sul presto (devo ricordarmi di chiedere se sono andati davvero a cena fuori, ieri sera), e siccome Valiante non s'era ancora visto, Benny l'ha chiamato al cellulare chiedendogli di venire subito a firmare il foglio di dimissione, perché se c'era una cosa che proprio non sopportava degli ospedali erano «i medici che la mattina fanno la passerella per i reparti e tengono i pazienti in attesa manco fossero delle belle fighe».

Non credo, a giudicare dal sorriso cretino che s'è impossessato della faccia di Benny durante la replica di Valiante, che gli abbia risposto: «Okay».

Comunque il dottore è arrivato una ventina di minuti dopo, mi ha fatto le ultime raccomandazioni sui farmaci da prendere, sulla manutenzione del testicolo (borsa di ghiaccio, antidolorifici, pulizia quotidiana della ferita) ecc., e mi ha licenziato.

– Sai chi mi sembri? – gli ha detto Benny mentre compilava il modulo di dimissione e Veronica mi aiutava a rivestirmi. – Un tagliatore di teste. Quei mercenari che da un giorno all'altro buttano fuori la gente dalle aziende con una liquidazione da fame.

– Lo so chi è un tagliatore di teste, – gli ha risposto lui.

– Ah sí? Allora potresti dire a Vincenzo: «La prenda come un'opportunità». Uah, ah, ah, ah!!

Cosí, giuro. È scoppiato a ridere della sua battuta come se l'avesse fatta qualcun altro. Ma di gusto, proprio.

Veronica deve averla capita in ritardo, perché gli ha mollato uno schiaffetto su un braccio dopo un po' che rideva. Io e Valiante o non l'abbiamo capita o l'abbiamo capita e non abbiamo riso.

– Quanto sei cretino, Benny, – ha detto il medico.

– È vero, Benny, sei un cretino, – ho confermato, mentre l'occhio mi cadeva sulla parte bassa del foglio che il dottore stava giusto firmando.

PROCEDURE DIAGNOSTICHE ED INTERVENTI EFFETTUATI DURANTE IL RICOVERO: ESPLORATIVA TESTICOLARE CON BIOPSIA DI AMPIA LESIONE SOSPETTA PER PATOLOGIA LINFOPROLIFERATIVA.

Non è che non lo sapessi, ma vederlo nero su bianco mi ha fatto l'effetto di un rinvio a giudizio.

– Che ti prende? – mi ha chiesto Benny.

– È solo un'altra lingua, Vincenzo, – ha detto Valiante, che con la coda dell'occhio mi aveva beccato mentre spiavo. – Se vedessi il mio nome su un atto giudiziario con un articolo del codice accanto mi spaventerei, mentre lei, che parla correntemente quella lingua, saprebbe ridurre la gravità di quell'enunciato alla sua portata reale. Non dico che le scivolerebbe addosso, ma certo non la manderebbe nel pallone. Invece è angosciato da «patologia linfoproliferativa», che a me invece fa poco e niente, perché appartiene al mio vocabolario quotidiano.

– Bel discorso, vecchio mio, – è intervenuto Benny, che non c'entrava niente. – Ma, per stare al tuo esempio, tutto dipende dall'articolo di legge che ti appioppano. Se c'è scritto «guida in stato d'ebbrezza», okay, piú o meno capisci che non è grave. Ma se leggi «omicidio premeditato», sta' sicuro che vai a cambiarti le mutande.

– Io sono angosciato da «ampia», – ho detto. Poi siamo rimasti tutti in silenzio per una cinquina di secondi.

– Ma tu devi sempre parlare? – ha detto Valiante a Benny, tradito da un lievissimo rossore.

– Insomma, Benny, – s'è intromessa Veronica, – stai dicendo che Vincenzo fa bene a preoccuparsi.

– Be', sí, – ha risposto lui. – Certo che fa bene. È preoccupato. Anch'io sono preoccupato. Perché, tu no?

– Hai voglia.

– Ecco, appunto. Siamo tutti preoccupati, qui. È solo Andrea che fa finta di non esserlo.

È seguita una pausa imbarazzante. Valiante soprattutto, non sapeva che cazzo dire.

– Non so neanch'io se ridere o darti uno schiaffo, Benny, – ha detto Veronica.

– Lasci perdere, signora. Ci conosciamo da bambini, è una causa persa.

– Non gli dia retta, dottore, – ho detto io. – Ho capito perfettamente cosa intendeva.

– Be', adesso vado, – mi ha teso la mano lui. – Mi tenga aggiornato e mi chiami quando vuole, per qualsiasi cosa, i miei numeri li ha. E soprattutto, se dovesse avere ancora bisogno di me, la prossima volta venga da solo.

Poi, a Benny:

– Tu, non dire un'altra parola.

L'imbecille stava per replicare, ma è stato prontamente fermato da Veronica che gli ha artigliato il braccio.

– Signora, – ha concluso i saluti Valiante prendendole la mano da gentiluomo di una volta e mimando il bacio; poi, nell'uscire dalla stanza, mi ha rivolto un piccolo cenno congratulandosi in codice per la sua bellezza: un surplus di stima che ricevo quasi regolarmente, quando mi trovo in un luogo pubblico con Veronica. Con Alessandra Persiano era la stessa cosa, anzi peggio, perché giocavamo in casa, essendo anche lei avvocato, e in tribunale le rosicate dei colleghi m'innaffiavano come piogge acide.

All'inizio, questo rialzo delle quotazioni da fidanzata notevole m'infastidiva non poco, mi veniva voglia di andare dal rivalutante di turno e dirgli: «Sta' a sentire, tu: mi spieghi per quale ragione non potrei stare con una gnocca? Okay, non sono bello, ma tu ti sei visto?»

Insomma la subivo, questa discriminazione al contrario. Poi col tempo ho capito che è una roba quasi sportiva, un tipo di onore delle armi. Una specie di decorazione, ecco.

Io non so se le donne sono altrettanto stupide, quando comunicano fra di loro su questi temi specifici, ma noialtri sí.

– Ehi, dimenticavo! – esulta Benny tirando fuori il giornale mentre ripiego gli ultimi panni e Veronica recupera i Kleenex e i salatini dal comodino e neanche sospetta il bene che le voglio. – Vince', guarda un po'.

– Cosa, – chiedo.

Lui schiaffeggia il giornale in corrispondenza del riquadro con la notizia del sequestro dell'albergo dove hanno beccato Venere (il collo di Veronica mi sorprende, per quanto si allunga).

Venere è citata sotto falso nome, in un breve elenco con le altre ragazze. Un paio non sono italiane (niente di piú facile che i nomi di battesimo siano veri: un tipo di provincialismo giornalistico per cui si presume che Svetlana R. sia meno riconoscibile di Giuseppina D.); Carlo Palumbo, invece (il fittabordelli), è scritto per esteso, mentre la moglie (Pr, contabilità e gestione delle risorse umane) viene indicata come Gemma P. (manco il disturbo di falsificare la seconda iniziale). Un occhio di riguardo viene stupefacentemente riservato all'Hotel Baleno, definito «un noto albergo del centro cittadino».

Devo ricordarmi di chiamare Eco per dirgli di non farsi le canne, quando monta le pagine.

– Il pezzo sembra scritto da un alcolista, ma almeno hanno usato un falso nome, – commento.

– Falso? – fa Benny.

– Eh. Hanno scritto Valeria L.

– E allora?

– E allora cosa.

– Mica è falso, Valeria.

– Oh santiddio, anche tu?

Veronica coglie l'alterazione nella mia voce e mi guarda stranita.

– Anch'io che? – fa Benny.

– Niente, lascia perdere.

– Scusa eh, – insiste lui come avesse una gran voglia di approfondire il concetto. – È cosí evidente.

Mi rivolgo, del tutto insensatamente, a Veronica, cercando in lei una sponda:

– Ma allora sono io che li attiro questi psicopatici logo-ossessi?

Veronica, che non ha idea di cosa stia parlando, giustamente mi ride in faccia.

– Non ridere, – le dico. – Se non fossi sicuro che lui e quell'altro alluvionato di Mariangelo non si conoscono, penserei che si sono messi d'accordo.

– E chi è Mariangelo? – fa Benny.

– Il direttore di quel cazzo di giornale che hai in mano.

– E si chiama Mariangelo?

– Eh.

– Gesú.

– Gesú cosa.

– Be', è da codice penale chiamare cosí un povero bambino.

Veronica si asciuga le lacrime e intervalla le risate con una serie di: «Oh mio Dio, oh Dio mio», che poi è il suo intercalare preferito quando proprio si diverte.

– Cos'è, vuoi dubitare anche dell'autenticità del nome Mariangelo? – polemizzo.

– Ma si può sapere perché t'incazzi?

Per un attimo, mi perdo.

– Sentite, facciamo una bella cosa: archiviamo questa stramaledetta discussione, okay? – propongo, prossimo allo sfinimento.

– Va be', comunque, – chiude la parentesi Benny per virare sul tema che gli sta a cuore, – immagino che il sindaco abbia saputo. A questo punto direi che nominarci è il minimo.

– Madonna che palle tu e questa storia, Benny, – dico, reggendo con le mani una carriola immaginaria.

– Ma perché ci tieni tanto, Benny? Sei un avvocato affermato, pieno di clienti, non ti manca niente, – gli chiede Veronica. – È cosí importante fare le scarpe a quel... com'è che si chiama? – qui si rivolge a me, chiedendomi di aiutarla a ricordare. – Ah sí, Garoppo.

Benny arrossisce e mi guarda giurandomi vendetta.

– Vedo che l'Ufficio Aggiornamento Cazzi degli Altri, qui, ti ha messo al corrente, – dice.

Ridacchio.

– Nei minimi particolari, – risponde Veronica. – Sai com'è, l'avevo fatto scendere dalla macchina per via della faccenda della figlia del sindaco in mutande... figurati se non ne approfittavo.

– Via Benny, non devi sentirti in imbarazzo se crepi d'invidia per Garoppo, – rigiro il coltello nella piaga.

– Io? Di Garoppo? Di Ciro Garoppo detto Bialetti? Io invidioso di Bialetti? Ah, ah, ah.

È andato avanti cosí per quasi cinque minuti, roba che quando siamo arrivati all'ascensore stava ancora parlando.

Sul pianerottolo abbiamo incrociato Umberto sulla sedia a rotelle, di ritorno da non so quale accertamento. Sapeva che oggi andavo via, ma quando mi sono chinato per salutarlo gli tremavano le labbra.

Succede, quando ci si conosce cosí. La commozione di un compagno di stanza che ti saluta quando lasci l'ospedale ha dentro lo sforzo di dirti, senza usare le parole, che non devi sentirti in colpa se tu vai e lui resta.

Abracadabra

La Bmw di Benny profuma di... non so di cosa profuma, ma Veronica e io ci guardiamo in faccia quando ci mettiamo a sedere (io davanti, lei dietro) e chiudiamo gli sportelli.

– Ti sei fatto un giro in litoranea, ieri notte? – gli domando quando torna dalle casse automatiche del parcheggio.

– Eh? – chiede.

Poi capisce.

– Sei un deficiente, Vince'. È una fragranza purissima, che tu, da bravo buzzurro, ovviamente non cogli.

– Ah sí? E come si chiama questa purissima fragranza, Trans Essence?

– Ah, ah, che risate.

Accende il motore e partiamo.

– Sai di cosa sa, un po'? – dice Veronica, affacciandosi su di noi. – Di talco.

– Ssè, – approvo. – Piú precisamente direi di chiappe incipriate.

– E tu com'è che riconosci il profumo di chiappe incipriate? – fa Benny.

Ci penso un attimo.

– Be', sai com'è. Da giovani si fa qualche scemenza.

Un momento di silenzio, poi Veronica esplode in una risata che degenera in singhiozzi e manate sul sedile.

Certo che la faccio ridere proprio tanto, oh. E non mi

ci metto neanche d'impegno. È il mio senso dell'umorismo che va d'accordo con lei, non io.

– Però è vero, cazzo, – grida Benny. – Sa di chiappe incipriate.

– Oh mio Dio, Benny, stavo scherzando, – dico. – Non volevo sollevare spiacevoli ricordi.

– Perché spiacevoli? – chiede Veronica.

Benny si ritrova isolatissimo. – Oh, ma fate proprio comunella, voi due? Andate un po' affanculo, – sbotta, infila lo scontrino nell'obliteratrice e fa sollevare la barriera nello stesso momento in cui ci viene incontro un tossico strafatto con una maglietta di una fondazione benefica presa chissà dove. Si abbassa sul finestrino e chiede *dieci euro* per il reparto di oncologia infantile.

– Roipnol? – dice Benny. – Ma che ci fai qua?

– Uh, scusate avvoca', non vi avevo visto.

– L'hai chiamato Roipnol? – chiedo.

– Eh. Perché, non si vede? – fa Benny.

In effetti a guardarlo pare sotto sonnifero.

– Ma allora sei veramente cretino, – gli dice Benny.

– Lo conosci? – chiedo.

– E lo conosco sí, l'ho fatto uscire la settimana scorsa. Allora sei proprio cretino, Roipnol.

– Già l'avete detto, avvoca'.

– Lo sai che là di fronte c'è il drappello della polizia? Che alla prima segnalazione vengono e ti arrestano?

– Ma dove, là? – chiede Roipnol con gli occhi praticamente chiusi.

Benny prima mi guarda in faccia, poi torna a lui.

– No, sul tetto, dove atterrano gli elicotteri. Ma poi dico, almeno chiedi l'elemosina. No, raccoglie fondi per l'ospedale, lui. Vuoi proprio farti sbattere dentro.

– Scusate, avvoca'.

– Si scusa pure, manco avesse fatto un dispetto a me, – mi dice Benny. Poi, di nuovo a lui, nel ripartire: – Mò che ti arrestano non mi chiamare, vedi come te lo dico.

Roipnol resta immobile, io e Veronica ci voltiamo all'unisono per inquadrare la sua figura ancora china sulla macchina che non c'è piú. Si starà chiedendo dove sia andata a finire, probabilmente.

– Certo che conosci proprio tutti, Benny, – commenta Veronica. – Anche ieri sera, avrai salutato il ristorante intero.

– Quindi l'hai portata, a cena, – dico.

– E che, no? – risponde lui.

– Sai che non lo facevo cosí simpatico? – m'informa Veronica.

– Ma pensa tu, – commento.

– Spiritoso, galante, pieno di attenzioni, – continua lei. – Devo proprio dirtelo, Benny: tu sai come si tratta una donna. Soprattutto, sai invitarla a cena.

L'idiota solleva le sopracciglia tutto compiaciuto; poi, senza voltarsi, alza la mano offrendo il palmo a Veronica. Lei batte il cinque, e fine del siparietto.

C'immettiamo in una coda che scorre lentamente. Davanti a noi, un Suv nero quanto la morte ci leva ogni visuale. Come trovarsi al cinema seduti dietro un giocatore di rugby con una criniera di capelli. Io vorrei sapere quando (e perché) è scoppiata questa moda dei Suv. Dove cazzo deve andare, la gente che se li compra. Cosa devi farci, con un Suv.

– Comunque, Vince', dormi sereno, – fa Benny mentre sono lí a interrogarmi sugli Sport Utility Vehicles, – non ho intenzione di rubarti la fidanzata. Cioè, un pensiero l'ho fatto, prima che scegliesse il vino.

– Ehi, ti ho appena dato del gentiluomo. Non farmi cambiare idea.

– Sassicaia, – sintetizza Benny rivolgendosi a me col tono di chi ti accusa di avergli rifilato un pacco.

– Quale annata? – chiedo.

– Quella non me la ricordo. Ma il prezzo sí.

– Il cellulare, Vincenzo, – fa Veronica tuppettiandomi sulla spalla.

– Eh?

– Ti sta vibrando.

Porto la mano al taschino.

– Ah. Vero.

– E quella chi è? – chiede sbirciando il display su cui è apparsa Gisella Della Calce con i Ray-Ban.

– Pure gelosa, – commenta Benny.

– Tu sta' zitto che ti ho appena tolto una stellina Michelin, – lo redarguisce lei.

– Gisella, che sorpresa. Come stai?

– Eh, mica male. Ti disturbo, Vince'? Volevo solo ringraziarti.

– E di cosa?

– E me lo chiedi? Mi hai dato una dritta che mi ha fatto risolvere una questione impantanata da due mesi. Ce ne fossero, di colleghi generosi come te.

– Puoi aspettare un secondo?

– Certo.

Faccio «Shh» a Benny e Veronica con l'indice eretto davanti al naso, quindi metto il telefono in vivavoce.

– Gise?

– Sí, sono qui.

– Puoi ripetere quello che hai appena detto?

– Che ti sono grata per la dritta che mi hai dato?

– Ci avevi messo un po' piú d'enfasi, la verità.

– Ma c'è Beniamino, lí con te?

– L'hai capito, eh?

– Ciao Gisella! – urla Benny.

– Ciao Benny, – risponde lei con minore entusiasmo, quindi torna a rivolgersi a me: – Comunque, Vince', se vuoi te lo ripeto in vivavoce: grazie. Davvero. In pochi giorni ho mandato in porto una separazione che sembrava destinata ai pesci in faccia. Quella tua frase è formidabile. Una specie di Abracadabra.

– Quale frase? – domanda Veronica.

Mi volto verso di lei e rinvio la spiegazione avvolgendo uno spago immaginario nell'aria.

– Credimi, – continua Gisella, – la lasci cadere nel discorso, cosí, di sfuggita, e quella, lentamente, progressivamente, spazza via i rancori e le questioni di principio. Se avessi visto in che stato era la mia assistita quando è venuta da me... ed è diventata... come dire? Mansueta, ragionevole.

– Ma qual è sta frase? – ripete Veronica in labiale.

E anche Benny le fa «Dopo» con l'indice.

– Be', sei gentile, Gise, – replico, – ma faccio fatica a riconoscermi un merito del genere.

– E invece ti sbagli. Ci sono delle frasi che restano impresse, che provocano sommovimenti. E la tua è perfetta, un affondo. Sapessi quanto me l'ha ripetuta la mia cliente...

– Ehi, – s'intromette Benny. – Se vuoi continuare a usarla possiamo accordarci per il 15% su ogni pratica.

– Vincenzo, – m'interpella Gisella, – potresti togliere il vivavoce?

– Oh, guarda che il quindici è la percentuale standard di ogni agente, – dice Benny.

Si sente, chiarissimo, il sospiro di Gisella.

– Beniamino, io non dico mai parolacce, ma in questo momento ne ho una gran voglia. E sappi che sono cresciuta nei quartieri.

– Okay, facciamo il dieci.
Attimo di silenzio, poi arriva la replica:
– Hai rotto il cazzo, Benny.
– Ah, ecco. Complimenti per la metafora, – fa Benny.
Veronica ed io scoppiamo a ridere come ai tempi della scuola, quando t'inabissavi sotto il banco per nasconderti.
– Mi fai parlare con Vincenzo o rincaro la dose?
– Oh, no, la prego. Scusi se ho interrotto la lezione di clavicembalo.
– Oh mio Dio, – sussurra Veronica, paonazza dal ridere.
– Dimmi, Gise, – quasi urlo, senza togliere il vivavoce.
– Senti, c'è una coppia che vorrei mandarti.
– Una coppia?
– Sí. Per un'altra separazione. È una situazione un po' complicata, ma io non posso occuparmene perché sono troppo legata a tutti e due per ragioni che non sto a spiegarti. Credo che tu sia il collega piú giusto. Se puoi, naturalmente.
– Complicata in che senso?
– Che vogliono e non vogliono.
– Una buona occasione per testare la frase-jolly, – dice Benny sottovoce, temendo un secondo vaffanculo.
– Ma qual è questa frase? – chiede Veronica per la terza volta.
– Ma mannaggia a me! – dico, togliendo il vivavoce e tappando come posso il microfono del telefonino. – «I titoli di coda della vita in comune», va bene? Ora posso dire due parole in croce senza essere interrotto?
– «I titoli di coda della vita in comune», – ripete Veronica. – Bella –. E si mette lí a pensarci.
Almeno l'ha piantata di chiedere. Quando vuol sapere una cosa ti sfinisce.
– Vincenzo? – mi chiama Gisella.
– Eeh.

– Allora posso mandarteli?

Per un attimo rivedo la bottiglia d'acqua sul comodino dell'ospedale.

– Ma sí, certo.

– Gli do il numero dello studio, cosí non ti disturbano sul cellulare.

– D'accordo.

– Grazie ancora.

– Di niente. Grazie a te.

– Salutami quella capera di Beniamino. Digli che mi dispiace di averlo strapazzato, anche se se lo meritava.

– Okay.

La fila scorre piú rapidamente, il Suv che ci ha cecato per un quarto d'ora s'infila in un garage. Sembra di tornare alla luce, cazzo. Dovrebbero pagare una tassa di occupazione del cielo pubblico, i proprietari di Suv.

– E cosí abbiamo un'altra separazione, – fa Benny, e accende la radio. – Sta' a vedere che adesso mi diventi matrimonialista.

– Bah, – dico, mentre riconosco al volo le note di *Come ti chiami* di Umberto Napolitano, cantante anni Settanta noto anche per un'altra hit dell'epoca, *Hey Musino*, che parlava di un filone a scuola con trombata fra le fresche frasche.

– Bah cosa? – chiede Veronica.

– Cosa cosa? – chiedo, mentre Antonella (la protagonista di *Come ti chiami*) asseconda i molto poco originali tentativi di rimorchio di Paolo (il nome del tipo che l'ha abbordata fuori dalla discoteca).

– Tanto che ti meraviglia essere considerato un matrimonialista? In fondo è il lavoro che hai fatto per me, d'incarichi in questo campo, a quanto mi racconti, ne ricevi diversi: perché non dovresti esserlo?

– Non so. Non ho mai pensato a me in questi termini.
– E in quali termini ti pensi?
– Come un avvocato. Un avvocato e basta, – rispondo tanto per rispondere, perché non è nemmeno che ci creda, la verità.
– Bella stronzata, – fa lei.
Io e Benny ci guardiamo in faccia.
A questo punto sono matematicamente certo che se replicassi, indipendentemente dal contenuto della replica, finiremmo per litigare; e siccome non ne ho voglia (anche perché la ferita mi fa male), decido di avvalermi della facoltà di non rispondere; ma cosí facendo sottovaluto la libertà di Veronica di proseguire nella polemica in totale autonomia.
– L'avvocato di una volta era avvocato e basta. Si arrabattava in ogni campo, faceva tutto. Si dice cosí ancora oggi, per rimpiangere l'arte di arrangiarsi di un tempo: «L'avvocato che faceva tutto». Per non parlare del medico. Era ostetrico, cardiologo, pediatra, otorino, endocrinologo e pure dentista. Curava dalla diarrea alla cirrosi epatica. Ridicolo. Sai chi sa fare tutto? I mediocri. I bravi si specializzano.
– Discorso impeccabile, – dice Benny. – Del resto, in una società tecnologicamente evoluta, l'avvocato praticone di una volta non ha senso, è fuori dal mercato. Non ce la fa. Non ce la fa proprio.
– Anch'io sono d'accordo, – aggiungo. – Sono cosí d'accordo che non credo che avere qualche pratica di separazione faccia di me un matrimonialista.
– Mentre invece saresti un avvocato d'altri tempi, – mi ripunzecchia Veronica.
– Be', l'anagrafe mi colloca nel secolo scorso.
– Ma vivi in questo. Quell'affare che hai al polso, quel

cerchietto attaccato al cinturino, lo vedi? Quel coso lí ha una funzione, che evidentemente ti sfugge.

Mi volto per guardarla negli occhi:

– Si può sapere che ti prende?

– Niente, solo non sopporto quando ti sottovaluti. Come se ti compiacessi a mantenere un profilo sfigato.

– Anche su questo ha ragione, – commenta Benny.

– Ma vuoi farti i cazzi tuoi? – gli dico mentre tiro fuori il telefono, che sta di nuovo vibrando.

Numero sconosciuto.

Faccio segno a Benny di abbassare il volume (intanto, Paolo ha chiesto ad Antonella di dargli un bacio, cosí da sola capirà), e rispondo.

Stavolta, niente vivavoce.

– Pronto.

Pausa.

– Sí, sono io.

Benny mi guarda.

Altra pausa. Greve, adesso.

– Ah.

Guardo fissamente Benny.

Come mi diverte tenerlo sulle spine, non potete immaginarvelo.

– Va bene, aspetto, – dico, e vengo messo in attesa dal *Concerto per due violini* di Bach.

Anche Veronica si spinge avanti con la testa.

– Ma si può sapere chi è? – chiede Benny, scoppiettando come un filetto sulla griglia.

– Indovina, – dico.

Come ti chiami / Hey Musino

Come ti chiami è un pezzo del 1977 scritto e interpretato da Umberto Napolitano, cantautore bresciano dai trascorsi impegnati (suo il brano del 1966 *Chitarre contro la guerra*, vincitore del premio della critica al Festival delle Rose, poi inciso da Carmen Villani con il titolo *Mille chitarre contro la guerra*), convertito al pop dopo alcune fortunate apparizioni televisive tra cui *Settevoci*, condotto da Pippo Baudo (a cui dovrebbero dare un Grammy per i suoi altissimi meriti di talent scout, dico sul serio), e ben tre partecipazioni al festival di Sanremo (1977, 1979 e 1981).

Nonostante gli esordi antimilitaristi, è nel genere melodico, nella canzonetta che mette l'amore sopra ogni cosa che Napolitano, favorito peraltro da un viso delicato e imberbe, molto gradito alle ragazzine, trova la sua collocazione discografica ottimale, raggiungendo il successo con hits come *Con te ci sto* (1977), *Amiamoci* (1978), *Bimba mia* (1979), *Mille volte ti amo* (1981) e, appunto, *Come ti chiami* e *Hey Musino* (lato b di *Come ti chiami*), un doppio carpiato d'autore con cui, per la prima (e forse unica) volta nella storia della canzone italiana, si realizza un concept-single, un 45 giri dove il secondo brano sembra la naturale prosecuzione del primo.

Il tema è l'amor ginnasio (ma anche tecnico-industriale o alberghiero), quello che sboccia fra i banchi di scuola e i corridoi, producendo appostamenti e pedinamenti, musica e dediche, approcci teneri e goffi, pomiciate post-scolastiche e (piú raramente) qualche sveltina precoce (mai fine a se stessa ma sempre ipotecaria, quasi che i ragazzi, intendo i giovani maschi, dovessero capire fin dalle prime esperienze, storpiando Stan Lee, che da una grande scopata derivano grandi responsabilità). Il target, neanche a dirlo, quello dei teenager in cerca di un lessico amoroso che, poeticizzando il bisogno di strofinarsi, li aiuti a orientarsi nella tormenta emotiva e ormonale di quell'incandescente stagione della vita.

Col senno dell'oggi (che è un senno di comodo, perché a usare il senno di poi sono buoni tutti, mentre il senno delle cose bisogna averlo in diretta), sembra un paradosso che canzoni come *Hey Musino* o *Come ti chiami* abbiano avuto un grande successo nell'Italia degli anni di piombo.

Non che allora non si producesse musica disimpegnata o piú semplicemente ballabile. Ma in un'epoca governata dai cantautori, che avevano la missione di rendere i ragazzi intelligenti, scrivere canzonette per adolescenti che pomiciavano sulle panchine (o, nel caso di *Hey Musino*, addirittura nei boschetti) e si chiamavano con nomignoli da criceti, suonava come un'operazione anacronistica se non reazionaria.

Viene da lí il concetto di amore senza età, non solo nella banale accezione anagrafica che autorizza un anziano a permettersi un partner molto piú giovane, ma nel senso di un'immunità dell'amore al tempo che passa: l'amore, proprio in quanto se ne fotte della società che lo circonda, non cambia col mutare delle epoche e si riproduce uguale a se stesso di generazione in generazione, mantenendo intatta la poetica degli approcci e delle timidezze, sí che l'adulto che ascolta *Come ti chiami* o *Hey Musino* rivede se stesso nel cretino di allora e sorride, intenerito e commosso, al pensiero che anche i suoi nipoti s'innamoreranno cosí. Perché l'amore non cambia. Perché l'amore – appunto – non ha età.

È dunque in quegli anni difficili e depressi, segnati da conflitti politici sanguinosi e losche strategie eversive su cui non s'è ancora fatta piena luce, che Umberto Napolitano scala le classifiche con una canzone che, in controtendenza rispetto ai canoni compositivi dell'epoca, deroga alla tradizionale alternanza di strofa e ritornello per costruire un testo di soli dialoghi, la trascrizione pedissequa di un corteggiamento stradale dove lui canta e lei parla:

Come ti chiami?
Antonella.
Che bel nome, io Paolo.
Ciao.

L'approccio è assolutamente classico: un ragazzo avvicina una ragazza per strada, le chiede il nome, si presenta. E lei, educata, risponde.

Siamo al grado zero dell'ovvio: non era mai successo che una canzone d'amore riproducesse le battute di una conversazione ordinaria tra persone ragionevolmente beneducate. Napolitano lo fa, non usa metafore, non trasfigura l'oggetto narrativo: s'intrufola fra i due ragazzi e ne trascrive il dialogo come un registratore, una telecamera nascosta (la banalità della seconda battuta del ragazzo è cosí disarmante che al primo ascolto non ci si crede che l'abbia detta davvero, finché lei non gli risponde addirittura salutandolo).

Visto che Antonella non ha chiamato un vigile (ma gli ha addirittura comunicato il suo nome cosí esotico e poco comune), Paolo si sente autorizzato a prendersi qualche confidenza, usando un verbo parecchio stupido ma molto di moda fra i teenager dell'epoca:

> Era un po' che ti filavo, sai.
> Davvero?
> Ma tu ballavi sempre insieme a lui. Chi è? Forse il tuo ragazzo?
> Ma va', è solo un amico.

A questo punto Paolo potrebbe anche smettere di farsi i fatti di Antonella (ti ha appena detto che il disgraziato che la porta a ballare è solo un amico: cos'altro devi sapere?), e invece pensa bene di restare in argomento (tanto che ci si chiede come mai Antonella non si sia ancora rotta i coglioni):

> Oh meno male.
> Perché?
> Io credevo di scocciare.
> Che sciocco, non è vero.
> Dimmi un po', ma tu guardavi me?
> Quando?
> Quando lui si girava e c'ero io davanti a te.

Antonella non risponde, probabilmente per timidezza; e Paolo l'intuitivo realizza finalmente che l'intervista può finire lí:

> E poi che fai?
> Vado a casa.
> Ti potrei accompagnare.
> Be', se vuoi.
> Era un po' che ci pensavo, sai.
> A cosa?
> Chiudi gli occhi, dammi un bacio, e da sola capirai.

Se un appunto può farsi al testo, è proprio sul finale: che Antonella debba baciare Paolo (a occhi chiusi, che è piú romantico) per capire cosa voglia da lei, non depone molto a favore dell'intelligenza di Paolo (scusa Paolo, eh: l'hai fermata per strada; ti ha accettato l'amicizia – all'epoca, va be', tu non potevi sapere che l'amicizia si chiede e si accetta, ma è lo stesso –; è rimasta gratificata dal sublime verbo «filare»; ti ha pure detto che il tipo che la porta a ballare è solo un amico; adesso l'accompagni anche a casa e pensi che se non ti bacia c'è il rischio che equivochi le tue intenzioni?) Ora, va bene il romanticismo e tutto quanto, ma trattare come una minus habens una ragazza che ti ha mostrato tanta disponibilità meriterebbe come minimo un bel palo in finale di canzone, abbi pazienza.

Antonella, invece, sfuma insieme al brano, che si perde nella ripetizione tendenzialmente infinita di «e da sola capirai», simboleggiando il cammino della coppia che si avventura nel futuro e nel brano seguente.

In *Hey Musino*, i due ragazzi (che, appunto, potrebbero essere tranquillamente Antonella e Paolo a qualche settimana dal primo incontro) fanno addirittura filone per acquattarsi fra le frasche:

Le scarpe intorno al collo
e poi giú nel ruscello
con i jeans arrotolati fino a su.
Sull'altra sponda il bosco
per appartarci un po'
e fare quel che in classe non si può.

Il tono è già meno formale, come se la coppia fosse in via di disinibizione e avesse progettato il filone ecologista per scrivere una nuova puntata di una conoscenza carnale in corso:

Hey Musino, vieni qui e dammi un bacio.
Hey Musino, che cos'hai?
Non piangere, ma dài.
Non pensarci troppo su.
Siam venuti qui… in due.

Come a dire che se nel boschetto ci fossero andati in comitiva, allora sí che Musino avrebbe avuto ragione di respingere gli approcci testosteronici del partner (come fece ostinatamente Rosanna Fratello in *Sono una donna, non sono una santa*, rifiutando, seppure a malincuore, la proposta del fidanzato di portarla nel bosco di sera, e rinviando lo spegnimento dei suoi ardori al matrimonio imminente); ma in due il consenso era implicito:

> I libri un po' sciupati,
> il fieno fra i vestiti
> e il tram che non arriva proprio mai.

E va be', la frittata è fatta. Il fieno fra i vestiti è un chiaro indizio del pagliaio, dove probabilmente il giovane aveva già progettato di trombarsi Musino.

Musino teme che ora che il mandrillo ha avuto quello che voleva smetterà di amarla o (peggio) butterà la maschera e le confesserà di aver mentito sui suoi sentimenti per portarla nel boschetto (che poi s'è rivelato un pagliaio); ma lui, teenager d'altri tempi, passa subito a rassicurarla:

> E tu che non mi credi,
> che stupida che sei.
> Ma certo che ti amo
> e ancor di piú.

L'amore, dunque, è uscito dal pagliaio piú forte di prima:

> Hey Musino vieni qui e dammi un bacio.
> Hey Musino, come stai?
> È stato bello.
> Hey Musino, vieni qui...

A riascoltarle in sequenza, sembra che *Come ti chiami* e *Hey Musino* dividano l'amore in tre fasi: la prima, quella del corteggiamento, governata dalla donna che pone le condizioni della relazione, dice sí o no; la seconda, quella dell'imboscamento, in cui il maschio prende il sopravvento, convince la ragazza a concedersi e ad accettare il rischio dell'inganno; la terza, quella della rassicurazione, che salda la coppia in una parità di ruoli.

È dunque questo, l'amore? Un ciclico avvicendamento di poteri a cui segue (e chissà quanto a lungo) una condizione di stabilità? Lo scopriranno solo vivendo.

Il futuro è dietro l'angolo, anzi, dietro il pagliaio.

The Benny Lacalamita Show. Poi, l'amore

Come descrivere lo show a cui ha dato inizio Benny nell'istante in cui ha capito che era il sindaco a chiamarmi? Vediamo... avete presente quando date da mangiare al cane, che con una mano reggete il barattolo e con l'altra dovete bloccargli il muso, altrimenti comincia a divorare il cibo prima ancora che cada nella ciotola? Ecco, una roba cosí.

Per prima cosa, ha accostato in doppia fila sparando le quattro frecce e beccandosi una strombazzata da una Golf (il conducente, superandoci, ci ha mostrato il medio, ma è stato prontamente ricambiato da Veronica che ha raddoppiato la dose; al che quello è rimasto interdetto, come si stesse chiedendo dove ficcarsi l'altro dito). Poi mi ha detto di mettere la chiamata in vivavoce. Io gli ho risposto che non se ne parlava neanche, allora mi si è appiccicato con l'orecchio al telefonino come un pervertito da pullman.

Intanto il *Concerto per due violini* di Bach era già la quarta volta che ripartiva (questa storia che uno ti telefona e poi ti mette in attesa, per cui dopo un po' ti sembra che sei stato tu a chiamare lui e non viceversa, è un modo dispotico di ribaltare la realtà).

Capito che la sua partecipazione era esclusa, Benny si è sperticato in una specie di grammelot in playback traducibile grosso modo cosí: «Dici al sindaco che se pensa che sia stata una passeggiata convincere un giornalista integerrimo a non pubblicare il nome di sua figlia si sbaglia. Perché quella telefonata, nel caso non l'avesse capito, ha evitato uno scandalo che gli avrebbe compromesso la carriera. Certo, potevamo non intervenire. E lasciare che del suo problema si occupasse Garoppo. Ma siamo intervenuti, senza chiedere nulla in cambio, per puro senso di responsabilità (e anche perché siamo consapevoli dei limiti di Garoppo). Tuttavia non saremmo intellettualmente onesti se non gli facessimo presente che dopo una simile – gratuita – prestazione, sarebbe opportuno che licenziasse Garoppo e passasse da noi, ma soprattutto che licenziasse Garoppo».

Afferrato il concetto, ero lí lí per mandarlo a farsi fottere quando finalmente il sindaco ha risposto. E sono sceso dalla macchina, per evitare altre molestie.

Cosa voleva Dasporto? Non lo so, non me l'ha detto. Però aveva un tono dimesso, direi anzi umiliato, tanto che quando mi ha chiesto di vederci ho avuto l'impressione che volesse confidarsi, piú che affidarmi un incarico. Cosí gli ho dato appuntamento per la mattina dopo al bar di fronte al tribunale, dove avevo intenzione di passare, piú che altro per distrarmi dall'attesa dell'esito della biopsia.

Quando sono risalito in macchina, Benny pareva risentito.

– Ma che ha? – ho chiesto a Veronica.

– Boh.

– Ma che hai? – ho chiesto a lui.

– Ho che quella telefonata doveva essere per me.

– Cosa?

– A quanto ne sa quello stronzo, il direttore l'ho chiamato io, mica tu.

– Ma fai sul serio?

– Certo che sono serio. Invece di chiamare l'avvocato

che ti ha fatto quel poco di favore, chiami il suo collega? A te piacerebbe se ti trattassero cosí?

– Cos'hai tu piú di lui? – s'intromette Veronica.

Il tempismo comico era perfetto e avrei riso volentieri, ma ero troppo allibito dall'argomentazione surreale di Benny per non rinfrescargli la memoria.

– La telefonata l'ho fatta io.

– Eh. Lo so. Ma lui non lo sa.

Sono rimasto senza parole. Totalmente neutralizzato.

– La cosa paradossale è che ha anche ragione, – è di nuovo intervenuta Veronica.

A quel punto ho alzato bandiera bianca e sono di nuovo sceso dalla macchina, visto che eravamo a due passi da casa. E sono andato a ritirarmi nelle mie stanze.

Il mio appartamento odorava di fresco, c'erano addirittura dei tulipani color violetto nel portafiori Vindfläkt sul tavolino che serve il due posti Klippan (che ho recentemente valorizzato aggiungendovi una coppia di cuscini Ullkaktus ritappezzati con tessuto Skuggbräcka, che fa uno spiritoso effetto scarabocchio). La cucina e il bagno brillavano come nelle pubblicità dei prodotti anticalcare, e sul mio letto era disteso un pigiama a quadri nuovo di scatola.

– Era tanto che qualcuno non si prendeva cura di me, – ho detto a Veronica.

– Grazie per il qualcuno, – ha risposto mentre mi svuotava il trolley.

– Ehi, – ho detto.

Non mi ha risposto.

– Ehi, – ho ripetuto.

– Cosa c'è, – ha detto senza ancora guardarmi.

– Vieni qui.

– No.

– Ma come no. Dài che mi fa male la ferita.

– E chi se ne frega.

Sono rimasto lí a fissarla mentre continuava a tirare fuori la mia roba senza degnarmi di uno sguardo. Ho aspettato un po', prima di toccare l'argomento che la rendeva cosí intrattabile:

– C'è il tuo spazzolino, nel bagno.

Ma neanche allora ha alzato la testa.

– Volevi che usassi il tuo?

– Non avrei problemi, se lo facessi.

– Che schifo, Vincenzo.

– Ma mi baci, scusa.

Qui finalmente mi ha concesso un'occhiata:

– Questo non significa che debba strofinarmi i denti con i tuoi batteri.

– Non girarci intorno, per te lo spazzolino ha un valore simbolico. Ahia.

– Oh, non montarti la testa. Non sei mica l'unico che ha il mio spazzolino a casa. Ti fa male?

Vado a sedermi sul Klippan.

– Un po'. E dimmi, li hai comprati in offerta? Un tre per due, magari?

Sorride. – Comunque il tuo letto è basso.

– Ehi, non offendere il mio Gressvik.

– E poi è una piazza e mezzo.

– Per la cronaca: ci ho messo anche un materasso Malfors. In schiuma. Ben sessanta euro, non vorrei dire.

– Ma sarai un po' ritardato?

– Eh?

– Hai sentito cosa ho detto?

– Che il mio letto è basso?

– Dopo.

– Che dobbiamo prenderne uno a due piazze?

– Bravo.
– Non so se il Gressvik lo fanno anche a due piazze.
– Questo sarebbe un problema.
– Nel caso potremmo scegliere un Songesand.
– Dici?
– Bisogna solo capire con quali materassi può andare. Dammi un minuto.
– Oh, prego.
Prendo il cellulare e vado sul sito dell'Ikea.
– Come pensavo. «Utilizzabile solo con i materassi a molle Hövåg, Hamarvik e Hyllestad, e con quelli in schiuma e lattice Morgedal semirigido, Matrand semirigido e Myrbacka rigido».
– Ma che cretino che sei.
– Sí, lo so.
– E io che rido anche, alle cazzate che spari.
Finalmente mi guarda come dico io, e gli occhi le brillano.
– Adesso vieni qui, per favore?

Lo so cosa state pensando. Avrei dovuto dirle: «Vuoi trasferirti qui perché hai paura che sia malato? È per pietà che lo fai?»
Sí, forse avrei dovuto.
Cioè, avrei avuto motivo di dirlo.
Ma sapete cosa? Non l'ho fatto.
Mi va bene anche la pietà.

Tuli-Tuli-Tulipan

Non so come mi è scattata l'intuizione, ma stamattina, mentre Veronica dormiva (è stato bello trovarmela accanto al risveglio, ndr), sono andato a cercarmi la simbologia dei tulipani su Google. E ho imparato un po' di cose. Intanto, che il tulipano è originario della Turchia (ma di questo possiamo anche fregarcene). Secondo, che il fiore che rappresenta il vero amore non è la rosa rossa ma, appunto, il tulipano, che secondo una leggenda sarebbe nato dal sangue di un giovane morto suicida per una delusione d'amore. Terzo, che il significato tulipanico dell'amore dipende dalle gradazioni di colore del tulipano. Se regali un tulipano rosso, vuol dire che sei proprio sotto botta e potresti anche fare una follia, tipo sposarti; se lo regali giallo, è amore disperato (quindi infelice, credo: sui siti dedicati non si specifica il tipo di disperazione); rosa, significa affetto e buoni auspici (un tulipano disimpegnato, per amici e parenti); violetto, amore modesto.

«E che cazzo», mi sono detto.

Cosí sono andato a controllare anche su un altro sito, dove ho tovato la seguente definizione: «Il tulipano violetto è il tulipano della modestia. La dichiarazione di chi non vuol promettere ciò che non è sicuro di poter mantenere? Meno incisivo e passionale del tulipano rosso, ma comunque dolce e nobile».

«Ah, be', allora», ho pensato. E ho anche pensato che nella mia vita i segni tornano sempre. Come se la mia vicenda umana fosse regolata da una matematica impeccabile dove ogni cosa è progettata per inchiappettarmi con ridottissimi margini d'errore. Io faccio eccezione alla teoria del caos. A me, se una farfalla batte le ali a Pechino, non cambia assolutamente nulla. Infatti lo prevedo, il corso degli eventi. So quando una cosa mi andrà male, cosí cosí o malissimo. E non è che lo so perché ci ragiono. Lo so perché lo so. P. es.: chi poteva dire, stamattina, che mi sarei svegliato con l'intento di studiare il significato dei tulipani? Nessuno. Eppure l'ho fatto. E avete visto, no, cosa ho scoperto.

Okay, può darsi che Veronica non s'intenda di tulipani. Che non volesse mandarmi alcun messaggio cifrato, facendomeli trovare nel Vindfläkt; anzi, che la sua intenzione fosse solo farmi capire quanto sia importante per lei. Ma resta il fatto che ha comprato dei tulipani violetti, e che il significato di quei tulipani si accorda perfettamente con l'amore sguinzagliato che ha ribadito fino a ieri. Per cui è possibilissimo che, malgrado adesso si sbracci per farmi capire quanto mi ama e abbia addirittura deciso di venire a vivere con me, inconsciamente continui ad amarmi con moderazione (che non è un bel modo di amare, diciamocelo). La scelta cromatica del tulipano viene a costituire una prova psicologica inconfutabile.

Fanculo.

Quando si sveglia, e le porto il caffè e ci baciamo felici, e poi mi aiuta a prepararmi (preferirebbe che restassi a casa a riposare, ma ho voglia di prendere aria e distrarmi; del resto non mi costa molta fatica camminare, è sufficiente che mi fermi ogni tanto come mi ha suggerito il medico), faccio attenzione a non toccare l'argomento tulipani, nonostante abbia una gran voglia di rinfacciarglielo.

Esco, lei rimane a casa a sistemare la sua roba.

Strano: abituato com'ero a star solo, credevo che iniziare una nuova convivenza – e da un giorno all'altro, poi – mi avrebbe creato dei problemi; e invece l'idea che i miei spazi si riducano, che ben presto il mio guardaroba finirà relegato in un metro e mezzo scarso di cabina armadio (per non parlare della scarpiera), che i miei libri subiranno la prevaricazione dei suoi e mi toccherà affrontare il disagio dell'adattamento, mi lascia indifferente (almeno al momento). E non solo perché mi scalda il cuore sapere che Veronica vuole stare con me (e me lo scalda eccome). C'è dell'altro, una specie di intima noncuranza verso gli oggetti, un disinteresse per le cose di cui mi sono circondato e mi servo, come se non me ne fregasse piú niente di ritrovarle dove le ho messe, anzi avessi voglia di buttare tutto all'aria, come se – e nel pensarlo mi spavento – volessi vivere un po' di piú. Perché per vivere di piú bisogna fare soste brevi, e ripartire subito.

Una specie di confessionale

Arrivo al caffè del tribunale in anticipo di mezz'ora; nemmeno entro nel bar che Mariolino, dal banco (evviva la discrezione), mi chiede quasi urlando perché zoppichi. Gli dico che mi hanno asportato mezza palla e lui ride pensando che scherzi, poi mi accomodo a un tavolino e chiamo Venere per aggiornarla sui fatti recenti che probabilmente neanche conosce.

– Vincenzo, ciao, – mi risponde affettuosa, tra un gran vociare di ragazzi. – Scusa il casino, sto uscendo da una lezione.

– Ah, – dico, esitando. E lei se ne accorge.

– Ti stupisce?

– No, è solo che non ne avevamo mai parlato.

– Certo, mi rendo conto. Non potevi mica arrivarci da solo a pensare che oltre alle marchette facessi anche altro. Che so, frequentare l'università.

Sospiro, poi replico:

– Ma non ti sei rotta i coglioni di stare sempre lí a rispondere per le rime? E va bene, mi sorprende che tu faccia l'università, okay? E non perché tu non possa frequentare l'università, figuriamoci, ma perché quando incontri una ragazza in mutande che scappa da una retata in un bordello non ti viene cosí naturale pensare «Chissà che cosa studia».

Nessuna risposta. Silenzio. Offline. Che sia riuscito a zittirla, per una volta?

– Ehi, sei un po' stronzo ma hai ragione, Vincenzo.

– Hai visto il giornale di ieri?

– Perché, hanno pubblicato il nome?

– No, hanno scritto Valeria L. Il direttore è mio amico.

– Non era amico di Benny?

– Ma quando mai.

– Certo che ha una bella faccia di cazzo, il tuo socio.

– Uu-uh, e questo è niente. Comunque sta' a sentire, per ora è andata bene, ma non è detto che la faccenda si sia risolta.

– In che senso?

– Be', non sappiamo a chi altri abbiano fatto arrivare la notizia. Ho dato un'occhiata in rete e neanche lí c'è niente.

– Sei gentile a informarmi, ma se pure venisse fuori il mio nome mi limiterei a querelare il giornale che lo pubblica. Che poi è la ragione per cui sono venuta da te. Lo sai come la penso, non mi vergogno di quello che faccio e non intendo nascondermi per tutelare la carriera politica di mio padre.

– Mi sembrava di aver capito, ma bene che tu abbia ribadito il concetto, anche perché ho esaurito le conoscenze giornalistiche.

– Fosse stato per me ti avrei risparmiato di farla, quella telefonata. Piuttosto: perché l'altra sera mi hai mandato le foto di quel tipo?

– Mi sa che a questa ti rispondo dopo che ho visto tuo padre.

– Cosa?

– Ci incontriamo tra poco.

– E perché?

– Non lo so.

– Ti ha chiamato lui?
– E sí, eh. Io non ne avrei avuto motivo.
– E cosa può volere da te?
– Posso sbagliarmi, ma penso che abbia a che fare col tipo della foto. Tu non hai idea di chi sia, vero?
– No, non chiedo mica i documenti ai clienti. Chi è, un latitante? Un serial killer? Un giudice di *X Factor*?
– L'assessore alle politiche sociali.
Momento di riflessione.
– Be', allora rientra nel target. Puoi dire a mio padre di stare tranquillo.
– Cioè?
– Assessore uguale politico uguale cliente sicuro. Quelli come lui non vogliono che si sappia che sono iscritti a quel tipo di club; e bada: non tanto per paura dello scandalo, ma per non perdere il servizio. La gente, tesoro, deve scopare, e deve farlo regolarmente, se vuol tenere testa agli impegni, alla carriera. E pure alla famiglia. Non ce la farebbero a portare il peso della loro vita se non sapessero che una volta alla settimana c'è chi glielo succhia come piace a loro.
– Ssè. Sull'allegoria finale ho fatto un po' di fatica ma poi l'ho decifrata. Quante volte vi siete incontrati?
– Tre o quattro, credo.
– Dove?
– In un bed & breakfast che conosceva lui.
– In un bed & breakfast che conosceva lui.
– È una risposta difficile da interpretare, che senti il bisogno di ripeterla?
– Stavo solo pensando. Sempre lo stesso, quindi?
– Sempre lo stesso cosa?
– Bed & breakfast.
– Sí, sempre quello.

– Per caso ti ricordi se anche la stanza era sempre la stessa?

– Mi sembra di sí.

– Hmm.

Restiamo in silenzio per qualche istante, poi Venere si spazientisce:

– Va be', senti: qualsiasi cosa abbia a che fare questo qui con mio padre non mi riguarda. Quello che voglio, e che ti ho chiesto dal primo momento, è fare causa a chiunque renda pubblico il mio nome e violi la mia riservatezza. Punto.

Mi prendo un attimo per replicare:

– Sai che non ti facevo cosí virile?

Sospira.

– Scusami, non volevo essere sgarbata con te, che sei cosí gentile a chiamarmi, informarmi, darmi notizie. È che non ne posso piú di mio padre che interferisce con la mia vita anche quando non c'entra.

– E non pensi che lui potrebbe dire lo stesso di te?

Piomba in un silenzio che tende alla dilatazione.

Quando riprende la parola, la sento un po' provata.

– Scusami, adesso ho un'altra lezione. Mi faccio sentire io. E grazie ancora.

Praticamente mi attacca il telefono in faccia.

Di tutte le simulazioni che si possono fare, quella di mettersi nei panni di un altro dovrebbe essere la piú abbordabile. Cosa penserei al suo posto, cosa farei se mi trovassi nella sua condizione? È una domanda facile, e poi non costa niente, visto che tu resti dove sei ed è lui che annaspa: eppure fingere di essere un altro per considerare le sue ragioni è una delle recite a cui siamo meno disposti. Perché ci obbliga a vedere noi stessi con altri occhi, e il masochismo ci fa paura. Non vogliamo farlo, quel provino. Perché sappiamo di avere altissime probabilità di passarlo.

Da quando conosco Venere, è la prima volta che la sento cadere nel silenzio smarrito da immedesimazione. Sí, l'ho vista dispiacersi (anche se solo momentaneamente) per il padre; ho riconosciuto i momenti in cui pativa il dolore del conflitto con lui, la frustrazione di una rabbia compressa da un amore piú forte del risentimento. Ma non l'avevo mai colta in flagranza di autocritica. E non mi aspettavo che ne fosse spaventata.

Chiusa la parentesi venerea.

Alzo un braccio in direzione del banco per intercettare Mariolino e chiedergli un caffè, quando incrocio una faccia nota che a sua volta rimbalza nel mio sguardo.

Istintivamente sorrido, perché la somiglianza con Aldo Maccione mi diverte troppo, anche se la prima volta che ci siamo incontrati gli somigliava di piú. Ora non luccica né sudacchia come quando è venuto a bussare alla mia porta: nella versione trafelata in cui l'ho conosciuto sembrava proprio Maccione con il completo stropicciato dopo una sveltina con una sgallettata dell'epoca.

Mi rivolge anche lui un mezzo sorriso, gli offro la sedia libera al mio tavolo con un gesto della mano. Lui corruga le sopracciglia come a dire: «Perché no?» e mi raggiunge.

– Cosa prende?

– Un caffè, grazie, – risponde levandosi il cappello.

Alzo la mano destra in direzione di Mariolino e gli faccio il segno della vittoria.

– Sono contento di vederla, – dico. – L'altra volta avevamo cominciato male.

– Naa, solo all'inizio, – risponde stirandosi i baffi che si ritrova al posto delle sopracciglia.

– È vero, dopo un po' c'intendevamo abbastanza.
– E il suo gatto come sta?
– Alfonso? E chi lo sa? Viene quando vuole, usa il mio appartamento come pied-à-terre. Ogni tanto me lo trovo davanti casa che mi aspetta.
– Quindi non le succede solo con le ragazze in mutande.
– Ah, ah, che spiritoso…
– Pasquale.
Gli tendo la mano:
– Vincenzo.
– Sí, mi ricordavo, – risponde, stringendomela.
Arriva Mariolino con i caffè e due sfogliatelle mignon che nessuno gli aveva chiesto.
– Quindi il tuo gatto si chiama Alfonso?
– Già.
– Be', è divertente, – fa lui afferrando una sfogliatella e infilandosela in bocca intera. – Sai che mi ricordo ancora una poesia di Alfonso Gatto che ho imparato alle elementari? Si chiamava *Chissà*.
– La conosco! «Una palla è una palla | e non sarà mai quadra. | Chi sa se la farfalla | sa d'esser farfalla. | E la gazza ladra?»
Pasquale s'illumina, e mi toglie i versi di bocca:
– «Chissà se il mare ha paura dell'onda, | chissà se il vento a furia di chiamare | quando nessuno risponde | si vede solo e nero | come un cimitero».
– Bravissimo! – esclamo alzando la mano.
E battiamo il cinque.
Poi beviamo il caffè.
– Adesso puoi dirmelo, – mi fa Pasquale approfittando della confidenza che abbiamo raggiunto. – Era da te, vero?
Lo guardo negli occhi.
– No, quella era la nipote di Mubarak.

Sorride.
– Certo che sei una gran testa di cazzo.
– È un complimento che mi fanno spesso.
– Comunque lo so chi è.
– Ah sí?
– Certo è un problemino mica da niente, per un padre in quella posizione.
– Mi sa che non so di cosa stai parlando.
– Eh già.
Si alza, rimette il cappello.
– Devo andare. Sono in servizio.
– Mi ha fatto piacere rivederti.
– Anche a me.
Fa per avviarsi, poi ci ripensa:
– Ah. A proposito, – dice sollevando il dito mentre insegue i pensieri con lo sguardo.
– Sí?
– Sono andato a cercarmi Aldo Maccione su YouTube.
– E quindi?
– Vaffanculo.
Scoppio a ridere mentre Pasquale mi volta le spalle e si avvia all'uscita (dai tremiti che gli scuotono la schiena, è chiaro che se la sta ridendo anche lui) nello stesso momento in cui il sindaco entra nel bar e si guarda intorno.

Siccome sto ancora ridendo (e non vorrei che pensasse di essere lui la causa), mi abbasso per nascondermi alla sua vista, e cosí facendo mi trovo faccia a faccia con un chihuahua accucciato sotto il tavolo che mi guarda – giuro – come se mi chiedesse cosa ho perso, e se può darmi una mano a cercarlo. Il mondo, visto da quest'altezza, è molto meno caotico, mi scopro a pensare. Sotto i tavoli non è niente male, sul serio.

Sono ancora in pieno tête-à-tête col chihuahua quando, dall'alto, mi sento chiamare da Mariolino.

– Avvoca'?
– Ooh, – rispondo dagli abissi.
– Vedete che ci sta il sindaco che vi cerca.
– Vengo, – dico. E saluto il cane, che tenta di leccarmi la faccia (amore a prima vista, proprio).

Quando risalgo, mi trovo il sindaco di fronte.
– Posso? – chiede, indicando la sedia.
– Oh, buongiorno. Ma certo, prego, – rispondo ricomponendomi.
– Aveva perso qualcosa?
– No, flirtavo col chihuahua.

Lancia un'occhiata al cane.
– Ah, – dice. – Carino.
– Non è mio, – preciso.
– Sa che sono molto coraggiosi? Ne abbiamo avuto uno, quando Venere era piccola. Nonostante la taglia, si comportano come dei veri cani da guardia.
– Va' a capire chi si credono d'essere, – commento; poi mi rivolgo a Mariolino che se ne sta lí come un cartonato da quando sono riemerso: – Ho capito che ti emoziona la presenza del primo cittadino, ma che ne dici di spicchettarti da qui?
– Eh?
– Dicevo se ci lasci soli.
– Ah, come no. Stavo solo aspettando l'ordinazione.
– Per me un ginseng, – dice Dasporto.
– Ginseng, va bene… – memorizza Mariolino. – E per voi, avvoca'?
– Solo un po' d'acqua, grazie.
– Naturale o leggermente?
– Leggermente cosa?
– L'acqua.

Ora. Potrà sembrarvi una questione di principio oziosa

e prearteriosclerotica, ma a me, questa storia dell'acqua leggermente mi disturba il sistema nervoso.

– Sai cosa voglio, invece? Un'aranciata quasi.

– Una che?

– Lascia perdere, prendo un decaffeinato.

Mi guarda come se stesse traducendo, poi finalmente se ne va.

– La ringrazio dell'appuntamento, avvocato, – inizia Dasporto. – Anche se avrei preferito incontrarla in ufficio.

Un collega di cui non ricordo il nome ci passa accanto, riconosce il sindaco e fa tanto d'occhi.

– Si chiama *café reception*, è l'ultimo trend della professione forense. Perché imporre al cliente l'ingessatura dello studio, quando puoi incontrarlo in sede informale e metterlo a suo agio? Scherzo, – puntualizzo goffamente.

– Sembra quasi vero.

– Potrebbe esserlo, per come stanno combinati gli avvocati al giorno d'oggi. Ma perché mi guarda in quel modo, scusi?

– Mi sembra un po' pallido, se posso permettermi.

– Sono reduce da un piccolo intervento, niente di serio. Spero.

– Mi spiace. Se posso esserle utile, me lo dica.

– La ringrazio, sono ben seguito.

E chiudiamo lí i convenevoli (quanto mi affaticano i convenevoli. Il giorno in cui mi ritirerò da ogni tipo di relazione sociale sarà perché non ne potrò piú dei convenevoli).

– Innanzitutto volevo ringraziare il suo collega per la telefonata. Ieri, aprendo il giornale, per un momento ho temuto il peggio.

– Allora avrebbe dovuto chiamare lui, non crede?

– Lo farò senz'altro. Ma è con lei che volevo parlare.

– Ha a che fare con l'altra sera al vernissage?

– Esattamente.

Mi gratto la barba. Non ho voglia di arrivare per gradi all'argomento.

– Paparusso la ricatta, vero?

Dasporto chiude gli occhi e li riapre.

– Vedo che non perde tempo, avvocato.

– Cosa vuole da lei?

– Sono in scadenza di mandato, come penso lei sappia. E ho abbastanza consenso da garantire l'elezione di quello che indicherò come mio successore.

– Capito. Che cos'ha in mano?

– Un filmato, pare.

– Quello che pensavo. E lei l'ha visto?

– Solo l'inizio. Sul suo telefonino. Pochi secondi, poi il video s'interrompeva.

– Cosa si vedeva esattamente?

– Sembrava una camera d'albergo. La telecamera doveva essere stata montata sul soffitto, a giudicare dalla panoramica. Ho visto un letto, poi Venere, l'ho riconosciuta subito, penso fosse appena arrivata, aveva il soprabito addosso. Ha detto a quell'infame di farsi una doccia. Lui le ha risposto dal bagno, credo, perché s'è sentita solo la voce, anche se non ho capito cos'ha detto.

– E poi?

– La riproduzione si è interrotta e Paparusso mi ha messo il telefono sotto gli occhi allargando il fotogramma sul primo piano di mia figlia. Ha fatto scorrere velocemente le immagini per mostrarmi il seguito. Lui ovviamente non era riconoscibile, il viso era coperto da una mascherina digitale, come quelle che si vedono nei telegiornali per nascondere la faccia dei testimoni di mafia.

– Un trailer, insomma.

– Esatto. Gli avrei staccato la testa, mi creda.

– Le credo eccome. Al suo posto probabilmente gliel'avrei staccata.

Ci prendiamo un minuto approfittando del ritorno di Mariolino con le ordinazioni. Dal banco, il collega di cui non ricordo il nome continua a lanciarmi occhiate d'odio come se gli avessi fregato la ragazza o che so io.

– A Venere non ho detto niente, – riprende il sindaco.

– Io sí.

– Come sarebbe?

– Sarebbe che quando ho annusato il ricatto le ho chiesto se Paparusso era tra i suoi frequentatori, e lo era. Si sono visti piú di una volta, sempre nello stesso bed & breakfast. È chiaro che Paparusso ha avuto tutto il tempo per attrezzare la stanza, ed è probabile che sia coinvolto anche il titolare. E bravo il collega Paparusso.

– Che fosse un arrivista l'avevo capito, ma non lo credevo capace di scendere cosí in basso.

– Con Benny stava per venire alle mani, una volta.

– Devo ricordarmi di ringraziarlo anche per questo, allora.

– Ecco, lo chiami. Me lo faccia come piacere personale. Mi tiene il muso, per questa cosa.

– Lo chiamo piú tardi, prometto.

Se quello non la smette di guardarmi giuro che mi alzo. Lo giuro.

– Secondo lei cosa dovrei fare? – mi chiede.

– Vuole proprio che le risponda?

– Certo.

– Io lo denuncerei. Anzi, lo avrei già denunciato. E lo avrei fatto arrestare all'atto della consegna del video.

– Con tutto quello che ne sarebbe seguito.

– Ovviamente.

Si riempie d'aria e sospira.

– Ero pronto per le Regionali.

– Capisco.

– No, non è vero. Mi sta giudicando.

«Infatti ero ironico», vorrei dirgli mentre – non a caso – raschio il fondo della tazza col cucchiaino.

– Guardi: da cittadino, mi sentirei in diritto di denunciarla anche solo per il pericolo che ci consegni Paparusso come sindaco. E non mi entusiasma che una persona che ha ceduto a un ricatto governi la Regione. Ma fin qui potrei anche spiegarmi la faccenda. È come padre che non riesco a capirla.

– Non parlerebbe con tanta sicurezza se avesse una figlia come la mia.

– Lei dice?

– Sí, lo dico proprio, e sa perché? Perché ce l'ho con lei. Sono una persona onesta, non ho mai pestato i piedi a nessuno, non è giusto che risponda delle azioni di un altro, anche se si tratta di mia figlia.

– Su questo ha ragione.

– Lo pensa sul serio?

– Lei non ha fatto nulla per dover subire un ricatto, obiettivamente è cosí.

– Ma?

– Ma deve scegliere fra sua figlia e la carriera politica.

Non mi pare d'aver detto niente che già non sapesse, eppure mi guarda come se gli avessi sbattuto in faccia la realtà.

– Credo che avesse ragione Venere, sindaco. Affronti la cosa a testa alta, costi quel che costi. Non è neanche detto che uscendo allo scoperto il ricatto non si ritorca contro Paparusso, e lei ne esca addirittura piú forte.

– Magari funzionasse cosí, avvocato. Quando quel video andrà in rete mi faranno a pezzi.

Potrei usare degli altri argomenti per farlo ragionare e magari convincerlo, ma sapete cosa? Non mi va. I vittimisti sono fatti cosí, hanno bisogno di una spalla. Non ci provano gusto, da soli. Guardate questo qui: ha già deciso cosa fare ma gli serve qualcuno che lo giustifichi e lo commiseri. Be', gli è andata male.

– Quello che non ho ancora capito, sindaco, è perché ha voluto vedermi.

– Perché l'altra sera al vernissage l'ho sentita dalla mia parte. Credo che lei capisca come mi sento.

– Gentile da parte sua, ma ancora non mi ha detto cosa si aspetta da me. In che modo potrei esserle utile.

– Non so, forse avevo solo bisogno di parlare. Di confidarmi, in un certo senso.

– Oh, perfetto. Non è che ha anche una coppia di amici indecisa se separarsi o no? Sa com'è, nel caso avrei una frase infallibile.

– Prego?

– Lasci perdere, parlavo da solo.

Sono una donna, non sono una santa

«Tre mesi sono lunghi da passare», cantava nel 1971 Rosanna Fratello in *Sono una donna, non sono una santa* (di Testa-Sciorilli; già citata a proposito di *Hey Musino*): e in effetti tre mesi sono tanti se, come nel caso della protagonista della canzone (di cui esiste anche un'esilarante cover degli Squallor cantata da Daniele Pace nell'album *Palle* del 1974), devi resistere alla tentazione della carne, in particolare alle ripetute molestie di un fidanzato ingrifato che insiste per portarti nel bosco di sera perché non regge l'attesa della prima notte (fissata per maggio, come tutti i matrimoni delle canzoni italiane dell'epoca).

Non che lei sia messa molto meglio da quel punto di vista, tant'è che non si fa problemi ad ammettere che rifiutare le avances del promesso sposo le costa assai, e un giretto nel bosco se lo farebbe volentieri («Ti prego amore mio lasciami stare | se no non ce la faccio ad aspettare»), confessando cosí la pulsione di un desiderio femminile che mai prima di allora era stato riconosciuto in canzonetta, tanto che non sarebbe azzardato definire *Sono una donna, non sono una santa* un brano pre-femminista, che rivendicava il diritto alla riappropriazione del corpo della donna come veicolo di un piacere sessuale orgogliosamente libero dalla riprovazione cattolico-borghese:

> Fra tre mesi saremo in maggio
> e il mio amore io ti darò
> Gesú mio dammi il coraggio
> di resistere a dirgli di no.

Tanto per capire di cosa stiamo parlando.

Ma se tre mesi sono un supplizio quando si tratta di contenere il richiamo dei sensi (e la mia generazione, vi assicuro, ha aspettato ben piú di tre mesi prima che gliela dessero, ma lasciamo perdere), venti giorni d'attesa per il risultato di un esame istologico (nel mio caso dieci, data l'intercessione di Andrea Valiante, oltretutto pressato da Benny che neanche l'asinello di *Shrek* quando chiede: «Siamo arrivati?» ogni cinque secondi), sono un'era geologica. E non c'è nessuno che t'invita nei boschi. C'è piuttosto la necessità di distrarsi, che se ci pensate è una roba innaturale, perché quando un pensiero ti assilla non è che lo dirotti cosí. È come consigliare a un insonne di addormentarsi, dato che ciò che piú desidera (anzi, la sola cosa che desidera) un insonne è addormentarsi, ma non ci riesce. Siamo circondati da insonni, ne incontriamo ogni giorno, non abbiamo idea di cosa passino di notte. Magari neanche lo sappiamo che non hanno dormito, non sembrano nemmeno cosí stanchi, sono ragionevolmente beneducati, dicono buongiorno e buonasera e se gli facciamo una domanda rispondono. Ma si portano dietro un guasto che non riescono a riparare e anche se, quando ne parlano, si dicono rassegnati, ogni volta che vanno a coricarsi è una battaglia.

E allora, tornando alla domanda iniziale: come ho passato i dieci giorni lunghi da passare in attesa del verdetto clinico? Cominciamo da qui.

– Allora sei proprio stronzo, – ha esordito Nives al telefono.

– Cosa? – ho risposto. Anzi, chiesto.

Ero sul Klippan con Veronica, semiavvolto nel plaid Strimlönn. Vedevamo un film su Netflix.

– Ma come, ti operano, c'è il rischio che tu abbia un tumore, e non mi dici niente?

– Scusa, eh, – ho risposto guardando Veronica, che era già nella posizione del geco che punta una falena, – mi sa che devo ricordarti che è da un po' che hai smesso di essere mia moglie.

– E allora? Sono la madre dei tuoi figli, penso di avere il diritto di essere informata, se ti ammali.

– Ma di cosa dovevo informarti, se ancora non si sa niente?

– Potevi dirmi che ti avevano trovato un nodulo, per esempio.

Siamo andati avanti cosí per almeno dieci minuti. Quando poi ha bofonchiato: «Lo so che hai qualcuno», mi è costato non poterle rispondere, data la vicinanza di Veronica: uno, che non erano affari suoi; due, che non ricordavo di averle detto una frase cosí indiscreta quando avevo saputo della sua tresca con il personal trainer. Almeno mi sembra. Per cui mi sono limitato a chiuderle il telefono in faccia.

– Non è che si comporti molto da ex moglie, – ha commentato Veronica.

– Si è anche risposata, poco dopo che ci siamo separati. Piú ex di cosí, – ho detto.

– Sulla carta, forse.

– Nives fa la psicologa, non dimenticarlo.

– E quindi?

– Era solo per dire che puntualizza su tutto.

– Per caso ti ha chiesto se stai con qualcuno?

– A me? No, figurati.

Le cose erano andate cosí: Alagia aveva deciso di partire da Padova per starmi vicino in attesa del responso, e non potendo nasconderlo alla madre (anche perché si sarebbe fermata a dormire da lei, nella sua vecchia cameretta), aveva dovuto raccontarle tutto.

Se mi avesse usato la cortesia di avvisarmi, mi sarei preparato all'assalto telefonico (magari non rispondendo), ma Alagia è cosí, ti mette sempre davanti al fatto compiuto. Come quando ha deciso di sposare Heidegger.

A proposito di Heidegger, neanche sto a riportare la lectio magistralis che ha improvvisato al telefono sul senso della vita in bilico (ha usato proprio questa formula) quando Alagia l'ha informato del sospetto linfoma. Carino a preoccuparsi per me, per carità, ma dopo cinque minuti di conferenza s'è cosí incasinato con le stronzate che gli ho detto che secondo me non si era capito (nel senso di lui con se stesso), dunque sarebbe stato utile che se la scrivesse, la lectio, per poi magari richiamarmi; e siccome sono un po' stronzo l'ho anche messo in vivavoce, tanto che Veronica a un certo punto s'è spiaccicata in faccia un cuscino per silenziare le risate.

E niente, sono stato in casa a drogarmi di antibiotici e antinfiammatori aspettando che la ferita smettesse di farmi male e mi passasse una fastidiosa febbriciattola; ho fatto le medicazioni quotidiane (a proposito, non è male vedere un film con le palle al fresco, a patto che sia uno di quelli dove non succede un cazzo); ho inviato ogni giorno a Valiante le foto della ferita per un controllo up to date e relativi consigli di manutenzione; ho rifiutato la proposta di Benny di aprire un gruppo WhatsApp che includesse me, Valiante e lui, per aggiornarlo in tempo reale su eventuali novità (figuriamoci se inviavo anche a Benny le mie foto intime: cretino com'è, le metteva su Facebook); ho concordato con Nives (come già prima con Alagia) di non dire ancora niente ad Alfredo che a breve aveva un esame importante; non ho trombato per temporanea inutilizzabilità del nécessaire ma in compenso mi sono felicemente risvegliato ogni mattina con Veronica, abbiamo fatto colazione a letto (che è un modo di sentirsi ricchi anche se si guadagna pochissimo) e cenato quasi ogni sera con Alagia, la quale con mio grande sollievo ha stabilito un'ottima intesa con Veronica fin dal primo giorno (direi anzi che si piacciono); sono passato un paio di volte allo studio, imbattendomi in una Martiria in edizione straordinaria che non sapeva piú come essere gentile con me, al punto che stavo per chiederle se per favore ritornava stronza, perché gli stronzi che diventano gentili ti mettono in un imbarazzo tremendo, defraudandoti del diritto di detestarli; ho ricevuto la coppia di separandi insicuri che mi ha mandato Gisella, due psicopatici conclamati che per quasi mezz'ora sono stati a rinfacciarsi torti neanche gravi scaduti da diversi anni, ma era chiaro che non potevano fare a meno l'uno dell'altra (che se ci pensate è una maledizione); un giorno Benny ci ha portati al circo, dove ci siamo fatti una foto con un cucciolo di leone che si chiama Filippo; ho letto un paio di libri di cui uno veramente brutto; sempre con Benny siamo andati a una prima teatrale e nell'intervallo fra il primo e il secondo atto Alagia è stata avvicinata da un giovane attore neanche bravo ma molto figo che voleva rimorchiarla a tutti i costi (mi è sembrato che abbia fatto una certa fatica a resistergli); ho comprato su internet un tavolino Klipsk bianco con gambe pieghevoli per rendere piú comoda la colazione a letto; ho riascoltato piú volte *Telegraph Road* dei Dire Straits di cui, non ho idea del perché, ho avvertito un improvviso bisogno; ho imparato che c'è un momento, quando Veronica si lava i denti, in cui rimane a fissarsi nello specchio con il braccio sollevato e lo spazzolino in bocca, e in quella pausa puoi anche suonarle una cornamusa nell'orecchio tanto non sente; verso le sei di sera mi veniva voglia di gelato; una mattina all'ufficio postale dietro casa ho riconosciuto Renato Scarpa, il bravissimo caratterista che ha girato un milione di film tra cui quello di Troisi dove aveva il ruolo di Robertino, il quarantenne complessato sequestrato in casa dalla madre bizzoca; proprio lo stesso giorno, un tipo che diceva di essere stato alle elementari con me mi ha fermato per strada dicendo che mi trovava molto invecchiato ma poi è venuto fuori che non ero chi pensava; ho fatto un paio di capatine in tribunale ma doveva esserci qualche odore che mi nauseava, perché sono dovuto uscire quasi subito; su qualunque canale televisivo girassi c'era qualcuno che pronunciava la parola «geopolitica»; ho avuto svariati confronti con Benny circa i profili penalistici del ricatto di Paparusso in seguito ai quali ho pescato in rete una sentenza della Cassazione che configurava il reato di estorsione, e non quello (sostenuto dalla difesa perché meno grave) di violenza privata, per un aspirante assessore che aveva minacciato la divulgazione di un video hot dell'assessore in carica, contrariamente alla tesi difensiva secondo cui nello specifico non sarebbe stata ipotizzabile l'estorsione per mancanza dell'elemento del vantaggio patrimoniale previsto dall'art. 629 c.p., essendo indubitabile che la finalità cui l'indagato mirava comportasse sia un danno economico per la vittima – la perdita dei compensi o delle indennità legate al ruolo ricoperto – sia dei vantaggi economici per l'indagato, consistenti nei corrispettivi connessi alle possibili cariche a cui aspirava (il che dunque fugava ogni mio dubbio circa il fatto che il reato di Paparusso concretasse un'estorsione in piena regola).

Poi, un venerdí pomeriggio, ho ricevuto la telefonata di Andrea Valiante che mi diceva di avere appena ricevuto l'esito dell'esame istologico.

Era de maggio

Uno dice: «La vita va avanti». Che già non è una frase entusiasmante, perché implica l'idea che vivere valga la pena (dunque, che il dolore faccia parte del pacchetto). Se poi la vita che va avanti non è neanche la tua ma quella degli altri, la prospettiva evolutiva (quella della vita che continua anche senza di te) da cui dovresti guardare al tuo dramma diventa un concerto per trombone. Come se l'angoscia della morte potesse trovare consolazione nell'idea che l'umanità seguiterà a vivere e a riprodursi malgrado la tua assenza.

Ora: io non dico che non m'importi cosa succederà al mondo dopo di me, ma sono piú preoccupato dalla mia fine che dalla sua. Cioè, se potessi scegliere vorrei che finisse lui e non io. L'idea che il mondo non abbia bisogno di me, e quindi non sentirà la mia mancanza se muoio (che poi era l'assunto del discorsetto falsocinico di Valiante), mi lascia del tutto indifferente. Io non chiedo al mondo un posto di rilievo. Non voglio passare alla storia. Io non voglio morire, tutto qua.

Numero privato.

– Ha un linfoma Non Hodgkin diffuso a grandi cellule, – ha detto Valiante. Con lo stesso tono che avrebbe usato se mi avesse chiamato per dirmi: «È benigno», credo.

– Ah, – ho risposto. E poi: – Che significa Non Hodgkin? Sperando che quel «Non» togliesse qualcosa alla brutta notizia.

Era maggio, avevamo pensato di passare un'oretta in spiaggia per goderci il tramonto rimanendo vestiti perché non faceva ancora caldo, ma l'aria era dolce e un vento tiepido ammaliava le cose. Veronica e Alagia erano andate a prendere da bere, io me ne stavo seduto a qualche metro dal mare a guardare l'orizzonte che si colorava d'arancio.

– È una delle due categorie in cui si dividono i linfomi. Il Non Hodgkin ha un'incidenza cinque volte superiore al linfoma di Hodgkin, e colpisce prevalentemente gli adulti. Si differenzia dall'Hodgkin per la mancanza della cellula Reed-Sternberg, un tipo di linfocita a due nuclei che distingue una cellula sana da una malata.

– Va be', non ho capito niente.

– Diciamo che è una differenza che serve piú che altro a definire il piano terapeutico.

– Insomma, ho un tumore, – ho detto fissando un pezzo di legno che scivolava sull'acqua.

– Vincenzo, non dica parolacce. Ha un linfoma. E i linfomi si curano, gliel'ho detto.

– Sí, me lo ricordo.

Siamo rimasti in silenzio per qualche secondo.

– Ora dobbiamo stabilire l'estensione della malattia. E qui finiscono le mie competenze. Ho già parlato con il primario di Ematologia, è un vecchio amico, può ricoverarla anche domani. Se ha degli impegni le consiglio di rinviarli.

Non ho piú detto niente. Non sentivo neanche. Cioè, le parole arrivavano dal telefonino (stadiazione, Tac, eco, esami ematochimici, non è detto che), ma senza comporsi in frasi, come quando la linea va e viene. Continuavo a seguire con gli occhi quel pezzo di legno che scorreva sull'acqua (la fascetta di una cassetta della frutta, forse), pareva legato a un filo trasparente che lo trainava dall'alto. La sola cosa che mi sembrasse viva, in quel momento. Il mare era a due passi, ma cosí distante. E l'aria era diventata insapore. Allora ho affondato le mani nella ghiaia, come per scavare. Il bisogno di aggrapparmi a qualcosa, probabilmente. L'arancio del tramonto, invece, era rimasto incantevole.

Avrebbe dovuto dirmelo, il dottore.
Quando ti darò la notizia, non guardare il tramonto.
Sentirai la mancanza di tutto.

Un altro mondo

«Ma cosa ci faccio qui? Mi sta davvero succedendo questo?» È la domanda che ti fai quando ti ritrovi in pigiama in una corsia di malati di tumore da un giorno all'altro. Inutile dire che è una domanda stupida, non essendoci alcuna ragione per cui un tumore dovrebbe colpire chiunque altro e non te; eppure il sentimento con cui si reagisce a questo cambio di stato è l'incredulità. Anzi, lo scandalo. Come se la vita ti avesse fatto un torto. Di piú: come se fosse venuta meno a un impegno che s'era presa nei tuoi confronti, risolvendo in via unilaterale il suo contratto con te molto prima della scadenza. Come se l'azienda in cui hai lavorato per trent'anni ti buttasse fuori da un giorno all'altro. Un licenziamento ingiustificato, ecco. Allora succede che il primo giorno di ricovero lo passi quasi tutto in corridoio, anticipando inconsciamente il momento in cui ti dimetteranno e tornerai a casa archiviando l'accaduto come un incidente non grave che poteva andare molto ma molto peggio, perché, si sa, si è sempre fortunati nella sfortuna. Ecco, prendete me: se non mi fosse comparso il varicocele, a chi mai sarebbe venuto in mente di venirmi a curiosare nei coglioni?

– Pensi se non le fosse spuntata quella pallina e fossero passati sei mesi, un anno, – dice infatti l'ematologo nel primo colloquio, illustrandomi il da farsi. Sarà un po' piú giovane di me, somiglia vagamente a John Turturro e parla a bassa voce. – Il linfoma avrebbe avuto tutto il tempo di andarsene in giro a fare danni.

– Che culo, eh? – dico; e lui, che in quel momento sta annotando qualcosa sulla mia cartella, stira le labbra in un sorriso divertito ma non mi guarda in faccia.

È fatto cosí, John Turturro (ne avrò conferma nei giorni successivi): all'inizio hai l'impressione che non ti ascolti, invece è attentissimo, e risponde con esattezza a qualsiasi domanda, soprattutto a quelle stupide (tipo: «Morirò?», e lui: «Certo che sí. Anch'io»).

È nelle sue mani che mi ha messo Valiante quando mi hanno ricoverato per la stadiazione (altra parola che ignoravo e sfratterei volentieri dal mio vocabolario: è la valutazione dell'estensione del tumore in base a una serie di esami clinici).

– Non se ne può piú di questa storia della fortuna che appare nella sfiga a scopo di bilanciamento, – continuo, visto che Turturro non replica. – Mai una volta che si presenti da sola, in visita di cortesia.

– Quello che ci serve sapere, adesso, e lo sapremo prestissimo, – dice John, per il quale la mia divagazione sulla fortuna è durata già abbastanza, evidentemente, – è se e quanto il tumore si sia esteso rispetto alla sede di sviluppo.

– Secondo lei?

Adesso mi guarda, ma come per chiedermi che domanda è.

– Se le potessi rispondere ci risparmieremmo gli esami che dobbiamo fare, non le sembra?

– E già, – dico mortificato.

John se ne accorge, e diventa piú affabile.

– Ma a giudicare dalle dimensioni del nodulo, direi che è rimasto lí.

M'illumino.

– Certo posso sbagliarmi, – corregge il tiro.
«Sí, vabbuo'», penso.
– Facciamo che ritiro la domanda, – dico.
Stavolta è lui che non trova le parole.
– È mai stato rivoltato come un calzino? – mi chiede dopo un po'.
– Prego?
– Si prepari, perché è quello che le faremo. I calzini rivoltati non mentono.
– Nel senso che se c'è un buco si vede?
– Già.
– Ah, che bella immagine. E che bella prospettiva.
Qui s'infila la cartella sotto il braccio e con l'altra mano mi indica un confine immaginario.
– Vede, all'orizzonte abbiamo un nemico che si sta organizzando per venirci addosso.
Seguo pedissequamente la traiettoria del suo dito. Ma quanti anni ho, che seguo pedissequamente la traiettoria del dito di un altro? Aurelio, il mio compagno di stanza, infatti mi guarda come a dire: «Ma che fai».
– E dobbiamo sterminarlo prima che formi l'esercito, – aggiunge.
Che non è un capolavoro di metafora, ma mi piace come suona.
– Chemio, – sintetizzo.
– Forse anche radioterapia, per colpire direttamente il santuario dove si è annidato il tumore, senza intaccare i tessuti sani circostanti. Come se bombardassimo un covo senza buttare giú tutta la città. La chemio invece è sistemica: circola nel sangue e si diffonde nell'organismo raggiungendo tutte le cellule tumorali che trova. Ma facciamo un passo alla volta. Ora dobbiamo prendere le misure, mi segue?

– Direi di sí.

– Bene. Al lavoro.

Fa per andarsene. Aurelio, allettato da oltre quaranta giorni per una leucemia grave, lo saluta con un debole gesto della mano, che John ricambia.

– Dottore, – lo chiamo un attimo prima che esca dalla stanza (una volta usciti dalle stanze, i dottori scompaiono nel nulla. Non li prendi piú).

– Un consiglio, avvocato, – dice voltandosi e lasciando andare un piccolo sospiro, che però sento perfettamente. – Mi chieda tutto quello che vuole ma un po' per volta, man mano che procediamo con la stadiazione. E non perché non le voglia rispondere, ma perché se mi domanda tutto insieme finirà per dimenticare la metà delle risposte. Glielo dico per esperienza.

– Se le chiedo semplicemente quanto durano le cure, c'è speranza che me lo ricordi?

Questa dev'essergli suonata come un lieve vaffanculo, a giudicare dalla smorfia tollerante che gli compare sulla bocca.

– Dai quattro ai sei mesi.

«Come?», penso.

– Tutto qui? – dico.

– Tutto qui.

– Guardi che stavo scherzando.

– Sí, anch'io.

– Meno non succede mai?

– No. I tempi sono proprio quelli. Il programma terapeutico prevede quattro-sei cicli di chemio per un periodo di quattro-sei mesi, appunto.

– Oh Cristo santo.

– Si aspettava una chemio full immersion?

– Scusi. È che mi deprime un po' il futuro che mi ha predetto.

– Guardi che è un futuro breve, avvocato. E non la teniamo mica in ospedale. Le sedute di chemioterapia si fanno ambulatorialmente, ogni tre settimane. Lei è in buona forma, non c'è bisogno di ricoverarla.

Non dico niente. Devo fargli un po' pena, perché viene a posarmi una mano sulla spalla.

– Si fidi di noi. Vedrà che ne sarà fuori prima di quanto pensa.

Questa frase, non so perché, mi prende alla gola.

– E vabbe', Vince', fa presto er dottore, – dice Aurelio quando restiamo soli, in testaccino doc. Ha un accento cosí musicale che lo senti anche se dice Buongiorno, e ti mette subito di buonumore (i romani sono cosí, quando parlano sembra che chiedano alla vita chi si crede di essere).

Appena sono arrivato mi faceva impressione, emaciato e pallido com'è, ma dopo mezz'ora non avevo piú nessun imbarazzo. E poi Aurelio ha un senso dell'umorismo che non so come faccia a conservare, nelle condizioni in cui si trova.

Un mese fa (dopo una lunga degenza) stavano per dimetterlo, poi gli è venuta una febbre che non vuol saperne di passare e lo indebolisce ogni giorno di piú, tanto che a volte non ce la fa neanche ad alzarsi per andare a pisciare e bisogna dargli la busta (il pappagallo di una volta). Ma quello che ti stringe il cuore è che ha sempre freddo, e se ne sta sepolto giorno e notte sotto vari strati di coperte.

– Come sarebbe? – gli domando.

– È faticosa, 'a chemio. Nun te fa' illusioni, t' 'o dico.

– Ah sí, eh? Be', grazie, Aure. Sono contento che siamo già amici.

– Nun me fa ride, che me sento peggio.

– Ma scusa, invece di tirarmi su te ne esci con queste frasi.

– E 'nveçe è mmejo, damme retta. Cosí te prepari. E poi te credi che 'sti tre giorni de stadiazzione so' 'na passeggiata? Aspetta che te fanno l'agospirato e me dai 'na voçe.

– Aure!

– Te 'nfileno 'n ago lungo cosí ne la schina e tireno. Nun pòj capí che ddolore senti.

– Mò ti sputo in faccia.

– Ma sto a scherza'.

– Be', è uno scherzo stronzo.

Mi guarda, serissimo.

Anch'io lo guardo, serissimo.

Poi scoppiamo a ridere come due deficienti.

Sapete cosa? Se mi fosse capitato un altro compagno di stanza, uno scontroso o depresso, oppure ammutolito dal dolore o dalla consapevolezza di non farcela, a quest'ora starei molto peggio. Insomma, non è un gran momento, diciamocelo. Ho un tumore (che già non è una bella notizia), ma non so quanto tumore ho. Se ha già figliato e spedito i suoi scagnozzi in qualche mio anfratto, o se è appena nato e riusciremo a sopprimerlo prima che lui sopprima me. Però la vicinanza di un malato che non perde la voglia di scherzare mi mette la speranza in corpo.

Sono in un reparto d'ospedale, sono in pericolo. Ma da quando sono entrato qui dentro, dopo lo sgomento iniziale, mi sento meno solo. Ci sono gli altri, qui. C'è Aurelio. Massimo. Fujuko. Sandro. Jameel. I loro figli, le loro mogli, i loro mariti. Una ragazza piú giovane di Alagia, nella stanza di fronte. Si chiama Elettra, e cammina con le stampelle. Non ha piú i capelli e neanche le sopracciglia. Ma se la vedeste quando sorride.

In trincea, dopo un po', il tumore diventa una faccenda politica. Il tuo dramma non riguarda solo te. E volete saperne un'altra? Ci vedo un senso nell'essere qui, proprio adesso che ho piú paura.

Mi piace l'idea che siamo in tanti nello stesso recinto, e che possiamo farcela.

Sentinelle

La seconda notte è stata difficile. Aurelio ha sofferto molto il freddo, tanto che gli infermieri sono venuti in coppia a frizionargli il corpo.

– Scusa si te svejamo Vince', me danno 'na sdruçinata e me passa, – mi ha detto con i denti che gli battevano.

È andata cosí, effettivamente, ma è durata un po'.

Claudio e Federica, gli infermieri di turno, sembravano pratici di quel genere di manovra. Dopo un po' il mio compagno di stanza ha smesso di ansimare e di agitarsi, e il respiro si è regolarizzato. I ragazzi sono andati via come se non avessero fatto niente di che. Resto sempre sorpreso dalla leggerezza con cui i bravi infermieri trattano le emergenze. Al posto loro me la tirerei un po'.

Io e Aurelio siamo rimasti lí nella penombra, con il suono cadenzato della pompa infusionale in sottofondo, ad aspettare di riaddormentarci.

– A Vince', – mi ha chiamato a un certo punto.

– Eeh.

– Che, m' 'a leggi 'na favola?

Ho sollevato la testa dal cuscino e l'ho voltata piano verso di lui.

Aveva infilato la testa sotto le coperte, e stava già ridendo.

Nel primo turno di ricevimento è venuto a trovarlo un signore sui sessanta, gli occhi chiarissimi e severi, il fisico asciutto di uno che lavora di braccia. Aveva in mano la busta di un grande magazzino da cui sbucava un pacco infiocchettato.

Aurelio dormiva profondamente, non l'avevano svegliato né i carrelli del pranzo che andavano su e giú per il corridoio né il «Misurate la temperatura, graziee!» urlato poco prima dall'infermiera (ogni paziente dispone di un termometro digitale con cui si automonitora piú volte al giorno su richiesta degli infermieri, che poi passano a raccogliere le informazioni).

L'uomo è rimasto in piedi a fissarlo con il regalo in mano e le sopracciglia inarcate, quasi ce l'avesse con la malattia di Aurelio e non si capacitasse di non riuscire a fare qualcosa. Se ne stava lí, sentinella impotente, a vigilare sui suoi respiri; come abbiamo fatto tutti almeno una volta nella vita spiava il sonno di qualcuno che amava, registrando con gli occhi il gonfiore del torace.

Dopo un po' Veronica gli ha offerto la sedia. Lui ha rifiutato con gentilezza ed è rimasto al suo posto a fissare Aurelio che continuava a dormire con la testa infilata per metà sotto le coperte. Allora Veronica e io ci siamo guardati e siamo usciti dalla stanza.

– Aurelio, ma chi era quel signore, tuo fratello? – gli ha chiesto piú tardi Veronica.

– Chi, Marco? De ppiú, è 'n amico.

– Bella questa, – ho detto io.

– Lo sai che è rimasto lí in piedi a guardarti finché non gli hanno detto di andarsene? – ha chiesto Veronica.

– E lo so sí.

– Ah, quindi te ne sei accorto, – ho detto.

– E certo. Solo che ciavevo 'na cecagna. Ma nun fa gnente, lui ce lo sa che l'ho vvisto.

Siamo rimasti ammutoliti, probabilmente vergognandoci di non aver mai avuto un'amicizia cosí.

Veronica arriva un'ora prima dell'orario di visita, va via verso le due, ritorna intorno alle cinque e gli infermieri lasciano che si trattenga un'oretta piú del consentito.

Ha un impiego in uno studio di architettura di un suo amico, e mi pare che stia tirando un po' troppo la corda. Quando glielo faccio presente, chiedendole di venire una volta al giorno, alla chiusura dell'ufficio, si arrabbia come una scimmia urlatrice. La guardo come a ricordarle che fino all'altro ieri era lei, e non io, a non credere in noi due, ma non lo dico, perché questa nuova Veronica che disconosce la precedente e si comporta come se l'altra non fosse mai esistita mi piace un sacco.

Può anche darsi che questa ostinazione a piantonarmi dipenda da una competizione piú o meno inconscia con Nives, che ha conosciuto ieri quand'è venuta a trovarmi con Alfredo (a cui, per forza di cose, abbiamo dovuto dire tutto). Nives l'ha proprio colpita. E Veronica – lo sapete – è patologicamente gelosa delle donne che ammira. Magari c'entra anche il fatto che in passato ha avuto una fase lesbo, non so. Presentale una tua ex, anche oggettivamente bella ma povera di personalità, e potrai ballarci la macarena in mutande senza che gliene freghi assolutamente nulla; mettile davanti una donna con cui hai avuto una storiella, che però trova interessante e dice qualcosa che attira la sua attenzione, e ti tratterà come un pregiudicato che deve farne di strada prima di emendarsi dalle sue colpe.

Credo, tra l'altro, che Nives ricambi la simpatia di Veronica, perché nel suo atteggiamento, quando si sono incontrate, non c'era alcuna morbosità, alcun astio; tanto che ho anche pensato chissà se ha qualcuno, e finalmente ha trovato requie anche lei.

Con Alagia mi spingerei a dire che stanno diventando amiche. Si scambiano messaggi, ridono, parlano sottovoce, si organizzano per venire insieme in ospedale, mi scortano quando vengo deportato in radiologia per gli esami. E anche Alfredo, che non mi ha mai chiesto della mia vita sentimentale (credo per evitare che io gli chieda della sua), mi ha detto: «Ma dove l'hai trovata».

A proposito di esami, Aurelio aveva detto la verità: con l'agoaspirato (ovvero la biopsia osteomidollare) è stata dura.

Quando la piú giovane dottoressa dell'équipe (che ha la singolare abitudine di sfiorare la commozione se guarda i pazienti negli occhi) s'è presentata in camera armata di una siringa che (giuro) aveva l'aspetto di un cacciavite, e ha esordito dicendo: «Non si faccia problemi a chiamarmi come vuole, ne ha diritto perché le farò male», mi sono riproposto di non emettere un solo lamento. E cosí ho fatto.

Terminato il prelievo, era cosí stupita dal mio silenzio che quasi le dispiaceva non l'avessi presa a male parole. Che dire? Quando la sofferenza è inevitabile mi aiuto con la rassegnazione (lo consiglio: se si mette male smettete di resistere, è meglio).

Comunque il dolore dell'agoaspirato è stato niente rispetto all'angoscia della Tac total body, la mattina dopo. Il peggio, oltretutto, non è nemmeno quando t'infornano, ma quando ti tirano fuori e non dicono niente.

Allora l'ho chiesto io, all'assistente che mi toglieva l'ago dal braccio, se potevo già sapere com'era andata.

– Lo sapremo domattina. È il medico che deve dirglielo, io sono solo un tecnico. Però.

– Però cosa.

– Ho una certa esperienza. Se ci fosse stato qualcosa di grosso l'avrei già visto.

Una frase del genere, è chiaro, sarebbe meglio tenersela per sé. Cioè, non sei mica un medico, l'hai detto tu.

Ma, visto che avevi ragione, chi se ne frega.

Dell'intempestività delle nomine fiduciarie

John Turturro entra in camera con un sorriso da qui a qui.

– Allora, Vincenzo, sembra proprio che siamo arrivati in tempo, la Tac è buona.

Attimo di silenzio, poi: Alagia mi butta le braccia al collo; Veronica mi prende la mano e mi fa male tanto me la stringe; Alfredo salta sul posto e quasi mi travolge insieme al comodino; Aurelio applaude e dice: «Bis, bis!» (bah). Manca Benny, ma sta arrivando (quanto mi è stato vicino in questi giorni non potete nemmeno immaginarlo).

Cosa provo in questo momento? Vediamo... come se dopo quattro giorni di ricovero in ospedale in cui ti hanno analizzato come una cavia, martoriato le vene, scannerizzato in ogni posizione, infilato un ago nella schiena per aspirarti del sangue midollare, scrutato in ogni anfratto scrutabile, il dottore capo che ha diretto le operazioni venisse nella tua stanza e ti dicesse: «È andata bene». Ecco cosa provo in questo momento.

Finiti i festeggiamenti, John ci richiama al protocollo.

– Veniamo a noi.

– Perché, finora dov'eravamo? – chiede Alagia; e Veronica le rivolge un cenno che significa qualcosa come: «Ben detto».

John le ignora e viene al punto:

– Entro le 15 la dimetto, cosí liberiamo anche il posto.

– Sul serio? – chiedo raggiante. Ragazzi, è come se mi avessero tolto un pianoforte gran coda dalle spalle.

– Sí. Tutto quel che c'era da fare l'abbiamo fatto. Abbiamo anche stilato lo schema di cura, farà sei cicli di R-CHOP. A seguire, la radio.

– Erre che? – domanda Alfredo.

– È 'n acromino, – risponde Aurelio non interrogato. – Vordí Riticchesinabbe, Ciclofosfamide, Docchesorubbiçina, Vincristina, Prennisole. Dico bene, dotto'?

– Sí, prendisole, come no. Mò je famo fà 'a terapia cor pareo, – gli risponde il dottore nella sua lingua.

Ridiamo a cappella.

– E vabbe', però ll'artri j'ho detti bene.

– Eh, sí, bravo, hai studiato, – lo compiace John.

– Ma cos'è che ha detto? – chiede Alagia al dottore, seria.

– Intendeva Prednisone, – risponde Veronica. – Uno dei farmaci della R-CHOP.

– E tu come lo sai?

– Google.

– Bella, questa riunione collegiale spontanea, – commenta Turturro. – Qualcun altro vuol dire la sua?

Tutti zitti.

– Stavo dicendo, – riprende. – Farà sei cicli, uno ogni tre settimane. In ambulatorio, come le avevo anticipato. La prima seduta sarà preceduta da un colloquio in cui le spiegheremo nei dettagli come si articolerà la cura. Finito il trattamento, torna a casa e ci rivediamo alla prossima.

– Quindi potrà fare una vita normale? – domanda Alfredo.

– Sí, abbastanza. Certo, dovrà riguardarsi. Usare degli accorgimenti. Evitare i luoghi affollati, come treni, pullman, aerei, cinema, teatri. Esporsi il meno possibile alle infezioni. Risparmiare le energie, rispettare la copertura farmacologica. Bere molto. Ah, dimenticavo: insieme alla chemio farà anche l'immunoterapia.

– Vabbe', ma quella è 'na puncicata su la panza, dura tre seconni, manco te n'accorgi, – mi rassicura Aurelio.

John mi guarda come a voler condividere lo sconcerto per la seconda interruzione, io non so cosa dire (sono anche comprensibilmente interessato alla notizia che mi ha appena dato Aurelio), Veronica e i miei figli diventano paonazzi per lo sforzo di trattenere le risate.

– Un'altra parola e ti porto nel corridoio con tutto il lettino, – intima John Turturro.

– A dotto', stavo a da' 'na mano.

John solleva l'indice fissandolo negli occhi.

– Occhei, – fa Aurelio. E finalmente si tace.

– Insomma, tutto come da programma, – torna in argomento Veronica. – Non è proprio possibile evitare la chemio.

– Assolutamente no, – conferma John, – il tumore va aggredito con gli armamenti adeguati. Tant'è che passata la chemio, come stavo per dirvi prima che m'interrompesse lo stagista, qui, procederemo con la radioterapia per entrambi i testicoli.

– Tutti e due? Ma non era malato solo il destro? – chiedo.

– Il linfoma tende a riprodursi nell'organo gemello. Dobbiamo assicurarci d'impedire la replica.

– Ah.

– Questo, devo avvertirla, – qui guarda in faccia anche Veronica, – la renderà sterile.

Restiamo in silenzio per qualche secondo.

– Ma vedo che da quel punto di vista siete già coperti, – aggiunge riferendosi ad Alagia e Alf.

– Non sono miei, – precisa Veronica.

– Ah. Chiedo scusa.

– Ma sarei felice che lo fossero, – aggiunge lei.

Alfredo rincula (sono pronto a scommettere che questo è il momento preciso in cui comincia a volerle bene). Alagia le stringe il braccio.

– È un uomo fortunato, – dice Turturro a Veronica, indicandomi.

– Lo so, – replico, mentre lei mi prende la mano. Dove (e soprattutto perché) la vecchia Veronica ha sequestrato quest'altra tutto questo tempo vorrei proprio saperlo.

– Va be', inizi a prepararsi. Passo fra poco con il foglio di dimissione. Lí troverà tutto, incluse le prescrizioni della terapia domiciliare e delle prossime analisi.

– Terapia domiciliare? – chiede Alagia.

– Le medicine da prendere a casa, – risponde John; e Aurelio la guarda come a dire: «Questa però era facile».

– Dottore, – lo trattengo ancora una volta sulla porta.

Si gira spazientito.

– Vincenzo, le ho detto che passo fra poco. E stia tranquillo che nei prossimi mesi ci vedremo spesso. Giuro che non scappo.

– Santiddio, volevo solo sapere quali effetti collaterali devo aspettarmi.

– Non abbiamo neanche iniziato la terapia e già pensa agli effetti collaterali?

– Fosse per me ne farei volentieri a meno, ma date le circostanze mi sembra il caso, non le pare?

– Vorrebbe che le parlassi di nausea, vomito, anemia, spossatezza, difficoltà di respirazione, abbassamento dei globuli bianchi e conseguente esposizione alle infezioni, prurito alla punta delle dita, piccole ulcere alla bocca, caduta dei capelli...

– Basta.

– È lei che me l'ha chiesto, io non volevo mica dirglielo. Ma...

– Ma cosa? – chiede Veronica tradendo volutamente una puntina d'irritazione.

– Ma non è affatto detto che abbia queste reazioni. Ci limitiamo a riferire dei dati generici. Scolastici, se vuole. L'esperienza ci dice che ogni paziente risponde alle cure in modo soggettivo. Mi capita spesso che mi riferiscano dei disturbi (tipo un'ipoacusia violenta, proprio l'altro ieri) sconosciuti alle nostre statistiche. A giudicare dalle condizioni di Vincenzo, sarei pronto a scommettere che reggerà bene la terapia.

– Ma i capelli li perderò, vero?

China la testa sulla spalla per scrutarmi di lato.

– Non mi sembra un cantante heavy metal.

«Che battuta del cazzo», vorrei tanto dirgli.

Quel cretino di Aurelio ride.

– Questo non significa che sia contento di perdere i pochi che ho.

– Ricrescono, non si preoccupi. Anche piú forti di prima. E comunque non mi pare il caso di preoccuparci del look.

Annuisco (come non dargli ragione, del resto?), ma vorrei mandarlo a cagare.

Fa per andarsene, poi gli viene in mente qualcosa. Per una volta non sono io che lo fermo.

– Ah, – dice.

– Cosa, – chiedo.

– Ce l'ha il mio numero?

Guardo Veronica.

– Intende proprio il suo? – domando.

– Quale, se no?

– No, pensavo quello del suo interno, del reparto... dell'ospedale, insomma.

– Quelli li trova in elenco. Se lo segni.

Rimango spiazzato da tanta disponibilità. Agguanto il telefonino e memorizzo voracemente il numero di Turturro, prima che cambi idea. Veronica e Alagia mi imitano a ruota.

– Potete chiamarmi dalle nove del mattino alle sei del pomeriggio, per qualsiasi necessità. Se non rispondo subito vuol dire che non posso. Ma in quel caso ritelefono io.

– Dottore, grazie, – mi precede Veronica.

– Posso andare, adesso? – mi chiede Turturro. – Non è che arrivato alla porta mi richiama?

Sorrido.

Sapete? Mi sento leggerissimo, in questo momento. Il sollievo è un tipo di felicità.

– Ci vediamo tra poco, – conclude John; quindi dice indistintamente a Veronica, Alfredo e Alagia che due di loro dovrebbero aspettare in sala d'attesa perché la regola è che in stanza resti una sola persona. I miei ragazzi ne approfittano per fare un salto al bar e io e Veronica iniziamo a raccogliere le mie cose.

Dopo un po', Aurelio non può fare a meno di darci un'informazione di vitale importanza.

– Nun vorei di', Vince', ma er dottore s'è dimenticato 'na cosa.

– Cosa, – dico.

– Cioè, seconno me nun t' 'a vorzuta di'.

– Ma cosa, Aurelio. Parla, – si spazientisce Veronica.

– Vabbe', gnente. La chemio comprenne puro quattro lombari.

– Lombari? – diciamo all'unisono Veronica e io.

– Nun ve spaventate, è solo 'na puncicata ne la schina. Certo, fa male, ma è 'n attimo. Te 'gnettano 'sto farmaco, er Metotracchesate, che serve a 'mpedí che 'e cellule malate s'arampicheno su pe' la colonna vertebbrale tipo scalinata e t'arivino ar cervello. Er fatto è che devi da sta' disteso sei ore a guardà er soffitto. De cui quattro senza guanciale. Ma popo disteso, eh. Mica sur fianco. A panza per aria. Supino supino, capito?

Ci guardiamo in faccia basiti.

– Se stai dicendo una palla, Aure, giuro che compro apposta una bottiglia di succo di frutta, ma non la piccola, quella da un litro, e te la rovescio sul pigiama.

– E che, sto a scherza'? Chiedi ar professore, si nun me credi.

– Grazie dell'anteprima, Aure. Ne avevamo davvero bisogno.

– Figurete, avvoca'. Si nun ciaiutamo fra dde noi.

Sto per rispondergli di non fingere di prendermi alla lettera quando mi suona il cellulare sul comodino.

Veronica me lo passa.

Numero ignoto.

– Pronto.

– L'avvocato Malinconico?

– Sono io.

– Buongiorno, è la questura.

Guardo Veronica, che corruga le sopracciglia.

– La questura? – dico, piú che altro perché mi senta e intuisca perché l'ho guardata.

Lei accenna un no con la testa (non ho mai capito perché in questi casi la negazione vale come domanda). Aurelio si tira su con la schiena, piú curioso di una capera da balconcino d'ammezzato.

– C'è qui il sindaco. È in stato di fermo, purtroppo. Potrebbe venire? Stiamo per procedere all'interrogatorio.

– Cos'ha fatto?

Veronica avvicina l'orecchio. Aurelio tra un po' cade, tanto si sta sporgendo dal letto.

– Ha ferito un uomo, che adesso è in ospedale. Colpito alla testa. Ma le dirà tutto il magistrato, che sta arrivando.

– Ma come sta? S'è fatto male anche lui?

– No, lui nulla. Non posso dirle altro, al telefono. Per favore, mi dica solo se può venire, il sindaco ha chiesto espressamente di lei.

Resto interdetto per qualche secondo. Non è nemmeno che cada dalle nuvole, ma gli avvenimenti recenti stanno correndo un po' troppo, per i miei ritmi.

– Avvocato Malinconico?

Altra brevissima pausa.

– Va bene. Mi serve almeno un'ora, però. Capirà, su due piedi.

– D'accordo, riferisco. Del resto il Pm non è ancora arrivato. Comunque se riesce un po' prima tanto meglio.

– Ci provo.

– Allora l'aspettiamo. Grazie, avvocato.

– A lei. A dopo.

Chiudo il telefono e resto a fissare l'aria. Probabile che l'uomo in ospedale sia Paparusso. Colpito alla testa, ha detto il poliziotto. Ma come? Con cosa? E quando? Sul perché, c'è poco da supporre.

– Un'ora? – chiede Veronica. – Ma che è stato, dove devi correre cosí all'improvviso che non ci hanno nemmeno dimesso?

Sono ancora lí che congetturo a vanvera, per cui non le rispondo.

– A Vince', – mi richiama (in senso disciplinare) Aurelio dal suo letto.

Veronica si volta verso di lui prima ancora che io esca dall'incantamento.
– E ce vòj di' che cazzo è successo?

Ma indispettito, giuro. Come gli stessi colpevolmente tacendo un'informazione che ha il diritto di sapere.

Sciancateddu

Se la lingua italiana ha un senso proprio che travalica quello dei linguaggi settoriali, il collaboratore di giustizia non è solo chi fa nomi e cognomi e svela retroscena criminosi che forniscono materiale probatorio agli inquirenti, ma anche l'indagato di un procedimento che facilita il lavoro della magistratura nel pervenire alla rapida definizione di una vicenda giudiziaria. Detta che si capisce, è collaboratore di giustizia non solo il pentito, ma anche chi dal primo momento ammette le sue colpe e rende la vita facile ai magistrati.

Se questo è vero (e letteralmente lo è), allora Mario Dasporto si sta comportando da perfetto collaboratore di giustizia, tanto è capillare nel racconto dei fatti e disinvolto nel riconoscere le proprie responsabilità. Tra una risposta e l'altra, infatti, il pubblico ministero mi guarda come per lasciarmi intendere che non gli era mai capitato di condurre un interrogatorio cosí.

In effetti pare di star facendo non dico la pista cifrata, ma almeno le parole crociate facilitate; e mi rilasserei anch'io, se Dasporto non rischiasse un'accusa di tentato omicidio (o addirittura consumato, nel caso la persona offesa, attualmente in prognosi riservata, tirasse le cuoia nel prossimo futuro).

Tanto per cominciare, appena la polizia lo ha tradotto

(in italiano: portato) in questura dopo il fatto, e il procuratore della Repubblica di turno è venuto a interrogarlo, il sindaco (su sollecitazione dello stesso Pm accolta anche da me, benché avessi avuto non piú di cinque o sei minuti per parlare con Dasporto) ha rinunciato ai termini di comparizione ex art. 375 c.p.p. per essere sentito immediatamente dal magistrato; quindi ha riferito l'accaduto nei minimi particolari, come non vedesse l'ora di ufficializzarlo.

Cos'ha fatto? Be', ha fracassato una brocca di cristallo massiccio (intagliato, oltretutto) sulla testa (o meglio in faccia, ma l'urto ha ovviamente interessato l'intera scatola cranica) di Giovanni Paparusso.

E il bello è che, dopo averlo ammesso (testuale: «Gli ho spaccato la brocca di cristallo in faccia», affermazione di cui credo si colga anche a orecchio la gravità penalistica), ha aggiunto che, nonostante in quel momento fosse impazzito di rabbia e dunque avesse un ricordo vago e impreciso delle proprie azioni, se il ricattatore avesse ripetuto la frase che aveva fatto scattare la sua reazione avrebbe tranquillamente fatto il bis senza pensarci sopra, anzi stavolta avrebbe cercato di sferrare il colpo dall'alto invece che in senso circolare, a mo' di schiaffo, come gli sembrava di ricordare d'aver fatto.

Al che gli ho posato una mano sulla spalla per fargli capire che non era il caso di aggravare gratuitamente la sua situazione.

– Per fracassare una caraffa di cristallo intagliato con un solo colpo ci vuole una forza notevole, considerando il peso dell'oggetto e la resistenza del corpo contro cui la brocca si schianta, – osserva il Pm.

– Infatti non so proprio dove ho preso quell'energia, – gli dà ragione Dasporto. – Voglio dire, mi guardi: non sono robusto, non sono uno sportivo e ho anche un carattere mite. Non ho mai fatto a botte in vita mia. Anzi, una volta. E le ho prese.

Potrei anche ridere, se la battuta non mi suscitasse empatia, piú che ilarità. Da quando siamo entrati in questo ufficio, mi pare di avere di fronte un altro uomo. Sincero, limpido, coraggioso: l'esatto contrario del politico opportunista, accomodante e codardo che ho conosciuto nel mio studio.

Mi dispiace che Venere non sia qui. Dovrebbe vederlo, suo padre, adesso.

– So che rischio di dare un'impressione negativa, ma non sono mai stato cosí sereno in vita mia, – continua il sindaco. – Riconosco in pieno quello che ho fatto e me ne assumo totalmente la responsabilità. È curioso, ma mi sento libero, in questo momento.

– Giudice, – intervengo, – la pregherei d'interpretare queste affermazioni un po' ridondanti come conseguenze di una reazione traumatica. Non vorrei che pensasse che il sindaco si stia compiacendo di aver mandato un uomo in ospedale.

Poi guardo Dasporto come a dirgli: «Perché non chiudi quella cazzo di bocca».

– E quanto alla forza impiegata nel colpo inferto, – aggiungo, – ritengo che solo una provocazione intollerabile possa aver scatenato un impulso rabbioso tale da liberare un'energia fisica che il sindaco neanche sospettava di avere.

– Terrò senz'altro conto dello shock emotivo del suo cliente, avvocato. Sia dell'attuale, che lo fa straparlare un po', sia di quello che lo ha, diciamo cosí, alterato al momento del fatto. Ma ora abbiamo una persona in ospedale con una brutta ferita alla testa e una commozione cerebrale di cui ancora non conosciamo le possibili complicanze.

E lei sa bene che, se le condizioni della persona offesa dovessero peggiorare, le dichiarazioni che sta rilasciando il sindaco non farebbero che aggravarne la posizione, perché non solo si è dichiarato colpevole del reato, ma ne ha rivendicato il dolo.

– Altroché se lo so, – dico, guardando il sindaco negli occhi, anche se la mia vera battuta, perfettamente leggibile in sovrimpressione, è: «Bravo, stronzo». Ma sembra proprio che a Dasporto, al momento, la prospettiva di vedere il cielo a quadretti non faccia né caldo né freddo.

«Certo che siete belli strani in famiglia», vorrei dirgli.

Comunque, ecco com'è andata: Dasporto ha accettato d'incontrare Paparusso in un ristorante del centro storico. Scopo del finto pranzo, venire al dunque del ricatto con lo scambio delle promesse: quella di Paparusso di cancellare il video girato all'insaputa di Venere, e quella del sindaco di designarlo suo successore in una conferenza stampa da convocare a breve.

All'inizio, il dialogo (ammesso che si possa definire dialogo quello tra un estorsore e la sua vittima) era pacato (Paparusso, del resto, teneva Dasporto sulla griglia già da un po', per cui si trattava solo di concludere); poi, a un tratto, senza un alterco, un diverbio, un crescendo, l'impatto.

Un gruppo di avventori del ristorante ha riferito di aver visto il sindaco alzarsi dal tavolo all'improvviso, afferrare furiosamente per il manico la pesante caraffa di cristallo mezza piena d'acqua, fra l'altro, e con quella colpire al volto Paparusso, che stramazzava, esanime, sul pavimento.

– È andata esattamente cosí, – conferma Dasporto. – E dire che avevo ceduto al ricatto. Stavo per chiamare il mio collaboratore per dirgli di anticipare la conferenza stampa.

– Ah, cosí, – fa il Pm.

E mi guarda come a dire: «Ma lo senti, questo?»

– Sí, cosí. Ma era una decisione che avevo maturato nel tempo, giudice. Come le ho detto, eravamo all'ultima puntata del ricatto.

– Potremmo considerare un'aggravante dell'estorsione la procurata lievitazione della paura della persona minacciata, giudice? – propongo.

– Interessante, avvocato. Lo dice perché era già al corrente del ricatto?

– Una semplice supposizione, – rispondo.

– Già, – fa lui; ma suona come un: «Sissí».

«Figurati se adesso ti vengo a dire che già sapevo», penso. Ma che cazzo di domande fa, questo?

– E mi dica, sindaco, – riprende il Pm, – il video con cui Paparusso la ricattava…

Dasporto chiude gli occhi in un'espressione esasperata.

– Cos'altro devo dirle?

– No, non voglio che me lo descriva di nuovo. Vorrei sapere quando lo ha visto.

– Non al ristorante, se è quello che intende.

– E quando, allora?

– Circa tre settimane fa.

– Quindi era sotto ricatto da tre settimane e non lo ha denunciato, – fa il Pm.

E di nuovo guarda me.

Oh, ma che vuoi.

– Se le ho detto che avevo deciso di accettare, scusi, – ribadisce Dasporto, neutralizzando il rimprovero. – C'è mia figlia, in quel video. E io sono candidato alle Regionali, come sa.

– Ne sono al corrente, sí.

– Credo siano ragioni sufficienti per cedere al ricatto.

– Questo lo dice lei.

– Lo dicevo, semmai, visto che poi gli ho spaccato la brocca in faccia.

Ma sei cretino?, vorrei dirgli.

– Se emanasse meno soddisfazione quando ripete questo concetto, sindaco, sarebbe meglio, – gli consiglia il Pm.

– Giudice, spero vorrà tenere nel dovuto conto la collaborazione che il sindaco sta offrendo, – dico.

– Non ne dubiti, avvocato Malinconico. Anzi, sono sinceramente ammirato dalla prontezza con cui il suo cliente risponde alle mie domande prima ancora che gliele faccia.

Che fai, sfotti?

– Facciamo un passo indietro. Per favore, sindaco, mi racconti bene cos'è successo al ristorante.

– Avevamo appuntamento all'una e trenta da *Lorenzi*, nel centro storico.

– Sí, lo conosco. Quello col giardino interno.

– Esatto. Sono arrivato con qualche minuto di ritardo. In taxi. Da solo. Paparusso era già lí, nel giardino, appunto, seduto a un tavolo fra gli altri, neanche appartato. Mi ha detto di posare il cellulare davanti a lui, cosa che ho fatto. Lo ha guardato da vicino (per controllare che non avessi avviato la funzione di registrazione, immagino), poi s'è tolto il telefono di tasca e l'ha posato accanto al mio. Un rituale che mi è sembrato piuttosto ridicolo, date le circostanze.

– Decisamente, – osservo. – Cosa voleva dimostrare, che giocavate a carte scoperte?

Il Pm alza la mano per rimarcare la superfluità del mio commento. Quanto vorrei mandarlo affanculo, non avete idea.

– Infatti, – continua Dasporto. – Anche perché subito dopo mi ha chiesto se avevo qualcosa addosso. Al che ho fatto per alzarmi dicendogli che poteva perquisirmi, se voleva. «Non c'è bisogno, hai troppo da perdere», mi ha risposto. Il che era vero.

– Continui.

– Mi ha chiesto se eravamo d'accordo. Si è tenuto sul generico, cercando, nei limiti del possibile, di non dire niente di compromettente. Gli ho detto che ero disposto a convocare una conferenza stampa nel giro di una settimana purché quella storia finisse e nonostante nulla mi garantisse che sarebbe finita, mentre lui si sarebbe trovato in una botte di ferro, una volta ufficializzata la faccenda. «Lo so e mi dispiace, – mi ha detto, – ma ti prometto che manterrò la parola un minuto dopo la conferenza stampa». Non è che potesse dirmi altro, in effetti.

– Quindi eravate d'accordo. E allora cosa l'ha fatta scattare in quel modo?

– Una cosa che ho visto. Che neanche c'entrava, – dice Dasporto ammorbidendosi.

– Cioè?

– In un angolo del giardino, fra le mattonelle del pavimento, c'è inciso il percorso del gioco della settimana. Sa quel gioco con le caselle rettangolari e i numeri?

– Come no. Al mio paese lo chiamiamo Sciancateddu, perché ci si saltella su una gamba sola. O anche Tririticchete, – aggiunge il Pm prendendoci gusto.

– Ricorda un po' il nostro Triccheballacche, – dico.

– Il Triccheballacche è uno strumento musicale a percussione, – mi corregge Dasporto.

– Lo so, – ribatto. – Mi riferivo a come suona il nome.

– Direi di chiudere qui la parentesi antropologica, – ci riporta al presente il Pm. – Continui, per favore, sindaco.

– Sí. Lí, nel giardino, c'era una bambina, avrà avuto quattro, cinque anni, che tirava il sassolino e saltellava nei riquadri. Mentre Paparusso parlava, la guardavo. Aveva una salopette di jeans, le scarpe da ginnastica e i capelli legati in due codine alte. Sembrava Topo Gigio. Era buffissima, meravigliosa.

Dasporto sorride. Il giudice mi guarda perplesso.

«Cosa mi guardi, – penso, – come fai a non capire».

– In quel momento ho realizzato che non me ne fregava piú niente di niente. Del ricatto. Della Regione. Della politica. Di me. La sola cosa che volevo era stare dalla parte di mia figlia, cosí com'è. Anche se non è come la volevo io.

Avrei voluto che lo ripetesse.

Anche il Pm c'è rimasto.

– Cosí gliel'ho detto. Senti, ho cambiato idea. Non ci sarà nessuna conferenza stampa. E tu, almeno per quello che mi riguarda, non farai il sindaco. Facci quello che ti pare con quel video infame, da me non avrai niente.

Qui si ferma e sorride. Gli si dilatano le narici, come stesse rivivendo la soddisfazione di quell'attimo.

– Avreste dovuto vedere la faccia che ha fatto, non ci poteva credere. Ma che ti prende, mi ha detto, ti ha dato di volta il cervello? Proprio per niente, gli ho risposto, anzi: in vita mia non sono mai stato cosí convinto di qualcosa. Tu lo sai cosa significa, vero?, ha detto. Sí che lo so. E non me ne frega niente, gli ho risposto. Mi sono alzato per andarmene, sollevato. È stato allora che quel disgraziato ha detto un'altra cosa, e mi si sono spente le luci.

– Sarebbe?

Manda giú un po' di saliva, prima di rispondere:

– Preparati a vedere la bambina che si diverte.

Il Pm e io ci siamo guardati negli occhi all'unisono.

– Ho realizzato di avergli fracassato la caraffa in faccia quando l'ho sentito urlare e cadere all'indietro. L'unica altra cosa che ricordo è un fiotto di sangue che gli partiva dalla testa e mi finiva sulla giacca, come quei getti sparati dagli irrigatori automatici da giardino. Poi mi sono ritrovato con il manico della brocca nella mano destra, e ho visto Paparusso sul pavimento che non si muoveva piú. Da lí non ricordo piú niente. Credo di aver ripreso conoscenza quando è arrivata la polizia.

Ce ne stiamo zitti per un bel po'.

Il Pm si lascia andare sullo schienale della poltrona.

– Un vero peccato che non abbia sporto denuncia, – dice. – A quest'ora con ogni probabilità disporremmo di una registrazione in alta fedeltà di quella conversazione.

– Come le ho detto, – riprende Dasporto, – avevo deciso di cedere al ricatto. Una volta sola, però.

– Che significa?

– Che niente mi assicurava che Paparusso non tornasse alla carica con altre richieste, in futuro. Anche se in tutta sincerità credo che, ottenuta la designazione a sindaco, mi avrebbe lasciato in pace.

– Non capisco cosa sta cercando di dirmi.

Dasporto porta la mano destra all'altro polso, si slaccia l'orologio e lo depone sulla scrivania.

Io e il Pm telescopizziamo i colli come una coppia di dinosauri che si abbassano sull'uovo nel momento della schiusa per salutare il dinosaurino che viene al mondo.

Un comune orologio digitale, nero, sottile, nemmeno di marca, di quelli che potrebbero uscire da una confezione 2+1 di detersivo per lavatrice.

– Tutto quello che ci siamo detti è lí dentro, – fa il sindaco.

Il Pm guarda prima lui e poi me.

– Lei lo sapeva, avvocato?

– No.

– Non ho avuto il tempo di dirglielo, – conferma Dasporto.

Il Pm prende l'orologio e lo solleva dalla scrivania a mo' di topo morto dalla coda.

– Registrazione a 360° su tutta la gamma, doppio microfono, riduzione del rumore, – dice il sindaco. – Ha pure un contapassi sportivo.

E cosí avevamo la registrazione della conversazione al ristorante. Il sindaco era stato previdente e anche astuto, nella scelta del dispositivo.

Non so voi, ma né io né il Pm avevamo mai pensato che ci si potesse portare dietro un apparecchio cosí semplice senza dare nell'occhio. Sarà che gli smartwatch non sono ancora molto diffusi, per cui non è che uno sospetta facilmente di un orologio, come invece gli verrebbe naturale per un telefono (che infatti Paparusso aveva chiesto al sindaco di lasciare sul tavolo). In ogni caso Dasporto aveva troppo da perdere: l'assessore doveva aver fatto affidamento su questo e non aveva sentito il bisogno di prendere particolari precauzioni.

Insomma, una figlia da proteggere da una minaccia di revenge porn, prima ancora di una carriera politica da mettere al sicuro da uno scandalo, costituiscono delle priorità piú che sufficienti per blindare un'estorsione (anche se dalla registrazione – che il Pm ha prontamente messo agli atti sequestrando l'orologio come documento probatorio fornito direttamente dall'indagato e disponendo la trascrizione del dialogo – risulta che Paparusso è stato piuttosto attento a non entrare nei dettagli o fare affermazioni compromettenti, tranne l'ultima, disgustosa battuta che s'è fatto scappare quando Dasporto ha mandato tutto all'aria).

Alla domanda del magistrato sul perché avesse deciso di cedere al ricatto pur essendo in possesso di una prova che avrebbe potuto liberarlo dal giogo dell'estorsione, il sindaco ha spiegato che la registrazione non lo avrebbe garantito dal rischio che Paparusso postasse il video in rete per vendicarsi, considerando che si era premunito di nascondere il volto con una sovrapposizione digitale, mentre nelle sequenze la ragazza era perfettamente riconoscibile.

– Certo, – ha precisato, – avrei potuto denunciarlo un minuto dopo ma avrei dovuto dimostrare che l'uomo nel video era lui, e intanto la circolazione del video avrebbe infangato mia figlia e danneggiato la mia carriera. Perché poi diciamocelo, prima che faccende del genere si chiariscano passano mesi, se non anni, e nel frattempo le vite delle persone si sfasciano. Era meglio soddisfare la sua richiesta (alla fine non è che mi costasse chissà quanto), archiviare la faccenda e tenermi l'arma nel cassetto nel caso si fosse ripresentato in futuro; ma, ripeto, pensavo che si sarebbe fermato lí. Voleva diventare primo cittadino. Se non mi fosse caduto l'occhio su quella bambina, adesso non ne staremmo neanche parlando.

La spiegazione non faceva una grinza, e il Pm ha proceduto a una doppia iscrizione nel registro generale delle notizie di reato: tentato omicidio per Dasporto (ex artt. 56 e 575 c.p.) e tentata estorsione per Paparusso (ex artt. 56 e 629 c.p.), aprendo un unico fascicolo processuale per entrambi gli indagati.

A poco è servito che gli facessi notare che contestare un tentato omicidio mi pareva quantomeno eccessivo, visto che non sapevamo ancora nulla delle condizioni di Paparusso e che Dasporto lo aveva colpito con il primo oggetto a portata di mano (non era mica uscito di casa con la caraffa di cristallo). La premeditazione era oggettivamente da escludere.

– Sarò felice di derubricare il reato da tentato omicidio a lesioni volontarie quando avremo il referto dell'ospedale che ci rassicurerà sulle condizioni della persona offesa, alla quale ovviamente auguriamo di rimettersi presto, anche soltanto perché risponda del suo reato, – mi ha risposto il Pm, – ma fino ad allora la mia contestazione è questa.

– Le sembra il caso di dare in pasto ai giornalisti un tentato omicidio per una brocca d'acqua in faccia, giudice? – ho detto.

– Non me ne frega niente dei giornalisti, avvocato, – ha risposto il sindaco al posto suo, – anzi, non vedo l'ora di raccontarglielo di persona. Mi sono preoccupato fin troppo di soppesare pro e contro, dire e non dire, nascondere. A questo punto vado fino in fondo, succeda quel che succeda.

– Lei non li ha visti, sindaco, io sí. Sono là fuori che aspettano come iene intorno a un leone azzoppato. Gli agenti mi hanno fatto entrare dal retro.

– Peggio per loro. Perché mangeranno, le iene, ma il leone gli andrà di traverso. Si aspettano che non rilasci dichiarazioni o butti lí una frase di circostanza, invece dirò semplicemente la verità. Il che li lascerà a bocca asciutta, perché non è la verità che vogliono, ma la mia vergogna.

«Ehi, quasi quasi ti voto», ho pensato.

– Potrà farlo, sindaco, – interviene il Pm, – perché per il momento può andare. E tenga conto (questo lo dico piú a lei, avvocato) che trattandosi di tentato omicidio avrei anche potuto disporre una misura cautelare, ma considerata l'ampia collaborazione mostrata, ed essendo stato inferto un solo colpo (ma sotto questo aspetto, voglio essere chiaro, mi attengo a quanto dichiarato dal dottor Dasporto e dai testimoni presenti al ristorante, perché sarà il referto a stabilire se Paparusso è stato colpito una sola o piú volte), per il momento ci salutiamo qui. E non è poco, mi creda, allo stato dei fatti.

– Se mi fossi accanito su Paparusso penso che lo ricorderei, – osserva Dasporto.

– Infatti le credo, – ribatte il magistrato, – ma la certezza probatoria la darà il referto.

E l'abbiamo chiusa lí.

All'uscita siamo stati assaliti dai giornalisti, che sono rimasti come caciocavalli appesi quando Dasporto, con glaciale naturalezza, ha pubblicamente dichiarato di aver spaccato una caraffa di cristallo sul cranio dell'assessore Paparusso che lo ricattava con un video porno, di cui avrebbe riferito i dettagli quando fosse stata sciolta la sua prognosi. Al che quelli, ma proprio tutti, si sono guardati in faccia manco li avesse simultaneamente derubati dei portafogli.

– Che genere di video? – ha domandato un imbecille.

– Ha detto porno, – ho detto io, – cos'altro le serve, la sottocategoria?

– È il suo avvocato? – mi ha chiesto un altro.

– No, il suo agopunturista. Ma che domande fa?

– Sindaco, – ha urlato a Dasporto una giovane cronista quasi sbattendogli l'iPhone sul muso (cosa si urlava, era a mezzo metro da noi), – ma c'è lei nel video in questione?

– Sí, ma chiede solo «Che ora è», – ho risposto di nuovo io. – Un cameo, proprio.

Quelli mi avrebbero anche preso alla lettera, se il sindaco non avesse sghignazzato.

– Non è divertente, – ha detto la tipa.

– Invece la sua domanda denotava un acume da Pulitzer, – ho ribattuto.

– Cosa intende fare con la sua candidatura alla Regione? – ha chiesto qualcuno da poco lontano mentre Pulitzer mi augurava la morte con gli occhi. Una mano m'è scivolata nella comfort zone, ancora in sofferenza per l'intervento recente.

– La rimetto alla decisione del partito e degli elettori, – ha risposto il sindaco. – È giusto che la scelta non spetti a me, dopo quello che è successo, che peraltro non ha nulla a che vedere col mio impegno politico. Ciò che posso dirvi al momento è che in quel video non ci sono io ma qualcuno che mi è caro. Il che rende il ricatto ancora piú insopportabile, perché teso a colpirmi negli affetti. Tuttavia, se questa vicenda intaccherà il mio ruolo e la credibilità della coalizione che mi sostiene, farò un passo indietro prima ancora che mi venga chiesto.

– Direi che ne avete avuto abbastanza, – ho concluso.

– Un'ultima cosa, sindaco, – ha domandato un altro giornalista che somigliava spaventosamente a Pupella Maggio, mentre i poliziotti ci scortavano alla macchina. – Ha cambiato avvocato?

– Non so ancora se si tratta di una sostituzione o di un'aggiunta, – ha risposto Dasporto rivolgendomi un sorriso, – ma sono felice che l'avvocato Malinconico abbia accettato di starmi accanto in questa vicenda.

«Benny, – ho pensato, – ovunque tu sia, stappa».

E poi gliel'ho anche scritto, via WhatsApp.

Supino supino

«Supino supino», aveva detto Aurelio. Ed era proprio cosí. Il mio programma comprendeva, oltre a sei cicli di R-CHOP seguiti da radioterapia coglionare – *Involved Field RadioTherapy* (l'aggettivo di cui sopra è stato da me coniato per indicare la regione linfonodale coinvolta, ma non ditelo a John Turturro perché su queste cose non è spiritoso) –, quattro rachicentesi medicate, consistenti nello strazio che Aure mi aveva generosamente anticipato e cioè, come mi ha spiegato John nel colloquio che ha preceduto la prima seduta, «quattro infusioni di Methotrexate direttamente nel liquido cefalo-rachidiano tramite puntura lombare, per prevenire una localizzazione meningea del linfoma» (ciò che Aure aveva definito in testaccino vintage «impedí che 'e cellule malate s'arampicheno su p' 'a colonna vertebbrale e raggiungheno er cervello»).

Il punto è che per permettere al Methotrexate (per gli amici MTX) di fare il suo lavoro, è necessario rimanere distesi (neanche sul fianco ma supini supini, appunto) a guardare il soffitto per la modica cifra di sei ore, di cui quattro senza cuscino. E in quella posizione non è che puoi leggere o vedere un film sul telefonino o sul tablet, perché non ce la fai con le braccia. Puoi sentire, sí, un po' di musica o un audiolibro: ma dopo un'ora non ne puoi piú. Se ascolti la radio puoi sfangare un'altra oretta, te ne restano comunque altre quattro. Allora, quello che fai (che poi è l'unica cosa che puoi fare) è startene immobile a guardare il soffitto.

All'inizio ti sembra impossibile che tutto quel tempo prima o poi passerà; eppure, incredibilmente, passa. E standotene lí a naufragar dove non è per nulla dolce, impari un po' di cose. Per esempio che contemplare gli intonaci è una forma di meditazione. Che gli intonaci hanno diversi tipi di avvallamenti, a ognuno dei quali corrisponde uno stato emotivo differente. Praticamente, in controluce rivelano una mappa psichica.

Il primo avvallamento è quello dell'autocommiserazione.

Lí, dopo aver piagnucolato un po', vai in modalità propositiva e ti dici che devi cercare di dare un senso alla malattia, perché solo adesso (non prima) hai l'occasione di scoprire i valori che contano, e dunque di vivere ogni giorno che ti viene regalato con intensità e riconoscenza, circondato dalle persone che ami e dagli amici (pochi e veri) che ti ritrovi accanto, fregandotene delle piccole, miserabili preoccupazioni con cui ti sei inutilmente intossicato l'esistenza (perché hai visto, no, quanto poco ci vuole ad andarsene, e tu dovresti essere grato di aver avuto la possibilità di guarire: sai in quanti non ce la fanno?) Perciò, cambia il tuo atteggiamento. Fai servire a qualcosa questa dura esperienza. La vita – adesso lo sai, accidenti – bisogna tenersela stretta.

Il secondo avvallamento (che fino a un minuto prima non avevi notato, ma a un tratto vedi benissimo) è quello in cui la commiserazione sparisce come il denaro, e tu pensi: «Ma che cazzo stai dicendo, cos'è, adesso dobbiamo beccarci un tumore per scoprire il senso della vita? Ci stendiamo nella Tac (oh ma che bel pensatoio) per speculare sul significato del nostro passaggio terreno? Rendiamo grazie alla R-CHOP?» Massí, è cosí bello vomitare dopo la chemio, gonfiarsi di cortisone, diventare bianchicci, perdere i capelli, la barba e le sopracciglia, trovarsi le vene martoriate in qualche settimana, frequentare i laboratori di analisi come un giocatore d'azzardo i punti Snai, correre in ospedale se ti viene la febbre o peggio ancora al pronto soccorso (che alla sera in particolare diventa un happy hour di tipi bizzarri) se accusi un sintomo anomalo, andare in paranoia se sul referto che scarichi dal portale del laboratorio (adesso lo prendi da internet, non torni mica a ritirare il cartaceo) individui un picco o un calo drastico di un valore, inviarlo subito via e-mail all'ospedale e aspettare che ti rispondano quando possono (perché anche se il dottore ti ha dato il suo numero non è che vai a disturbarlo al primo motivo d'ansia, e no: ti metti in attesa di nuovo, com'è giusto che sia)… Vale la pena tutto questo, se in cambio riafferri la vita con le mani e te la stringi al petto.

No dico, ma fate sul serio? Uno dovrebbe affrontare una simile trafila di sfighe e pensare anche di uscirne arricchito?

Per quanto mi riguarda, se questo è il prezzo del senso della vita, ne faccio tranquillamente a meno. Preferisco una vita insensata, che ti regali qualche bella giornata (e soprattutto qualche bella notte) e non si faccia tirare per i capelli quando finisce. Con la vita, meglio avere una storia disimpegnata che starci insieme con la paranoia di perderla.

Volete sapere cosa sto imparando dal tumore? Che ci si lega alle cose che sfuggono. E non è che avessi bisogno di ammalarmi per saperlo. L'amore, tanto per dire, me lo aveva già insegnato.

Nel caso avvertiste una carenza di senso esistenziale, sappiatelo, ci sono tante, ma proprio tante occasioni molto piú edificanti di un cancro per scoprire che la vita è bella.

L'ultimo tipo di avvallamento (il mio preferito), è quello dove il pensiero si perde. Nel senso che non ha piú appigli né memoria. Si svuota, si asciuga. Finisce in una specie di deserto. In pratica, non pensi piú.

E la durata di questo tipo di trance, utilissima nel renderti insensibile al passare delle ore, varia a seconda dei rumori circostanti. Degli infermieri che sciabattano e ogni tanto si affacciano al tuo letto per chiederti se hai bisogno di qualcosa (in genere la padella, dato che non puoi alzarti per andare in bagno). Dei telefonini che suonano. Degli altri pazienti (sono sei per ogni stanza) che parlano fra loro, o al cellulare, o con un dottore che viene a farsi una capatina per supervisionare le infusioni e aggiornarsi sulla tabella di marcia di noialtri. Dell'inserviente che passa con i cestini che contengono un panino all'olio farcito con una fettina di prosciutto o una sottiletta (puoi scegliere), una bottiglietta d'acqua liscia e uno yogurt (alla seconda seduta di chemio, forse per via dell'odore dei farmaci che ristagna nell'aria e dopo un po' associ a tutto, ho sviluppato una nausea per l'acqua; per non parlare del panino, che mi basta guardare perché mi giri la testa, tanto mi prende allo stomaco).

– Cerchi di non voltarsi nemmeno sul fianco, – mi ha avvertito John dopo la prima iniezione lombare (che tra l'altro fa un male cane), – altrimenti rischia una cefalea che può durare dei giorni. Stia il piú fermo possibile e non avrà problemi.

Io l'ho ascoltato (lo prendo sempre alla lettera, John: direi anzi che pendo dalle sue labbra), e mi sono rifugiato nella rassegnazione, alla quale sarò sempre grato.

Aveva ragione, come al solito. Ormai sono già alla seconda rachicentesi, perso nella mia dialettica con l'intonaco, e non posso (non ancora, almeno) lamentarmi degli effetti collaterali annunciati. Reggo bene la cura, come John aveva previsto. In fondo, clinicamente parlando, sono ancora abbastanza giovane, in discrete condizioni generali.

La chemio è faticosa, certo. Cioè, un po'. A volte devi proprio sederti. Soprattutto, hai spesso voglia di tornare a casa. Ma quello che proprio ti strema è l'attesa.

Capita, e capita quasi sempre, di arrivare in ospedale la mattina presto, tipo le otto e mezza, prendere il tuo numero ed essere chiamato alle sei, sette di sera. Anche piú tardi. Siamo tanti, troppi. E non ci stiamo, in sala d'attesa. Cosí invadiamo il corridoio (dove, fra l'altro, non è neanche permesso sostare: ma non si capisce dove dovremmo metterci, sennò), e ce ne stiamo lí, appoggiati al muro, seduti sul gradino dell'ambulatorio o accucciati sul pavimento a guardarci in faccia, leggere il giornale, navigare sul telefonino.

Di tanto in tanto a qualcuno partono i cinque minuti, perché magari un paziente ha occupato un posto con una borsa o una giacca e s'è alzato per sgranchirsi le gambe, e quello che vuol sedersi protesta perché pretende che i posti vengano lasciati liberi se non sono fisicamente occupati (sarebbe cosa buona e giusta alzarsi ogni tanto per cedere la sedia agli altri, a meno che, si capisce, uno non sia messo cosí male da non reggere la posizione eretta, ma chi è messo cosí male non si alza per sgranchirsi, non si alza e basta).

Poi ci sono quelli che dopo quattro o cinque ore che aspettano inveiscono a vanvera sperando che qualcuno (sanno neanche loro chi) li senta e, chissà perché, li faccia passare avanti nella coda.

Quelli che stanno lí con l'aria: «Va be', che sarà mai, mi faccio la mia chemiettina e me ne vado, che nel pomeriggio ho un appuntamento» (la prima volta; quando li vedi la seconda sembra che li abbiano appena bocciati all'esame di guida).

Quelli che dicono che l'Italia è un paese di merda.

Quelli che prontamente ribattono: «Sarà anche un paese di merda, ma se stai male ti curano»; al che, puntuale, parte il controcanto (in genere dal fondo del corridoio, perché è sempre lí che si mette l'opinionista): «In America, se non hai la carta di credito, ti lasciano crepare».

In sala d'attesa, e piú ancora in corridoio, non si ha molta voglia di chiacchierare. E non è che si abbassi il bisogno di socializzare, o ci si rifiuti di sentire (anche) le disgrazie degli altri. È proprio che quando sei lí che aspetti, la tua concentrazione è fissata sull'anticipazione del momento in cui il display segnerà il tuo numero e finalmente andrai a sederti sulla tua poltrona dove t'infileranno l'ago nel dorso della mano, e finite le tre ore d'infusione (che a quel punto sono diventate la parte meno faticosa della giornata) lascerai l'ospedale e te ne tornerai a casa. E quasi ti vengono le lacrime agli occhi, quando l'infermiera ti toglie la flebo e ti rialzi dalla poltrona, pregustando le tre settimane di tregua che ti separano dal prossimo strazio.

All'inizio Veronica mi è rimasta accanto ad aspettare, senza una parola d'insofferenza o di stanchezza, come non le costasse niente veder passare miseramente la sua giornata; poi, a furia d'insistere e rassicurarla, sono riuscito a convincerla a lasciarmi venire in ospedale da solo, non sopportavo che si sottoponesse senza ragione a quello stillicidio.

Non avete idea delle coccole che ricevo quando torno a casa. Roba che finanche Alfonso Gatto, che è notoriamente un cafone viziato, con lei diventa tutto fusa e buone maniere. Veronica, non so come, gli ha insegnato a presentarsi davanti alla porta a ora di cena e mai prima, perché – come gli ripete sempre – «questa casa non è un lounge bar», e quando piú tardi le si acciambella accanto mi lancia delle occhiate come a dire: «Chi te la doveva dare una donna cosí?» Glielo leggo in faccia, lo giuro (che poi vorrei proprio vederle, queste gatte strafighe con cui si accompagna di solito).

Cos'è che non vi ho ancora detto? Ah sí, del sindaco.

Allora. Avendo qualche leggerissima incombenza di cui occuparmi, ho incaricato Benny di aggiornarmi in merito agli sviluppi procedurali della faccenda, limitandomi, in questa fase, alle comunicazioni (essenzialmente telefoniche) con Dasporto e Venere, che dalla pubblica rivendicazione della broccata in faccia a Paparusso ha ritrovato la stima per suo padre e adesso non solo si preoccupa per lui ma lo guarda persino con ammirazione (lo so perché li ho visti insieme il giorno in cui, dopo l'interrogatorio, ci ha raggiunti nel suo ufficio).

Quando siamo andati via di lí le ho detto che era un po' stronza, perché la frase con cui aveva esordito prima ancora di dire buonasera («Non pensare che adesso smetta di fare quello che faccio») era del tutto fuori luogo oltre che non richiesta, visto che il padre non aveva nemmeno aperto bocca. Già che c'ero, ho anche aggiunto che al posto suo avrei chiamato la sicurezza per farla cacciare fuori, non foss'altro perché, in un momento simile, da una figlia ci si aspetterebbe un po' di vicinanza e di comprensione, e non la rivendicazione gratuita del diritto (sacrosanto) di fare la zoccola senza essere giudicata.

Lei non sapeva cosa dire, e ha tenuto la bocca chiusa. Da allora, ogni volta che mi chiama ha un tono molto piú dimesso e mi chiede solo degli sviluppi processuali della vicenda del padre, mai una domanda (cosa che apprezzo particolarmente) sui destini del video che la vede inconsapevole protagonista.

Intanto, Benny ha preso l'iniziativa (assolutamente autonoma) di presentarsi (non invitato) nell'ufficio del sindaco per ringraziarlo personalmente d'essersi affidato alle cure del nostro studio e smollargli il biglietto da visita col suo numero privato, informandolo che da quel momento avrebbe potuto rivolgersi a lui per qualsiasi esigenza.

– Non vorrei essere scortese, avvocato, – ha risposto il sindaco, basito dall'autonomina fiduciaria, – ma veramente ho incaricato l'avvocato Malinconico, non lei.

– Ah, non lo sa? – gli ha risposto Benny.

– Non so cosa? – ha detto Dasporto.

E quel deficiente gli ha raccontato tutto: della scoperta del varicocele, del nodulo, dell'intervento, della stadiazione, della R-CHOP e anche delle sei ore di rachicentesi (infatti poi il sindaco, e subito dopo Venere, mi hanno telefonato per chiedermi come stavo). Non contento, gli ha pure riferito che quando l'avevo raggiunto in questura per l'interrogatorio ero stato appena dimesso dall'ospedale e «soltanto un avvocato disinteressato e con un altissimo senso della professione forense avrebbe potuto dare una tale prova di disponibilità senza rinfacciarlo al cliente» (cit.).

Al che quel poveretto s'è mortificato e d'istinto ha chiesto scusa (pur non avendo motivo di farlo, dato che ignorava il retroscena) per avermi mobilitato in una circostanza in cui avevo ben altri pensieri per la testa.

– Si figuri, sindaco, – ha risposto Benny. – Noi dello studio Lacalamita siamo cosí. A fianco del cliente in qualsiasi situazione e senza mai vantarci dei meriti, che pure, me lo lasci dire, sono rari. Mi dica: Garoppo sarebbe corso da lei appena dimesso dall'ospedale con una diagnosi di linfoma Non Hodgkin a grandi cellule?

– Ma sei cretino? – gli ho detto quand'è venuto a casa a raccontarmelo.

È andata a finire che Dasporto ha nominato anche lui, credo per levarselo di torno. Deve avergli proprio frantumato i coglioni, poveraccio.

A proposito, Benny mi ha associato. Lui dice al 25%, ma io non ci credo. Cioè, ho firmato una roba, ma non l'ho letta. Si è deciso a fare il grande passo quando è arrivato in ospedale, ha chiesto dov'ero finito e Veronica l'ha informato che ero scappato in questura per assistere il sindaco che mi aveva appena nominato.

S'è messo a ballare il tip-tap in corsia (nonostante il sovrappeso è un bravissimo ballerino, e il suo idolo è Fred Astaire).

Prima che la dottoressa lo mettesse alla porta, un paziente che l'aveva preso per uno di quei volontari che vanno nei reparti oncologici per far ridere i malati ha chiesto a Veronica come mai non era vestito da pagliaccio.

Quanto a Giovanni Paparusso, se l'è cavata con un'incrinatura del setto nasale e una ferita lacero-contusa allo zigomo sinistro, che gli avevano suturato con quattro o cinque punti già al momento del ricovero. Gli accertamenti eseguiti, da ultimo la Tac, non hanno evidenziato fratture né danni cerebrali, e lo svenimento pare sia stato causato dallo shock traumatico.

La sua (e nostra) fortuna è che il colpo di brocca è stato vibrato in senso circolare interessando il lato sinistro del viso e solo di rimbalzo la scatola cranica, tant'è che il referto lo ha giudicato guaribile in dodici giorni: il che farà automaticamente retrocedere il reato da tentato omicidio a lesione personale, peraltro punibile neanche d'ufficio ma a querela della persona offesa, avendo il fatto – ex art. 582 c.p. – cagionato una malattia di durata non superiore a venti giorni (dati che ho appreso consultando i codici commentati nelle lunghe ore d'attesa in ospedale, sollecitato in tempo reale dalle informazioni che mi forniva Benny: figuriamoci se andavo a ricordarmi, e prima ancora a sapere, che per le lesioni personali guaribili in un tempo superiore a venti giorni si procede d'ufficio).

In una dichiarazione autofilmata con lo smartphone e postata sulla sua pagina Facebook, Paparusso annunciava querele e s'impegnava a devolvere in beneficenza la cifra che il sindaco sarebbe stato certamente condannato a versargli a titolo di risarcimento del danno biologico procuratogli.

Ecco qui il testo:

> Cari concittadini, innanzitutto vi chiedo scusa se mi presento a voi da un letto d'ospedale e nello stato che vedete. Approfitto per ringraziare il personale medico e paramedico per essersi preso cura di me in queste ore difficili. Come saprete, l'aspetto che mi ritrovo è opera del nostro sindaco, dottor Mario Dasporto, che mi ha aggredito fisicamente nel corso di un incontro in cui mi sono permesso, pensate un po', di chiedere la sua disponibilità, in qualità di primo cittadino uscente, a sostenere la mia candidatura alla carica di sindaco; richiesta che credevo di avere il diritto di avanzare, sulla base dell'impegno che ho sempre dimostrato come assessore. Credo che l'unica spiegazione di una reazione cosí inconsulta sia da cercarsi nell'indole violenta del sindaco, il quale, come la mia faccia dimostra, considera oltraggiosa una domanda legittima. Ma di questo Dasporto risponderà alla legge. Per quanto mi riguarda, m'impegno fin d'ora a devolvere il mio indennizzo, qualunque dovesse essere l'importo, a favore dell'associazione cittadina contro la violenza sulle donne. Colgo l'occasione per ringraziare i cittadini che in queste ore mi hanno manifestato la loro solidarietà. Siete in tanti, e spero mi restiate accanto. Un abbraccio a tutti.

Che cacchio c'entrasse la violenza sulle donne con la broccata in faccia, lo sapeva solo lui. Per il resto, era evidente che stava cercando di speculare sull'accaduto. La caraffata gli aveva regalato un'occasione di ribalta ancora piú ghiotta della designazione a cui mirava con il ricatto.

C'era, è vero, la questione del video a cui il sindaco aveva accennato ai giornalisti dopo l'interrogatorio, ma Paparusso avrebbe potuto strumentalizzare facilmente anche quella, bollandola come una bugia inventata da Dasporto per giustificare lo scatto d'ira. Il che, se da un lato gli sconsigliava di divulgare il video (farlo sarebbe stato come metterci la firma), dall'altro lo rassicurava sul fatto che mai il sindaco avrebbe tirato fuori quella storia, che ora piú di prima aveva ogni interesse a nascondere, insabbiandola una volta per tutte.

Le circostanze, insomma, sembravano essersi girate a suo favore. Lui era vittima di un'aggressione inconsulta; il sindaco, non solo reo confesso, ma pure costretto a tacere la verità.

Sembrava in una botte di ferro.

Peccato che non sapesse dell'orologio.

Paparusso ha rimosso il video ospedaliero pochi giorni dopo, quando il Pm ci ha notificato (a noi e a lui, avendo aperto un unico fascicolo per entrambe le posizioni) l'avviso di conclusione delle indagini preliminari.

Inevitabile che lo cancellasse (per quanto ormai fosse inutile), considerato che, secondo l'art. 415 bis c.p.p., con la notifica dell'avviso l'indagato viene informato che ha facoltà di visionare ed estrarre copia della documentazione relativa alle indagini depositata presso la segreteria del pubblico ministero.

Per cui provate a immaginarvi la faccia che avrà fatto apprendendo che agli atti c'era anche un certo orologino da trenta euro che conteneva l'audio della conversazione al ristorante. Un tipico caso di figura di merda retroattiva, ancora piú agghiacciante di quella in diretta, perché non solo non offre vie di fuga ma svergogna all'origine il disgraziato che l'ha fatta, ridicolizzandone ogni precedente affermazione, sí che a Paparusso non restava che il gesto formale della rimozione della clip autopromozionale (ormai ampiamente fagocitata dal web) in cui s'era pure impegnato a fare beneficenza (che era un po' come cancellare le impronte dal luogo del reato mentre ti arrestano in flagranza, ma che altro poteva fare, pover'uomo).

Ora.

Sempre secondo l'art. 415 bis c.p.p. (dopo un po' ci si prende gusto con gli articoli di legge, specie quando inchiappettano l'avversario), le parti hanno venti giorni per presentare memorie, produrre documenti, rilasciare dichiarazioni, chiedere d'essere interrogate eccetera, decorsi i quali il Pm può procedere (ed è appunto il nostro caso) con richiesta di rinvio a giudizio: spedire cioè l'imputato davanti al giudice dell'udienza preliminare (per gli amici, Gup), che si svolge in camera di consiglio (vale a dire a porte chiuse) con la partecipazione necessaria del Pm e dei difensori degli imputati, ex art. 420 c.p.p. (ah, che piacere).

Questa udienza (come sanno i giuristi che si formano nelle sale d'attesa degli ospedali) serve al Gup per decidere se andare avanti con il processo (quello che si tiene nelle aule aperte al pubblico, con i giudici seduti sullo scranno sopraelevato, i banchi degli avvocati piú in basso ecc.), o dichiarare il non luogo a procedere e chiuderla lí. In soldoni, l'udienza preliminare tende a evitare che si vada a processo con un'imputazione povera di costrutto. E questa decisione la prende giustappunto il Gup, avallando la richiesta di rinvio a giudizio o pronunciando sentenza di non luogo a procedere.

Ed è in quell'udienza che ci troviamo, adesso.

Fortunatamente dall'ultima chemio sono già passate due settimane e ne manca un'altra alla prossima, per cui non mi sento particolarmente intossicato, e nonostante abbia già iniziato a perdere i capelli (quando m'è rimasta in mano la prima ciocca ho mandato un messaggio a Veronica e lei, che era uscita per delle commissioni, mi ha risposto: «Torno subito»), sono ancora abbastanza presentabile.

Com'era prevedibile, Paparusso non è venuto all'udienza, ha conferito ampio mandato a un giovane penalista alla cui identità Benny è risalito dopo un paio di telefonate.

– Uno dei problemi della nostra professione è che in ogni famiglia italiana c'è un avvocato, – ha postillato il mio socio mentre m'informava che il giovane penalista era il fidanzato della figlia di Paparusso.

– E questo cosa vorrebbe dire? – gli ho chiesto.

– Hai letto la querela?

– La querela?

– Cristo santo, Vince', la querela. Quella presentata contro Dasporto per la broccata in faccia, che si trova fra le copie che ti ho lasciato sulla scrivania. Hai presente le carte che il Pm deposita in segreteria quando chiude le indagini?

– Ex art. 415 bis?

– Ex art. 415 bis.

– Non ti aspettavi che lo sapessi, eh?

– Quindi la querela l'hai letta.

– No. Sí.

– L'hai letta o non l'hai letta?

– Sí, l'ho letta.

– Allora dovresti aver capito cosa intendevo quando ho detto che il problema è che in ogni famiglia c'è un avvocato.

– E certo che ho capito.

Poi me l'ha spiegato.

(Comunque, dopo la dritta sono andato a studiarmi la querela impiegando lo stesso livello di attenzione che applico nella risoluzione di «Aguzzate la vista», e stavo per arrivarci da solo, la verità).

Tornando alla camera di consiglio, mentre Paparusso ha mandato in missione il promesso genero – che data la situazione del promesso suocero avrebbe fatto bene a tenere un profilo un po' piú low, invece di venire in udienza tirato a lucido e piú lampadato di un maestro di sci guardandoci come a dire che lui era giovane, bello e moderno e noi no –, Dasporto e io siamo qui uno accanto all'altro come in un video educational di procedura penale, pronti a lottare per la nostra (giusta) causa.

Io sono tutto frizzante e sicuro del fatto mio per via degli studi penalistici compiuti in sala d'attesa (e del supporto dottrinale di Benny); il sindaco mantiene il distacco zen già esibito in sede d'interrogatorio, mentre con me è in difficoltà perché sto lavorando per lui invece di curarmi, tanto che sta sempre a chiedermi: «Va tutto bene?», e io: «Sí», e lui: «Quindi si sente bene», e io: «Sí, grazie», e lui: «È sicuro?», per cui all'ottavo «Si sente bene?» mi vedo costretto a dirgli che apprezzo il suo interesse ma preferirei che smettesse di mostrarmelo.

Dasporto è chiamato a rispondere non piú di tentato omicidio ma di lesioni volontarie per via dello scampato trapasso di Paparusso, che come sappiamo se l'è cavata con una ferita guaribile in dodici giorni, il che rende il reato procedibile a querela di parte e non d'ufficio (a meno che non sussista una specifica aggravante su cui torneremo fra poco); Paparusso (come dall'inizio) di tentata estorsione.

L'udienza si svolge secondo la sequenza procedurale che ho ripassato in ospedale approfittando dell'enorme disponibilità di tempo da perdere (cioè: non è che si segue proprio pedissequamente la successione delle attività prevista dal codice ma siamo lí, via).

Ex art. 420 c.p.p., il Gup apre la discussione e il Pm espone sinteticamente i risultati delle indagini preliminari e gli elementi di prova che fondano la richiesta di rinvio a giudizio, in particolare l'audio acquisito con lo smartwatch prodotto dal sindaco nell'interrogatorio: dalla trascrizione di quel contenuto, sostiene il magistrato, risulterebbe palese la preesistenza di una richiesta estorsiva perpetrata già da tempo ai danni del sindaco, volta a ottenere un'indebita designazione del Paparusso alla carica di primo cittadino.

La piú volte citata conferenza stampa che il sindaco avrebbe dovuto convocare per ufficializzare il nome di Paparusso come successore prescelto sorregge, a parere del Pm, l'impianto accusatorio.

Il maestro di sci obietta che le frasi estrapolate dalla registrazione non dimostrerebbero l'estorsione e che, a tutto concedere (dice proprio: «a tutto concedere»), potrebbero essere addotte a fondamento di una supposizione (dice proprio: «addotte a fondamento di una supposizione»), visto che in nessuna delle affermazioni rese dal suo assistito si alluderebbe a uno scambio di utili per l'ottenimento di un vantaggio, e che la conferenza stampa piú volte citata farebbe sí riferimento a una possibile indicazione per la successione alla carica di sindaco, ma la circostanza sarebbe dovuta a una legittima richiesta rivolta dal Paparusso sulla sola base dei meriti maturati nel suo lungo impegno di assessore.

Al che il Pm lo guarda come a chiedergli se fa sul serio, il sindaco resta impassibile, io non apro bocca e il Gup ribatte:

– «Preparati a vedere la bambina che si diverte», frase che leggo qui testualmente (e immagino abbia letto anche lei), quale supposizione o teorema dovrebbe fondare, avvocato?

Mi volto verso il sindaco, tanto gli sporge la mascella.

Il lampadato non sa cosa dire, la pappardella recitata d'un fiato si è sgretolata miseramente davanti a quella domanda. Allora il giudice continua:

– Io un'idea ce l'ho, e ha a che fare con un certo video di cui ci ha riferito il dottor Dasporto. Un video girato all'insaputa di una ragazza, guardacaso sua figlia, ripresa in intimità sessuale con un uomo in una stanza d'albergo. Credo che sappia di cosa parlo.

– Non mi pare ci sia prova dell'esistenza di questo fantomatico video, – ribatte il maestro di sci. – Qualcuno l'ha visto? È stato per caso postato in rete, inviato tramite telefono, trasmesso da un canale televisivo?

– Io, l'ho visto, – dice il sindaco con le labbra che gli tremano.

Gli poso una mano su un braccio per invitarlo a controllarsi (ho anch'io una gran voglia di mollargliene uno, a questo paraculo arancione) e intervengo, anche se forse non è ancora il mio turno, secondo quanto disposto a proposito delle repliche del Pm e dei difensori (sempre ex art. 420 c.p.p.).

– Be', collega, direi che a questo punto è altamente improbabile che quel filmino salti fuori. A meno che il tuo cliente non sia cosí scemo da metterlo in rete proprio adesso che è nella merda fino al collo.

Il cancelliere che redige il verbale alza la testa; il sindaco si stringe nelle spalle per marcare l'ovvietà logica del mio commento; il lampadato non replica; il Pm si copre la bocca con la mano e il Gup mi surgela con lo sguardo.

– Oops, – dico.

– Va be', – lascia correre il giudice rivolgendosi al cancelliere, – tanto verbalizziamo in forma riassuntiva.

– Chiedo scusa. Grazie, giudice.

Lui annuisce e poi mi agita il dito come a dire: «Non si fa».

– Ma lei pensa davvero di portare il suo cliente a giudizio in queste condizioni? – chiede il Pm al lampadato, tornando bruscamente nel merito processuale della faccenda.

E lí il poverino inizia a slampadarsi.

– Io farei un abbreviato per prendermi almeno lo sconto di pena, – prosegue il Pm guardandomi come per chiedermi se sono d'accordo con lui. – Sarebbe la scelta piú economica, data la prova che abbiamo e tenendo anche conto del fatto che il suo cliente ha sempre dichiarato di essere stato aggredito immotivatamente, senza fornirci alcun retroscena che potesse spiegare il raptus folle di un uomo che all'improvviso si alza dalla sedia e gli spacca una caraffa in faccia, come ha anche testualmente dichiarato sul suo profilo Facebook in una clip abbastanza, come dire, incauta.

– Tanto è vero che l'ha rimossa, – dico.

– Ah, – fa il Gup, che evidentemente non lo sapeva.

– Questo non dimostra niente, – eccepisce il mio avversario, che da un po' ha assunto un colore indefinibile, peraltro tendente a variare col passare dei minuti.

– Può darsi, – riparte il Pm. – Ma se manda a processo il suo cliente con rito ordinario, avvocato, gli fa prendere una condanna senza neanche le generiche. In pratica lo butta giú da una rupe.

– Le generiche? – mi chiede il sindaco sottovoce.

– Intende le attenuanti generiche, – gli rispondo nell'orecchio. – Art. 62 bis c.p.

– Con l'abbreviato, invece, – prosegue il magistrato, praticamente facendo la causa al posto suo, – partendo (la butto lí) da 7 anni e 6 mesi, ridotti ex art. 56 c.p. (trattandosi di tentativo) a 5 anni, arriverebbe, con l'ulteriore riduzione di 1/3 per il rito abbreviato, appunto, a 3 anni e 4 mesi.

– Ssí. Direi che potrebbe andare, – conferma il Gup.

E qui il poverino diventa color Vov.

Resta cosí, stinto e perduto, qualcosa come un minuto e mezzo, e la domanda che gli si legge in faccia è: «Potrei telefonare al padre della mia ragazza e passargli la palla, visto che non so se state cercando di fregarmi o se mi conviene davvero fare l'abbreviato? Vorrei che si prendesse lui la responsabilità».

– Se magari ci dice cos'ha deciso, – dice il Pm dopo un po' che siamo lí a far niente. – Non è che abbiamo tutta la mattinata, qui.

– Intanto che ci pensa, – prendo la parola io, – vorrei, se possibile, eccepire un difetto di procedibilità.

– Ah, – dice il Gup, incuriosito. – Prego, avvocato.

– Intanto mi permetto di osservare che nel caso di specie va esclusa l'aggravante prevista dal secondo comma dell'art. 585 c.p., che parla di strumenti atti ad offendere di cui sia vietato il porto in modo assoluto o senza giustificato motivo. Non mi pare che esista una legge che vieta il porto di caraffe, ammesso che una persona sana di mente se ne vada in giro con una caraffa. E mi pare ancora meno credibile che il sindaco sia uscito di casa portandosela dietro. L'ha trovata sul tavolo del ristorante. Il che fa di quell'oggetto un'arma puramente occasionale.

Il Gup e il Pm annuiscono insieme. Con la coda dell'occhio mi pare di cogliere il torace del sindaco che si gonfia.

– Se dunque cade l'aggravante, – concludo, – la lesione personale è perseguibile su querela della persona offesa e non piú d'ufficio.

– Assolutamente, – certifica il Pm.

– Infatti abbiamo querelato, – dice il maestro di sci, sempre piú sbiadito.

– Oh sí, certo, e anche nei termini previsti, – confermo. – Ma senza procura speciale, come prevede l'art. 336 c.p.p.

– Cosa? – chiede il dandy esangue.

Il Pm mi guarda con un surplus di stima, questo particolare doveva essergli sfuggito. Il Gup va subito in cerca della querela nel fascicolo.

– Credo che il collega si sia limitato a depositare in Procura una generica nomina difensiva, compilando un foglio bianco su cui il suo cliente ha apposto la firma, – spiego. – E poi ha presentato querela agendo in suo nome e per suo conto in qualità di difensore, ma sfornito della procura speciale richiesta dalla legge.

– Eccezione impeccabile, – fa il Gup scorrendo gli atti.

«Lo so, è di Benny», penso.

– E quindi? – chiede il sindaco mentre il fantasma del giovane penalista si allenta la cravatta.

– E quindi il reato è improcedibile, – risponde il Pm.

Se aprite il codice di procedura penale all'art. 421, leggerete che il Gup, quando ritiene di poter decidere allo stato degli atti, dichiara chiusa la discussione e può pronunciare sentenza di non luogo a precedere per mancanza di una condizione di procedibilità, dandone immediata lettura in udienza.

Esattamente quello che succede a noi, che dieci minuti dopo siamo fuori dal tribunale e da questa storia, mentre l'ex lampadato, stralciata dal fascicolo processuale la posizione del sindaco, si trattiene lí a concordare un rinvio per procedere successivamente con rito abbreviato per il suo cliente (in caso d'assenza del quale – lo avverte il Pm:

ahilui, neanche questo sapeva – per richiedere il rito speciale dovrà munirsi di procura speciale, stavolta).

– Mi sembra incredibile che sia tutto finito, – dice il sindaco respirando a pieni polmoni come ci trovassimo sulle Dolomiti invece che al semaforo all'angolo del tribunale, dove tra poco verrà una macchina a prenderlo.

– Be', si rilassi. È proprio cosí.

– Non le ho ancora detto grazie.

– Oh, le pare. Ringrazi il mio collega, piuttosto. Le dritte di questa causa sono sue. È un po' cialtrone ma è un ottimo avvocato.

– Non si svaluti, lei ha altre qualità.

Mi guardo bene dal chiedergli quali.

– Ma non è per la causa che volevo ringraziarla.

– Ah no? E per cosa?

– Per aver nascosto Venere in casa sua.

– Be', quella è una storia vecchia.

– Sí, ma l'ho capita dopo. Vede, io non l'avevo mai fatto.

– Fatto cosa?

– Far entrare mia figlia. Rischiare. Prendere le sue parti. Qualunque cosa avesse combinato.

– Sta cercando di commuovermi? – dico, rinculando.

E si commuove lui.

Meno male che arriva la macchina.

Alza la mano per farsi localizzare dall'autista.

– Passerò personalmente allo studio per regolare la parcella e ringraziare anche l'avvocato Lacalamita, – dice aprendo lo sportello posteriore; poi, inaspettatamente, si volta e mi abbraccia.

E stringe, pure.

Si nasconde mentre sale in macchina.

– Sindaco, – dico.

– Sí?

– A Benny dica che ha revocato la nomina a Garoppo e la sua vita s'illuminerà.

Sorride.

– Quanto alla parcella, ci penserà Addolorata, la nostra segretaria.

Annuisce, e si tira dietro lo sportello.

Giro i tacchi e mi avvio per la mia strada sollevato e vagamente felice, so mica bene perché.

A un tratto mi blocco sui miei passi come fossi inciampato in qualcosa. Una folgorazione, proprio. Sono cosí sorpreso da me stesso che guardo in faccia una vecchietta con cagnolino come volessi condividere con lei quest'attimo d'incredulità.

«Cazzo», penso.

Mi sono ricordato il nome della segretaria.

Una cosa

– C’è una cosa che devo dirti, – sussurro a Veronica.

Sono le otto del mattino e siamo stesi sul Fetsund con materasso in memory foam Matrand che abbiamo preso in sostituzione del Gressvik (m’è dispiaciuto rimpiazzarlo dopo tanti anni, ma effettivamente era un po’ basso e non proprio comodissimo, per due).

Alfonso Gatto, che ormai dorme regolarmente fra noi, solleva la testa come se stessi parlando con lui. Da quando Veronica è venuta a vivere con me, ha stabilito qui la sua residenza definitiva. Ogni tanto provo ad aprire la porta per invitarlo a riguadagnare la libertà e tornare ai bei tempi in cui faceva il clochard e veniva solo per l’happy hour, ma appena afferra le mie intenzioni va a spaparanzarsi sul Klippan e fa anche l’offeso.

Veronica gli ha comprato (a un prezzo scandaloso) una ciotola di Alessi con un gatto di resina termoplastica dalla coda ritta che fa da divisorio fra due vaschette d’acciaio inox 18/10, e appena gliel’ha messa davanti Alfonso ha rimosso la sua vecchia Lurvig da sei euro come fosse stata l’emblema dei tempi in cui era povero.

– Hmm? – risponde lei, che mi dà le spalle sdraiata sul fianco.

– Ieri mi ha telefonato Alessandra.

Nessuna replica.

Alfonso mi guarda e inclina l'orecchio sinistro.

– Hai sentito cosa ho detto? Mi ha chiamato Alessandra. Alessandra Persiano.

– Sí, ho capito, – risponde senza girarsi.

– E non dici niente, scusa.

– Aspettavo che continuassi.

– Va be', niente. Aveva saputo e mi ha chiesto come stavo.

– Tutto qui?

– Sí, piú o me… devo continuare a dialogare con la tua schiena o pensi di voltarti verso di me, prima o poi?

– E dài, Vince', sto cosí comoda.

Alfonso Gatto si stiracchia come se condividesse la sua affermazione, quindi le sale addosso e le si sfingizza sul fianco in un equilibrio piú che precario. Ma dico io: hai tutta la casa a disposizione, proprio su un'anca devi andare ad appollaiarti? Certi gatti sono soprammobili mancati.

– Ah, come sei interessata a questa notizia.

– Lo sono. Ma sembra che tu abbia già finito di darla.

– Be', non è che ci sia molto di piú da dire. Mi ha chiesto come rispondevo alle cure, quanto dureranno, quali sono le previsioni dei medici. Queste cose.

– E tu?

– E io che?

– Che effetto ti ha fatto?

– In che senso?

– Lo sai bene in che senso.

– Non mi ha turbato, se è questo che volevi sapere.

«Ma quando ho riconosciuto il numero mi è girata un attimo la testa», penso.

– E lei come sta?

– Lo sai? Quando abbiamo chiuso mi sono reso conto di non averglielo neanche chiesto.

– Forse perché avevi fretta di attaccare.
– Dici?
– Be', sí. Anch'io, se in una circostanza del genere mi telefonasse un uomo che ho amato, apprezzerei il gesto ma cercherei di farla breve.
– Sono contento che tu lo dica, perché mi ha fatto piacere che abbia chiamato. Credo che una persona che ti ha voluto bene ne abbia il diritto.
– Sono d'accordo. È per questo che gliel'ho detto.
– Che cosa? – flauteggio, qualcosa come dieci secondi dopo.
Non mi risponde, ma a giudicare da un certo piccolissimo movimento delle spalle sono sicuro che sorrida.
– Ho capito bene? – ridomando.
Finalmente si volta. E Alfonso, lungi dal togliersi di dosso, le si soprammobilizza sulla pancia.
– Sí.
– Mi ero chiesto da chi lo avesse saputo.
– Potevi chiederlo a lei. Non le ho mica detto di non dirtelo.
– Ma perché l'hai fatto?
– Perché era giusto che lo sapesse, l'hai detto tu.
Accarezza Alfonso. Che chiude gli occhi e comincia a fare le fusa come un frullatore.
– E perché volevo vedere se mi dicevi che ti aveva chiamato, – aggiunge.

Titoli di coda (Reprise)

Stamattina presto l'aria sapeva un po' di campo e la giornata aveva una bella luce limpida, il che è una beffa per chi la passa in ospedale.

Prima dell'ambulatorio sono passato in Ematologia per salutare Aurelio, di cui non avevo notizie da una settimana. Quanto ai capelli ho seguito il consiglio di John Turturro («Invece di rimpiangerli, li tolga tutti e aspetti primavera»), e mi sto abituando alla bandana. Con quella e i Persol, secondo Benny sembro un cantante rock caduto in miseria.

È bello lui, è bello.

Ah, dimenticavo: quando sono passato in studio dopo l'udienza preliminare e gli ho raccontato com'era andata (cioè esattamente come aveva previsto), mi ha chiesto se davvero il lampadato non aveva aperto bocca sul capo d'imputazione del futuro suocero.

– In che senso, – ho chiesto.

– Nel senso che secondo me l'estorsione non c'è.

– Cosa?

– Il 629 c.p. parla di costrizione a fare o a omettere qualcosa sotto violenza o minaccia per procurare a sé o ad altri un ingiusto profitto con altrui danno, giusto?

– Giusto.

– E dov'è il danno?

– In che senso.
– Dimmi dov'è il danno.
– Costringere un sindaco uscente a designare un successore che non vorrebbe sotto la minaccia della diffusione di un video porno girato all'insaputa di sua figlia non produce forse un danno?
– No.
– Ma come no.
– Quello che hai appena descritto, cioè farsi indicare come successore, è l'ingiusto profitto. Che può consistere in un vantaggio non necessariamente economico, come in questo caso. Il danno, invece, deve avere natura esclusivamente patrimoniale.
– Ah.
– Paparusso ha chiesto dei soldi a Dasporto? No. Fargli da sponsor gli avrebbe causato una perdita economica? No. Gli ha chiesto di dimettersi da sindaco per farsi eleggere? No. Se avesse cercato di costringerlo a dimettersi, allora forse si sarebbe potuto ravvisare il danno negli emolumenti che il sindaco avrebbe perso lasciando la carica. Ma Dasporto era già candidato alle Regionali, lasciare la poltrona era una sua scelta.
– Cazzo. Allora è violenza privata, non estorsione.
– Bravissimo.
– Che è punita con la reclusione fino a quattro anni, ex art. 610 c.p. L'estorsione, invece, da cinque a dieci anni.
– Te l'ho detto, il problema è che in ogni famiglia italiana c'è un avvocato.

Non è orario di visite (sono appena le otto e mezza), ma rassicuro l'infermiera di turno (dev'essere nuova perché non la conosco) che andrò via subito, giusto il tempo di salutare un amico e scappo in ambulatorio per la chemio.

Le mostro anche il numeretto di prenotazione, ma credo si convinca guardandomi la bandana.

Entro, dribblo un altro paio d'infermiere che conosco (una starebbe per fermarmi, ma poi mi lascia andare) e m'infilo nella mia ex stanza.

Il mio letto è vuoto. In quello di Aurelio c'è un uomo giovane.

– Buongiorno, – mi dice. – Cerca qualcuno?

Quarant'anni, forse neanche. Non sembra malato. Sul comodino, un puffo di peluche. Avrà dei figli ancora piccoli.

– Sí. Mi scusi. Ero ricoverato qui, fino a poco tempo fa. Volevo fare un saluto al mio compagno di stanza.

– Non so dirle, sono qui da ieri e non è ancora arrivato nessuno.

– Ah.

– Vuole che chiediamo a un'infermiera? – dice allungando un braccio verso il campanello.

– No, non si disturbi, chiedo uscendo, magari.

– Come vuole.

Mi ricade l'occhio sul puffo.

– È di mia figlia. Me l'ha prestato per l'occasione.

Oggi mi è andata bene. Benissimo. Quasi non ci credo che sono appena le due e mi trovo già in poltrona con l'infermiera che m'infila l'ago nella mano («Un bel respiro», dice sempre prima di trafiggermi; e sapete? Un po' la fitta di dolore te l'allevia).

Alfredo mi ha chiamato poco fa (a proposito, il suo esame, poi, è andato benissimo); Alagia mi telefona sempre prestissimo. La voce dei miei figli mi dà fiducia.

Siamo in cinque, stamattina. I due letti sono occupati (una è certamente una rachicentesi perché il paziente è disteso senza cuscino; l'altra chissà) ma una poltrona è ancora libera. Strano, non succede mai.

Accanto a me, una donna piuttosto giovane, molto curata nell'aspetto ma con l'espressione sfinita di chi si trascina un dispiacere, digrigna i denti mentre l'infermiera le fa un'iniezione sulla pancia.

– E su, amore, che sulla pancia non fa male. Ma perché ti lamenti tanto, stamattina?

– Scusami, Giulia, hai ragione, – risponde lei. – È che non è proprio giornata, oggi.

– Ma dico io, – la rimprovera amorevolmente Giulia, – già ti è capitato questo guaio, e grazie a Dio lo stiamo pure risolvendo, e invece di pensare a stare bene ti porti i problemi da casa?

– Non lo faccio mica apposta, – dice lei.

Io sono lí vicino che ascolto, pur non volendo.

Allora Giulia mi si rivolge in tono confidenziale, come volesse che l'aiutassi a consolarla:

– Il problema è che non le posso nemmeno dare torto. Appena ha iniziato la chemio, il marito le ha detto che voleva separarsi. Ma si può?

Guardo la giovane donna per comunicarle l'imbarazzo di essere stato messo al corrente di un suo fatto privato. Lei neanche se ne accorge, la sua tristezza le ha fatto scivolare addosso quella frase decisamente indelicata, per quanto pronunciata con affetto. Tiene la testa bassa.

– Dài, amore, non fare cosí, – insiste l'infermiera accarezzandole il viso.

– Sono momenti difficili, signora Giulia, – dico. – Ci sono passato, so come ci si sente. È faticoso scrivere i titoli di coda della vita in comune.

Mentre Giulia si allontana per prendere l'asta della flebo, vedo la testa della donna ruotare lentamente verso di me.

– Scusi, – mi dice.

La guardo, è come se da un momento all'altro il viso le si fosse schiarito.

– Sí? – rispondo.

– Potrebbe ripetere quello che ha detto?

Ringrazio Carlo Boccadoro per *Blu Oltremare* (partitura per clarinetto e quattro percussionisti; Ricordi 2019), uno dei regali piú belli che abbia ricevuto, anche perché arrivato nel pieno di un periodo in cui il gesto di un amico vale tutto.

Ringrazio l'avvocato Massimo Ancarola del Foro di Salerno, impagabile (infatti non lo pago, essendo noi amici da quarant'anni) consulente penalista del collega Malinconico dai tempi di *Non avevo capito niente* (il bello è che quando gli racconto i casini in cui si ficca Vincenzo e lui gli consiglia cosa fare, si sganascia come se ce l'avesse davanti).

Un grazie particolare a Scilla e Aldo Sebastiani, perché sono due persone preziose. E a Sordo, il gatto che ci ha fatto conoscere.

I consigli di Er Salustro, «esportatore de Romanità», hanno arricchito le battute di Aurelio.

Grazie a Maria, perché ce l'abbiamo fatta.

E grazie a mia figlia, per quella volta che mi ha chiesto della luna.

D.D.S.

Canzoni e libri citati nel testo.

Indice

Stampato per conto della Casa editrice Einaudi
presso ELCOGRAF S.p.A. - Stabilimento di Cles (Tn)
nel mese di marzo 2020

C.L. 24313

Ristampa								Anno			
0	1	2	3	4	5	6		2020	2021	2022	2023